OS TÚNEIS

OS TÚNEIS

A história jamais contada das espetaculares fugas sob o Muro de Berlim

GREG MITCHELL

TRADUÇÃO DE **CAROLINA CAIRES COELHO**

VESTÍGIO

Publicado originalmente nos Estados Unidos como The Tunnels:
Escapes Under the Berlin Wall and the Historic Films the JFK White House
Tried to Kill. Esta tradução foi publicada mediante acordo com a Crown,
um selo do Crown Publishing Group, divisão da Random House LLC.

Título original: *The Tunnels: Escapes Under the Berlin Wall and the Historic Films the
JFK White House Tried to Kill*

GERENTE EDITORIAL
Arnaud Vin

EDITOR ASSISTENTE
Eduardo Soares

ASSISTENTE EDITORIAL
Jim Anotsu

PREPARAÇÃO
Eduardo Soares

REVISÃO
Tiago Garcias

CAPA
*Elena Giavaldi (sobre imagem de Paul Schutzer/
The LIFE Picture Collection/Getty Images
Inferior: imagem de Rondholz/ullstein bild via
Getty Images)*

ADAPTAÇÃO DE CAPA
Diogo Droschi

DIAGRAMAÇÃO
Guilherme Fagundes

Dados Internacionais de Catalogação na Publicação (CIP)
Câmara Brasileira do Livro, SP, Brasil

Mitchell, Greg
    Os túneis : A história jamais contada das espetaculares fugas sob o Muro de Berlim / Greg
Mitchell ; tradução de Carolina Caires Coelho. -- 1. ed. -- São Paulo : Vestígio, 2017.

    Título original: The tunnels : escapes under the Berlin Wall and the historic films the JFK
White House tried to kill.
    ISBN 978-85-8286-400-5

    1. Segunda Guerra Mundial - Biografia 2. Berlim, Muro de - Alemanha - 1961-1989
3. Fugas - Alemanha - Berlim - História - Século 20 4. Túneis - Alemanha - Berlim - História
- Século 20 5. Kennedy, John Fitzgerald, 1917-1963 - Opiniões políticas e sociais I. Título.

17-03912   CDD-943

Índices para catálogo sistemático:
1. Berlim : Alemanha : 1961-1989 : História 943

A **VESTÍGIO** É UMA EDITORA DO **GRUPO AUTÊNTICA**

São Paulo
Av. Paulista, 2.073,
Conjunto Nacional, Horsa I
23º andar . Conj. 2301 .
Cerqueira César . 01311-940
São Paulo . SP
Tel.: (55 11) 3034 4468

Belo Horizonte
Rua Carlos Turner, 420
Silveira . 31140-520
Belo Horizonte . MG
Tel.: (55 31) 3465 4500

Rio de Janeiro
Rua Debret, 23, sala 401
Centro . 20030-080
Rio de Janeiro . RJ
Tel.: (55 21) 3179 1975

www.editoravestigio.com.br

Para Peter Fechter

Só merece a liberdade quem a conquista diariamente.

— Goethe, *Fausto*

SUMÁRIO

NOTA AOS LEITORES

Os Túneis se volta estritamente ao registro histórico e às reflexões de participantes e de testemunhas. Não incorpora diálogos inventados. As cenas recriadas não são imaginadas, mas, sim, baseadas em relatos de dois ou mais participantes, na maioria dos casos. A menos que seja atribuída, qualquer coisa que venha entre aspas é um diálogo real (conforme relembrado por uma testemunha, normalmente em uma entrevista com o autor) ou retirado de uma memória ou de outro livro, carta, história contada ou registro de tribunais, interrogatórios, transcrição da Casa Branca ou outro documento. Em algumas frases, corrigi a sintaxe ou a pontuação. Todos os nomes são reais. Os endereços em Berlim, onde os nomes das ruas são combinados com "strasse" numa só palavra (por exemplo, Schönholzerstrasse), aparecem aqui para clareza com "Strasse", "Platz" ou "Allee" como palavras separadas.

A ponto de surpreender até mesmo o autor, quase todos os principais acontecimentos e episódios dessa narrativa (e certamente as partes mais interessantes) se baseiam em longas entrevistas originais com quase todos os atravessadores centrais e vários dos mensageiros e fugitivos; centenas de páginas dos documentos nunca vistos antes dos arquivos da Stasi; e arquivos recentemente tornados públicos pela CIA e pelo Departamento de Estado.

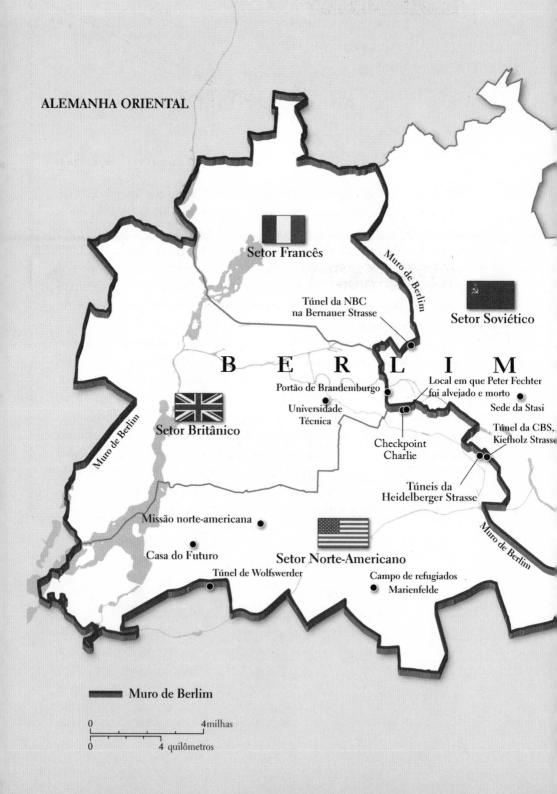

ALEMANHA ORIENTAL

Setor Francês

Muro de Berlim

Túnel da NBC
na Bernauer Strasse

Setor Soviético

B E R L I M

Portão de Brandemburgo

Local em que Peter Fechter
foi alvejado e morto

Sede da Stasi

Universidade
Técnica

Setor Britânico

Muro de Berlim

Checkpoint
Charlie

Túnel da CBS,
Kiefholz Strasse

Túneis da
Heidelberger Strasse

Missão norte-americana

Muro de Berlim

Casa do Futuro

Setor Norte-Americano

Túnel de Wolfswerder

Campo de refugiados
Marienfelde

▬▬ Muro de Berlim

0   4milhas
0   4 quilômetros

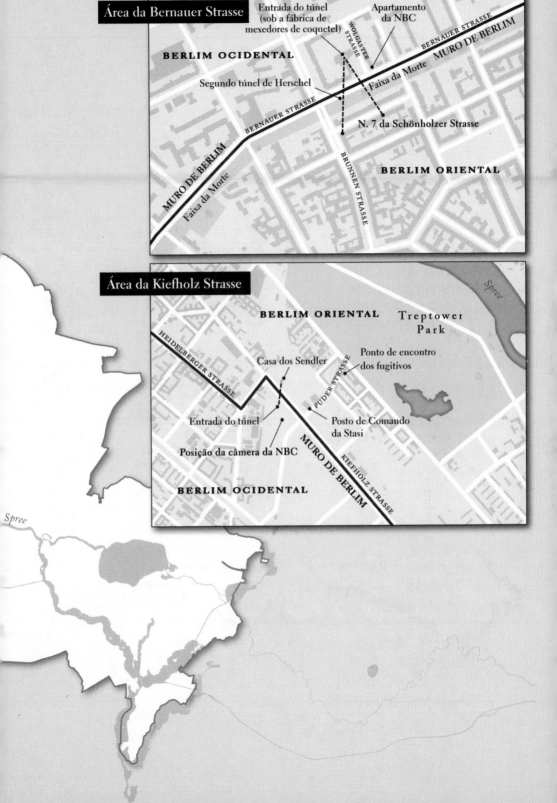

Área da Bernauer Strasse

Entrada do túnel
(sob a fábrica de
mexedores de coquetel)

WOLGASTER STRASSE

Apartamento
da NBC

BERNAUER STRASSE

BERLIM OCIDENTAL

BERNAUER STRASSE

MURO DE BERLIM

Faixa da Morte

Segundo túnel de Herschel

BERNAUER STRASSE

N. 7 da Schönholzer Strasse

MURO DE BERLIM

BRUNNEN STRASSE

BERLIM ORIENTAL

Faixa da Morte

Área da Kiefholz Strasse

Spree

BERLIM ORIENTAL

Treptower
Park

HEIDELBERGER STRASSE

Casa dos Sendler

PUDER STRASSE

Ponto de encontro
dos fugitivos

Entrada do túnel

Posto de Comando
da Stasi

Posição da câmera da NBC

MURO DE BERLIM

KIEFHOLZ STRASSE

BERLIM OCIDENTAL

Spree

1
O ciclista

Harry Seidel adorava ação, velocidade, risco. Ele encontrava tudo isso no ciclismo de velocidade. Harry poderia ter sido um campeão olímpico – ainda podia ser, provavelmente, se mudasse sua atitude, já que aos 23 continuava no auge do vigor físico. Mas Harry não era assim. Quando colocava alguma coisa na cabeça, ia até o fim, e agora, ele não estava perseguindo a próxima curva, nem outros corredores, ou uma linha de chegada.

Meses antes, ele havia competido diante de milhares de fãs que torciam em estádios barulhentos. Sua foto apareceu no jornal. As crianças gritavam o nome do ídolo do esporte, esguio e de cabelos escuros, quando o reconheciam pedalando pelas ruas de Berlim. Agora, ele andava quase totalmente sozinho. Ninguém o festejava, mesmo que ele merecesse, por vitórias que iam muito além de qualquer uma de suas conquistas nas corridas. Isso seria perigoso demais.

Desde o surgimento da nova barreira que dividiu Berlim, no dia 13 de agosto de 1961, a esposa de Harry, Rotraut, se preocupava com ele. Sempre que ele partia em uma de suas missões secretas, ela se perguntava se ele voltaria para casa ou se não apareceria nunca mais. Os amigos diziam que Harry era um *draufgänger* – um ousado. Pediam para que ele parasse de fazer as coisas que fazia e que desafiavam a morte, pediam para que voltasse a pedalar e que abrisse aquela banca de jornal que ele queria abrir, mas era como se o que diziam fosse levado pelo vento que soprava do rio Spree. Apenas nos primeiros meses após a construção do Muro, Seidel havia levado a esposa e o filho, e mais de 20 outras pessoas, ao outro lado da barreira quase impenetrável, para o Oeste. E na mente de Harry ainda havia muitos outros (ou seja, quase todo mundo do Leste) a resgatar.

Seidel havia sido muito elogiado pelo Estado durante sua carreira de ciclista, que culminara em diversos títulos em Berlim Oriental e duas medalhas nos campeonatos de 1959 da Alemanha Oriental. Recém-saído da adolescência, ele deixou o emprego de eletricista quando o Estado começou a pagar para que ele competisse em período integral. Mesmo sendo exaltado em propagandas, Harry se mostrou insuficientemente patriota quando, diferentemente de muitos outros da equipe nacional, recusou-se a tomar esteroides para melhorar seu desempenho. Também se recusou a entrar para o Partido Comunista, que governava na época. Isso custou a ele a chance de chegar à equipe olímpica do país nos anos 1960, e o salário que o governo pagava a ele foi cancelado.

Agora, no início de 1962, sua fama nos arquivos secretos da polícia da Alemanha Oriental como ajudante de fugitivos era tão grande quanto a fama que tinha como ciclista. A troca não havia acontecido sem ônus.

A primeira fuga de Seidel tinha sido a sua própria. Horas depois de a barreira de concreto e arame aparecer para dividir Berlim brutalmente na manhã de 13 de agosto, Seidel deixou o apartamento que dividia com a esposa, o filho e a sogra, no distrito de Prenzlauer Berg, para explorar a fronteira montado em sua bicicleta. Ao sul do centro da cidade, ele encontrou um ponto onde a cerca de arame farpado era baixa. Com os guardas distraídos pelos manifestantes, ele colocou a bicicleta no ombro e passou por cima dos fios. Foi mais um teste do que qualquer outra coisa. Ele imaginou que poderia voltar ao lado leste com a mesma facilidade – o que conseguiu fazer, algumas horas mais tarde, passando por uma barreira alfandegária. (Ainda assim não teve problema para seguir *naquela* direção.) Por ser como era, ele sentiu confiança de que poderia pular a barreira de novo horas depois. Não queria abandonar Rotraut e o bebê Andre, mas não queria perder o emprego de entregador de jornal que mantinha no lado oeste. Ainda que ele ficasse preso no muro, certamente encontraria uma maneira de buscar sua família – incluindo a mãe – em breve.

Mais tarde, naquele mesmo dia, Harry pensou em outra passagem para o lado oeste, mas parecia que os guardas da barreira estavam se tornando mais rígidos. Um pouco depois de escurecer, ele envolveu o passaporte num plástico e mergulhou no Spree para nadar os quase 200 metros até o lado oeste. Ao subir para respirar, ele quase deu uma cabeçada no barco da polícia de Berlim Oriental. Esperando, ele finalmente ouviu um dos policiais dizer: "Vamos, não há nada aqui". Depois que eles partiram, ele nadou o resto do caminho até a borda.

Enquanto Seidel pensava em como salvar sua família, um dos irmãos de Rotraut tentou tirá-los de lá usando passaportes da Alemanha Ocidental com fotos de pessoas que se pareciam com eles. Quando o irmão tentou passar as identidades falsas por uma barreira alfandegária, não teve sucesso.

A mãe e a sogra de Harry foram presas. A esposa só continuou livre porque tinha um bebê para cuidar.

Irado, Harry jurou que buscaria a mãe quando ela fosse solta – e que levaria a esposa e o filho imediatamente.

Depois de mais uma volta de bicicleta, dessa vez pelo lado ocidental do Muro, ele determinou que o lugar mais seguro para atravessar era ao longo da Kiefholz Strasse, perto do Treptower, um dos maiores parques da cidade. Não havia nada ali além de arame farpado – não havia cerca nem concreto – na barreira naquele ponto, e muitas árvores e arbustos na zona ocupada pelos americanos para se esconder. Para obter a cobertura da noite, ele atirou em alguns refletores com uma espingarda de ar comprimido.

Na noite de 3 de setembro de 1961, três semanas após a construção do Muro, Rotraut, esguia e de olhos azuis, recebeu um telefonema inesperado em seu apartamento. Harry, telefonando de um café no Leste, dizia que passaria para buscá-la em uma hora. Rotraut, cuja família tinha imigrado da Polônia, era anticomunista como o marido e vinha pensando em maneiras de fugir sozinha, por isso gostou do convite de Harry. Quando ele chegou, mandou que ela se vestisse de preto, desse ao bebê um pedaço de um comprimido para dormir e o seguisse. Em pouco tempo, eles estavam passando por baixo da vegetação na Kiefholz Strasse, onde Harry já tinha cortado o arame farpado. Ele se arrastou para passar, ficou de pé e levantou o arame de cima. Rotraut entregou o bebê a ele e entrou no lado ocidental. E então, como Harry, ela correu muito até o Ford Taunus dele. Minutos depois, os três Seidel estavam relaxando no apartamento de Harry no distrito de Schöneberg.

O final não foi tão feliz para dois dos irmãos de Rotraut, presos sob a acusação de que sabiam da fuga ou que tiveram alguma participação.

Poucas pessoas na Berlim Oriental imaginavam que um tipo de muro – ou "barreira de proteção antifascista", como o líder da Alemanha Oriental, Walter Ulbricht, dizia (provando ter lido Orwell) – pudesse durar anos. Mas Harry Seidel não era um dos otimistas. Acreditava que aquela cicatriz feia e grande e o estado de vigilância seriam permanentes. E o que o Ocidente podia fazer em relação a isso? Berlim era uma ilha isolada, flutuando precariamente no meio do Estado comunista, a 1.600 quilômetros da Alemanha Ocidental. Harry Seidel sentia que suas aventuras na fronteira tinham apenas começado. Primeiro, ele ainda tinha que resgatar a mãe.

APÓS anos de escassez e racionamento, os berlinenses do Leste gostavam de brincar dizendo que mesmo quando tinham dinheiro para comprar maçãs e batatas, costumavam encontrar bichos nelas – e "cobram mais com os bichos". Mais uma piada ácida: "Você sabia que Adão e Eva eram, na verdade, de Berlim Oriental? Não tinham roupas, tinham que dividir uma maçã e fizeram com que acreditassem que viviam num paraíso". Desde um pouco depois da Segunda Guerra Mundial, uma linha ondulada no mapa havia separado os dois estados alemães, antes mesmo de eles ganharem os nomes de República Democrática Alemã (RDA) e República Federal da Alemanha (FRG). A Alemanha Ocidental foi dividida em setores ocupados pelos americanos, franceses e britânicos. A RDA, dominada pelos soviéticos, era metade da Alemanha, em massa, população e, cada vez mais, desempenho econômico. Em 1955, com a economia se desenvolvendo e a oferta de empregos abundante, a Alemanha Ocidental atingiu total soberania, mesmo com as três principais forças de ocupação permanecendo. Enquanto isso, os comunistas no Leste se espalharam para estancar uma vergonhosa crise de refugiados. Desde o fim dos anos 1940 a 1961, cerca de 2,8 milhões de alemães orientais fugiram para o Ocidente.

A maioria dessa onda humana – quase 20% da população da Alemanha Oriental e uma alta concentração de sua mão de obra apta e profissionais – evadiu via Berlim. Os soldados da RDA policiaram a fronteira nacional com rigidez, mas a fronteira do setor soviético em Berlim, no interior da Alemanha Oriental, permaneceu porosa. No ponto onde os quatro setores da cidade se encontravam, os níveis de segurança eram variados. Berlim continuou sendo, na maioria dos aspectos, uma cidade, com serviço de telefone interconectado, linhas de metrô, trem, bonde e ônibus. Cerca de 60 mil berlinenses do Leste com passes oficiais – professores, médicos, engenheiros, advogados, técnicos, estudantes – entravam no lado oeste todos os dias para trabalhar ou para frequentar as aulas na Universidade Técnica ou na Universidade Gratuita. Eram conhecidos como grenzgänger – atravessadores de fronteiras. Muitos nunca voltaram. Em 1961, a população de 2,2 milhões da Berlim Ocidental se tornou o dobro daquela do lado Oriental.

Os soviéticos ficaram assustados. O premier Nikita Khrushchev considerava a Berlim Ocidental uma "pedra no sapato", apesar de também considerá-la os testículos que podia apertar sempre que quisesse fazer o Ocidente berrar. Khrushchev havia emitido um ultimato em novembro de 1958 dando às três nações do Ocidente seis meses para concordar em tornar a Berlim Ocidental uma zona desmilitarizada, "livre", e então se retirar.

Os Aliados rejeitaram isso. Eles sustentavam que a divisão nada natural da cidade tinha que terminar em eleições diretas em todos os setores e, por fim, em reunificação.

Khrushchev se conteve momentaneamente. Em sua campanha para a presidência em 1960, John F. Kennedy previu que Berlim continuaria a "testar nossos nervos e nossa disposição".

A primeira reunião de cúpula Kennedy-Khrushchev ocorreu no início de junho de 1961, em Viena. O líder soviético de 67 anos começou designando Berlim como "o lugar mais perigoso do mundo". Testando o inexperiente JFK, ele ameaçou finalmente assinar um "tratado de paz" há muito prometido com a Alemanha Oriental, pondo fim aos acordos de quatro poderes quanto à divisão de Berlim. Os alemães orientais ganhariam, assim, controle de todo o acesso ocidental à cidade por ar, estrada de ferro e *autobahn*. Novamente, as três nações ocidentais rejeitaram a ideia. Mas Kennedy, intimidado e atrapalhado, deu a entender que agora os Estados Unidos aceitavam a divisão semipermanente de Berlim, o que só encorajou Khrushchev.

Quando a cúpula terminou, Kennedy a classificou de "a pior coisa da minha vida. Ele me destroçou". JFK disse a aliados que havia pouco que os Estados Unidos poderiam fazer pelos berlinenses orientais – o único objetivo agora era defender os interesses daqueles que já estavam no Ocidente. Ele disse a um importante aliado: "Juro por Deus que não sou um separatista, mas me parece bem estúpido correr o risco de matar um milhão de americanos por causa de uma discussão a respeito de direitos de acesso em uma autoestrada... ou porque os alemães querem a Alemanha reunificada". Depois, ele acrescentou: "Nós não causamos a desunião na Alemanha".

Em um discurso do dia 25 de julho de 1961, Kennedy declarou que os Estados Unidos não estavam à procura de outro confronto em Berlim. Ainda assim, à luz da beligerância cada vez maior dos soviéticos, JFK ordenou uma formação militar. "Buscamos a paz", Kennedy anunciou, "mas não nos renderemos". Os berlinenses ocidentais se concentraram em outro elemento do discurso: Kennedy parecia sugerir que apesar de continuarem sendo fortes defensores da Alemanha Ocidental, os Estados Unidos deixariam os comunistas fazerem praticamente o que quisessem no lado oriental. Em meio às crescentes tensões, o número de alemães orientais chegando ao centro de refugiados da Berlim Ocidental – uma colônia de 25 construções em Marienfelde – aumentou vertiginosamente. A média era de 19 mil por mês em 1961; esse número mais que dobrou no começo de agosto. Os alemães orientais nunca puderam participar de eleições diretas, mas estavam votando com os pés.

Walter Ulbricht, o líder da Alemanha Oriental, de 68 anos e com uma barbicha *à la* Lênin, já tinha visto o suficiente. Com a aprovação de Khrushchev, ele havia, semanas antes, ordenado o estoque de enormes quantidades de arame farpado, cercas e blocos de concreto, e seu sonho de uma barreira permanente cercando Berlim Ocidental estava finalmente prestes a se tornar realidade. De algum modo, apesar do enorme investimento em operações de inteligência em Berlim, os americanos sabiam pouco a respeito disso. Os relatórios diários da CIA ao presidente Kennedy nada diziam.

Não que pudesse importar. Os líderes americanos eram muito ambivalentes quanto a fechar qualquer parte da fronteira. Ulbricht tomou coragem com uma entrevista televisionada e muito divulgada do dia 30 de julho, com J. William Fulbright, um influente senador americano democrata. Quando perguntado se os comunistas poderiam reduzir as tensões criando uma barreira para evitar a fuga de refugiados, Fulbright respondeu: "Na próxima semana, se decidirem fechar suas fronteiras, poderiam fazê-lo sem violar nenhum tratado. Não compreendo por que os alemães orientais não fecham sua fronteira... Eu acho que eles têm o direito de escolher isso a qualquer momento." A imprensa da Alemanha Ocidental e os diplomatas americanos em Bonn, a capital, escorraçaram Fulbright. Alguns o chamaram de "Fulbricht".

O presidente Kennedy não disse nada em público. Mas na Casa Branca, falou com um conselheiro: "Khrushchev está perdendo a Alemanha Oriental. Não pode deixar que isso aconteça. Se a Alemanha Oriental acabar, acabarão também a Polônia e toda a Europa Oriental. Ele terá que fazer algo para impedir a partida de refugiados. Talvez um muro. E não seremos capazes de impedi-lo". Khrushchev, enquanto isso, garantia a Ulbricht: "Quando a fronteira for fechada, os americanos e os alemães ocidentais ficarão felizes". Ele afirmava que o embaixador americano de Moscou havia dito a ele que a crescente incidência de fugas de refugiados estava "causando muito problema aos alemães ocidentais. Então, quando instituirmos esses controles, todo mundo ficará satisfeito".

Ulbricht designou seu chefe de segurança, Erich Honecker, para garantir que a operação fosse bem-sucedida.

Um pouco depois da meia-noite de 13 de agosto, o primeiro arame farpado foi desenrolado ao longo das principais partes da fronteira, o primeiro passo para se fechar a circunferência de 154 quilômetros da Berlim Ocidental. Milhares de tropas soviéticas permaneceram preparadas para o caso de manifestantes do Ocidente tentarem impedir a ação. Khrushchev sabiamente aconselhou Ulbricht a cuidar para que o arame não passasse nem um centímetro da fronteira.

Quando o secretário de Estado Dean Rusk soube das notícias naquela mesma manhã, ordenou que os oficiais americanos se abstivessem de emitir declarações além de leves protestos. Ele temia que qualquer reação america-na na fronteira desse início a uma intensificação do lado comunista. Então, ele deixou o escritório para participar de um jogo de beisebol dos senadores de Washington. Os diplomatas norte-americanos esperavam que o prefeito da Berlim Ocidental, Willy Brandt, não soubesse da saída de Rusk, nem da reação de Foy Kohler, um dos aliados de Rusk: "Os alemães orientais nos fizeram um favor".

Mais do que isso, a Berlim Oriental era um campo minado, disse o correspondente da CBS, Daniel Schorr, naquele dia. Ele acrescentou que as tropas eram necessárias para conter uma "população irritada". Naquela noite, Edward R. Murrow, o lendário apresentador que deixou a CBS para dirigir a administração da U.S. Information Agency (USIA), enviou um telegrama a seu amigo Jack Kennedy, de Berlim, comparando a atitude de Ulbricht à ocupação da Renânia por Hitler. Ele alertou JFK de que se não demonstrasse decisão, poderia encarar uma crise de confiança tanto na Alemanha Ocidental quanto no mundo todo.

Os residentes do lado leste tinham se adaptado à divisão arbitrária da cidade, mas o caráter daquela segregação havia mudado para pior naquela manhã de 13 de agosto. Dezenas de milhares de repente perderam seus em-pregos no Ocidente ou a chance de terminar os estudos, além da liberdade de visitar amigos, familiares e namorados. Com rotas terminando em Berlim Oriental, o metrô U-Bahn e os trens elevados S-Bahn agora deixavam os passageiros na fronteira.

Não obstante, no dia 14 de agosto, Kennedy disse a assistentes que um muro "não é uma solução muito bonita, mas é mil vezes melhor do que uma guerra". Na mesma discussão, disse: "Este é o fim da crise em Berlim. O ou-tro lado entrou em pânico, não nós. Não vamos fazer nada agora porque não há alternativa além da guerra. Está acabado, eles não vão tomar Berlim". A inteligência americana ficou quase otimista. O *briefing* da CIA para Kennedy no dia 14 de agosto se referia secamente às novas "limitações de viagem" e a "restrições" em Berlim. No dia seguinte, a CIA afirmou que as populações da Alemanha Oriental e de Berlim Oriental estavam "de modo geral, reagindo com cautela", com apenas "expressões esparsas de crítica aberta e alguns exem-plos de incidentes antirregime". A agência não devia saber que pelo menos dez guardas de fronteira da Alemanha Oriental já tinham fugido para o Oeste.

A força-tarefa de alto escalão para a questão Berlim, reunida em Washington, concentrava-se mais nas relações públicas do que em barrar o movimento soviético com sanções. O secretário de Estado Rusk disse que, apesar de o fechamento da fronteira ser um assunto sério, "em termos realistas, facilitaria um acordo com Berlim. Nosso problema imediato é o senso de ultraje em Berlim e na Alemanha que carrega consigo uma sensação de que deveríamos fazer mais do que só protestar". O procurador-geral Robert Kennedy solicitou apoio na campanha antissoviética.

No dia 16 de agosto, a manchete do jornal popular da Alemanha Ocidental, *Bild Zeitung*, anunciava: "O Ocidente Não Faz Nada!" O presidente Kennedy, segundo noticiava, "permanece calado". O prefeito Willy Brandt enviou uma mensagem ríspida a Kennedy. Ele criticava a "inatividade e pura defensiva" dos Aliados, o que poderia causar a diminuição do moral na Alemanha Ocidental enquanto promovia "exagerada autoconfiança no regime de Berlim Oriental". Se nada fosse feito, o próximo passo seria os comunistas transformarem Berlim Ocidental em um "gueto" do qual muitos dos seus cidadãos fugiriam. Kennedy deve rejeitar a chantagem soviética. Em uma enorme manifestação em Berlim naquela noite, Brandt gritou: "Berlim espera mais do que palavras! Berlim espera ação política!".

Kennedy estava irredutível, em parte por achar que a raiva de Brandt era motivada mais por política eleitoral que por qualquer outra coisa. Ele se referia a Brandt como "aquele canalha de Berlim".

POUCOS DIAS DEPOIS da construção da cerca de concreto e arame, os alemães orientais estavam pulando janelas de construções adjacentes à fronteira ao longo de vários quarteirões da Bernauer Strasse no distrito Mitte (ou "meio"), para a calçada em Berlim Ocidental. Isso só era possível em partes da cidade onde as fachadas dos prédios marcavam a fronteira. Em alguns casos, bombeiros de Berlim Ocidental usavam redes para pegar as pessoas que pulavam. Pouco mais de uma semana depois de 13 de agosto, a primeira berlinense oriental morreu tentando fugir. Foi Ida Siekmann, 58 anos, que literalmente voou depois de jogar seu colchão e outros pertences pela janela de seu apartamento do terceiro andar na Bernauer Strasse. Siekmann não conseguiu cair sobre o colchão e morreu a caminho do hospital. Os alemães ocidentais ficaram irados. Os operários de Berlim Oriental cobriam, com tijolos, janelas que davam vista ao lado ocidental o mais rápido possível.

Dois dias depois do salto fatal de Siekmann, um alfaiate de 25 anos chamado Günter Litfin foi baleado e morreu no Humboldt Harbor, em Berlim. Litfin, um dos milhares de berlinenses orientais que não mais podiam ir para o trabalho no Ocidente, havia quase terminado sua desesperada travessia a nado até o lado oposto quando levou um tiro na nuca disparado por um guarda da fronteira. Em poucas horas, centenas de berlinenses ocidentais se reuniram ali e protestaram aos gritos. A polícia prendeu o irmão de Litfin e revistou o apartamento de sua mãe. A imprensa da Alemanha Oriental lançou uma campanha de difamação contra o falecido, taxando-o como homossexual, cujo nome era "Doll". Cada um dos guardas que dispararam contra Litfin recebeu uma medalha, um relógio de pulso e um bônus em dinheiro.

Um jornal de Berlim Ocidental declarou: "Os caçadores de humanos de Ulbricht se tornaram assassinos". Alguns dias depois da morte de Litfin, outro jovem berlinense oriental foi morto a tiros no Treptow Canal. Em poucos dias, outros três morreram depois de pular janelas ou cair do telhado na Bernauer Strasse. Em outubro, dois outros jovens foram mortos a tiros no rio Spree. No início da era do Muro, a maioria dos berlinenses ocidentais acreditava que por mais cruel que fosse o sistema no Leste, os soldados ou guardas da fronteira não atirariam em seus compatriotas alemães. Essa esperança se mostrava cada vez mais enganosa.

Fugitivos obstinados permaneciam destemidos. Um casal atravessou o Spree até a outra margem – empurrando uma banheira com a filha de três anos dentro, à sua frente.

Em meados de outubro, um muro de 2,4 metros já havia substituído o arame farpado em mais partes da cidade. Um escultor berlinense descreveu a construção descuidada e desarticulada como algo que parecia "ter sido feito por um grupo de aprendizes de pedreiros incompetentes e embriagados". Enquanto os dissidentes descobriam que podiam escalar ou passar pelo concreto, os operários da RDA tornavam as barreiras ainda mais altas e densas, e torres de monitoramento começaram a aparecer aos montes. No lado do muro voltado para o Oeste, grafites surgiram: KZ, as iniciais nazistas para campo de concentração. Centenas ainda iam para o lado ocidental – pelo esgoto, em veículos que conseguissem atravessar tijolos, em um trem que se recusava a parar na fronteira. O Muro era, ao mesmo tempo, demais e insuficiente.

Muitos oficiais americanos e da Alemanha Ocidental continuaram a condenar, da boca para fora, o Muro, mas a aceitá-lo, e até a gostar de sua existência, em segredo. Eles viam o Muro mais como solução do que como problema, por mais trágico que fosse o custo para os berlinenses orientais comuns. O maior medo no Ocidente era de que o Exército Soviético – suas forças ultrapassando o contingente ocidental somado – invadisse Berlim Ocidental. Apenas 6.500 soldados americanos ocupavam a cidade isolada, em comparação com os mais de 250 mil das forças americanas na Alemanha Ocidental. A construção do Muro parecia indicar que os soviéticos tinham abandonado qualquer plano de tomar a cidade, satisfeitos, por ora, apenas com a solidificação de seu poder na Alemanha Oriental. Enquanto isso, os cidadãos de Berlim Ocidental permaneciam tensos. Metralhadoras soviéticas tinham sido vistas acima do Portão de Brandemburgo. Será que a invasão do Leste era mesmo tão improvável, como os americanos agora diziam ser? A frase mais ouvida nas ruas era: "Estamos vendidos, mas ainda não estamos entregues". Os moradores faziam planos para o futuro, e normalmente acrescentavam: "Se ainda estivermos aqui".

EM OUTUBRO de 1961, Harry Seidel ficou tão irritado com o sistema comunista, que estava pronto para arriscar sua vida salvando não só pessoas da família, mas também desconhecidos. No entanto, as opções diminuíram. Caminhos de fuga bem feitos, ainda que imundos, através dos bueiros e do esgoto da cidade, conhecidos como "canalização" ou "Rota 4711" (o nome de uma água-de-colônia conhecida), tinham sido descobertos pela polícia e fechados. Outros esquemas, que exigiam passaportes falsos ou documentos de identidade forjados, agora eram observados com mais atenção pelos agentes da fronteira da Alemanha Oriental. Dezenas de *fluchthelfer*, ou ajudantes de fuga, tinham sido presos atravessando para o Leste com o intuito de distribuir identidades falsas.

Harry Seidel, no entanto, tinha estudado a região da Kiefholz e sabia que podia explorar os pontos fracos da fronteira ali. Ao longo dos três meses seguintes – enquanto continuava competindo em corridas de ciclismo aos domingos –, ele levou pelo menos vinte amigos (e amigos de amigos) por cima, por baixo ou pelo meio dos arames. Um dia, ele viu um jovem gritando e acenando do outro lado da fronteira para a namorada no Leste. O jovem chorava. Eles se casariam naquele mês, mas, agora, ela estava presa. Harry prometeu que a tiraria dali. Terminou como padrinho do casamento deles.

Seu caminho de fuga acabou sendo descoberto quando, enquanto ajudava uma mãe e seu bebê a atravessarem, o bebê começou a chorar. Os guardas atiraram nele e erraram, mas a partir de então, muito mais guardas da RDA começaram a vigiar o panorama da Kiefholz. Uma terceira linha de arame e algumas cercas de madeira foram instaladas. Então, Seidel começou a olhar mais para baixo.

De acordo com rumores insistentes, os nazistas tinham cavado um túnel por baixo do Palácio do Reichstag para iniciar o incêndio de 1933 que ajudou a estabelecer seu poder. Harry explorou as ruínas e não encontrou nada. Mas enquanto explorava, viu um muro baixo perto do Portão de Brandemburgo de onde era possível pular para o lado oriental. Ele tentou – e foi identificado pela luz repentina de holofotes. Levado para ser interrogado em uma delegacia próxima dali, Harry disse que estava apenas tentando escapar dos soldados americanos, mas seus interrogadores não acreditaram. Quando eles saíram da sala, ele saiu por uma janela a seis metros do chão, encontrou a passagem conhecida na Kiefholz Strasse e voltou para o Ocidente, sem grandes problemas.

Outros contratempos foram mais desanimadores. Um dos colegas fugitivos de Harry, um estudante de química na Universidade Técnica, tinha se oferecido para ajudar outro aluno a passar a mãe para o outro lado. Enquanto ele cortava três arames no escuro, perto do distrito de Spandau, tiros foram disparados e o jovem caiu cinco metros dentro de Berlim Oriental. A polícia britânica e da Berlim Ocidental logo chegaram, mas os guardas da fronteira da Alemanha Oriental apontaram armas para eles, impedindo qualquer tentativa de chegarem perto da vítima. Naquele dia frio de dezembro, ele sangrou até morrer e depois foi arrastado pelos guardas.

Mesmo longe do Muro, o perigo espreitava. Com 17 anos de domínio comunista, a Alemanha Oriental abrigava mais informantes *per capita* do que qualquer nação da história. Dezenas de milhares estavam ajudando o Ministério de Segurança do Estado – MfS era a abreviatura, ou "Stasi", no vernáculo – de uma forma ou de outra, sendo pagos ou não; em comparação a isso, o alcance da Gestapo de Hitler era pequeno. Os agentes eram levados a toda grande fábrica, hospital, escola, jornal e condomínio, com relatórios repassados a uma das grandes construções que formavam a grande sede da Stasi na Rusche Strasse em Berlim Oriental. Seidel tinha certeza de que seu nome agora tinha um lugar de destaque naqueles arquivos. Também sabia que a rede de informantes operava dos dois lados do Muro. Os agentes da Stasi sequestravam expatriados na Berlim Ocidental e os levavam de volta ao lado oriental.

No meio do inverno, enquanto entregava jornais com seu carro, Seidel conheceu Fritz Wagner, um açougueiro rechonchudo e espalhafatoso da Berlim Ocidental, que tinha trinta e poucos anos. Eles se tornaram amigos, e Wagner, que tinha esposa e dois filhos, convidou Harry para ir à sua casa no sul de Berlim. Ele sabia que a capacidade atlética de Harry fazia dele alguém muito adequado para o trabalho árduo que tinha em mente: passar por um túnel sob o Muro.

Wagner desejava libertar alguns amigos e familiares do Leste. Também pensava em cobrar algum dinheiro das pessoas pela passagem segura.

Wagner, que dirigia uma grande Mercedes e também mantinha uma banca de jornal, não deixava passar oportunidades de trabalho. Ficou curioso em relação ao carisma complexo de Seidel, considerando-o astuto e ousado, lacônico mas temperamental, forte mas sensível. Seidel, por sua vez, estava pronto para um novo desafio, independentemente de quais fossem os perigos. Ele se animou com a ideia do túnel, já que outras opções de fuga tinham se tornado arriscadas demais, até mesmo para seus parâmetros. Em parceria com Wagner, Harry podia oferecer a força sem se distrair com detalhes organizacionais ou financeiros.

Outra equipe de túnel já tinha demonstrado o que era possível. Erwin Becker, um chofer de membros do parlamento da Alemanha Oriental, e seus dois irmãos tinham aberto um fosso pelo solo arenoso, do porão da casa da família em uma parte afastada de Berlim Oriental, por baixo do Muro, saindo em um parque a menos de três metros do Ocidente. A mãe deles alertava a respeito da movimentação da polícia piscando uma luz dentro do túnel por meio de um interruptor na casa deles. A escavação demorou só nove dias, e numa noite de janeiro, 10 homens e 18 mulheres atravessaram pela passagem. *Bild Zeitung* mostrou fotografias do túnel com os Becker sorrindo e reencenando a saída. Estabelecendo o que se tornaria prática corriqueira, o jornal pagou os Becker pelas imagens exclusivas. A manchete: "Êxodo em Massa do Campo de Concentração Ulbricht!".

Houve controvérsia. O serviço americano de telégrafo UPI transmitiu uma história que incluía a localização da casa dos Becker. Quando a associação de imprensa da Alemanha Ocidental protestou, a UPI retirou o artigo. Isso levou a um acordo geral na imprensa de Berlim Ocidental de que eles manteriam escondidos detalhes-chave a respeito das operações nos túneis, como a localização exata, o número de fugitivos, os nomes dos organizadores e se a polícia ajudava de alguma forma.

Seidel e Wagner se animaram com o sucesso dos Becker, apesar de planejarem escavar na direção oposta, do Ocidente ao Oriente. (Isso ia contra quase todo exemplo de "túneis de fuga" na história do mundo – que quase sempre leva os escavadores na direção da liberdade, não para longe dela.) Para o primeiro projeto, eles tinham como meta a Heidelberger Strasse, uma rua estreita no distrito afastado de Treptow. Uma alta barreira de concreto descia reta até o centro da rua, dividindo amigos e vizinhos de longa data, física e politicamente.

Heidelberger passou a ser conhecida como a "Rua das Lágrimas".

Era uma cena de filme de horror distópico, mas, em muitos aspectos, era um local ideal para um túnel, com menos de 2,40 m separando um ponto de entrada em um porão no Ocidente e o alvo em um porão no lado oriental.

Wagner, que mal conseguia passar por um túnel, muito menos cavá-lo, assumiu papel de supervisão, comprando ferramentas, pagando aos donos das construções dos dois lados da rua pelo uso de seus porões e recrutando vários operários. A escavação começou sob a supervisão de Harry Seidel. No entanto, por ser um escavador novato, Harry não tinha certeza de que seu objetivo no porão do outro lado da rua daria certo. E, como fugitivo procurado, ele sabia que a polícia, os guardas da fronteira ou os agentes da Stasi poderiam estar esperando por ele quando aparecesse no lado oriental.

OS ATRAVESSADORES DO TÚNEL e outros ajudantes de fuga estavam chamando muita atenção agora, até mesmo do outro lado do Atlântico. Quando o procurador-geral Robert Kennedy visitou Berlim pela primeira vez, em fevereiro de 1962, e foi recebido por multidões de fãs, pediu para falar com os refugiados que tinham vindo do lado oriental. William Graver, chefe da Base de Operações da CIA em Berlim, convidou dois desses fugitivos para as dependências de hóspedes na Podbielski Allee, um centro de operações da inteligência dos Estados Unidos. Foi no começo da manhã, e enquanto os jovens eram levados para os aposentos de Kennedy, eles ouviram barulho de água vindo do banheiro. Alguns minutos depois, Kennedy terminou seu banho e saiu de roupa íntima, pegando e abotoando uma camisa quando o diálogo começou. Depois, um dos alunos disse a Graver: "Um ministro alemão nunca teria sido capaz de fazer algo assim!".

O ponto alto da visita de Kennedy, um discurso naquela tarde, na prefeitura, foi interrompido por sinalizadores piscando no céu, lançados do lado oriental. Deles, quatro bandeiras vermelhas apareceram. Conforme a multidão vaiava, Kennedy exclamou: "Os comunistas deixam passar os balões, mas não deixam passar seu povo!".

Harry Seidel sabia muito pouco sobre a visita de Kennedy. Estava ocupado demais, dia e noite, em seu túnel. A passagem subterrânea podia ser relativamente curta, mas isso não significava que era fácil. Seidel e meia dúzia de companheiros passaram vários dias cavando no frio e na umidade, e a única iluminação eram algumas lanternas e lâmpadas meio falhas. A terra era arenosa e leve, mas o lençol freático era alto, e por isso, a terra era úmida. Os jovens jogavam a terra em grandes bacias de latão fornecidas por Fritz Wagner, conhecido, nem sempre de modo carinhoso, como *Der Dicke* – Homem Gordo. As bacias, feitas para transportar carne, eram passadas de mão em mão ou puxadas por cordas em direção ao lado ocidental, e a terra era depositada em um canto do porão.

Cavar, tirar, sem parar. Era como cavar covas, a diferença era a necessidade de escavar horizontalmente, por dias, e sobreviver no frio e na umidade muito tempo depois de a luz e o ar começarem a desaparecer. Era impossível trabalhar por mais de uma hora sem se sentir zonzo com a falta de oxigênio. Alguns dos homens tinham febre e crises de tosse. Seidel, forte e em forma devido ao ciclismo, às vezes trabalhava doze horas direto, apresentando poucos efeitos. Em pouco tempo, os escavadores estavam no, ou melhor, sob o lado oriental, já que guardas de fronteira armados com rifles Kalashnikov e "VoPos" (*Volkspolizei*, ou "polícia do povo") patrulhavam a poucos metros de suas cabeças na calçada da Heidelberger. Harry conseguia ouvir os passos deles, alguma conversa abafada, um assovio. Ele reconhecia o perigo, mas não o respeitava.

No fim de março, quando chegou à parede do porão em Berlim Oriental, Seidel criou um pequeno furo com uma chave de fenda e observou através dele. Harry carregava uma pistola e também um extintor de incêndio, pronto para encher o porão com fumaça e conter homens armados se precisasse escapar.

Felizmente, enquanto aumentava o buraco, confirmou que a barra estava limpa. Mensageiros do lado ocidental espalhavam a notícia a várias dezenas de alemães orientais: Seu túnel está aberto.

Os primeiros três dias de fuga foram emocionantes. Harry e seus ajudantes guiaram dezenas de fugitivos pelo túnel estreito. Amigos de Wagner e os escavadores fizeram a viagem de graça. Aqueles que não tinham ligação tão próxima eram chamados de "passageiros" e pagavam uma pequena taxa diretamente a Wagner, que mantinha essa política (e o dinheiro) para si. Ele tinha despesas relacionadas ao túnel para cuidar, e se conseguisse uma grana extra no negócio, ótimo.

Quanto menor fosse a pessoa, mais fácil era a travessia pelo mundo subterrâneo. Com um pé direito de quase um metro, alguns fugitivos conseguiam passar abaixados e atravessavam em cinco minutos, enquanto outros tinham que engatinhar. Muitos eram jovens e razoavelmente em forma. Quando chegavam ao porão do outro lado da fronteira, no número 35 da Heidelberger Strasse, estavam enlameados e exaustos, mas não se importavam. Estavam no lado ocidental. Para comemorar, os escavadores ofereceram a ele garrafas icônicas de Coca-Cola, um sabor que eles sempre imaginaram significar "liberdade".

E então, nos últimos dias de março de 1962, Harry deu sopa para o azar.

Para o infortúnio de Seidel, um homem que vivia acima do túnel, no número 75 da Heidelberger Strasse, por acaso era informante da Stasi. Seu nome era Horst Brieger, de apelido "Naumann". Seidel havia conversado com um morador do número 75 da Heidelberger, e quando o desconhecido disse que queria fugir para o Ocidente, Harry respondeu: Que sorte, acabamos de abrir um túnel bem aqui embaixo! E perguntou se o homem sabia quem tinha a chave da porta do prédio (já que isso poderia ajudar no acesso depois). O desconhecido direcionou Harry ao morador do primeiro andar, Brieger – que informaria a Stasi a respeito do túnel no dia seguinte. Brieger inclusive identificou seu visitante como o aclamado ciclista Harry Seidel.

A Stasi montou uma armadilha, à qual eles se referiram em seus arquivos como "um plano operacional para liquidar o túnel". Eles permitiram que alguns fugitivos escapassem sem problemas, incluindo várias crianças com os pais, enquanto esperavam que sua maior presa, Seidel ("organizador da operação de tráfego"), saísse do túnel no lado oriental. O principal oficial da Stasi na cena deu ordem para que seus companheiros "afiassem suas facas", ou seja, precisavam "deixar as armas prontas e, se necessário, usá-las".

Nessa altura, Harry poderia ter declarado vitória e se afastado desse túnel. Todos os fugitivos da lista original de Fritz Wagner tinham passado ao lado ocidental. Mas Seidel esperava tirar a mãe de sua esposa, seus dois irmãos e alguns retardatários. Ajudando-o estava Heinz Jercha, um dos mais fortes escavadores.

Jercha havia conhecido Fritz Wagner enquanto trabalhava em um açougue no lado oriental. Depois de fugir para o lado ocidental, ele entrou no projeto do túnel de *Dicke*, por vontade própria. Assim como Harry, Jercha, de 27 anos, tinha esposa e um filho pequeno – e um problema nada saudável de idealismo, refletido em seus olhos mais brilhantes do que o normal.

Na noite de 27 de março, Seidel seguiu o roteiro da Stasi com uma mudança: Jercha entrou no túnel na frente dele e tomou a dianteira ao lado oriental. "Você sempre sobe primeiro, então vou na frente dessa vez", dissera Heinz. Depois de ajudar um casal de idosos a entrar no túnel, Jercha esperou a chegada de vários alunos. Entrando no corredor do primeiro andar, ele bateu à porta de Brieger para pedir as chaves. Quando a porta se abriu, ele ficou cara a cara com os soldados da Stasi.

Um deles mandou Jercha se render, gritando "mãos ao alto!". Jercha virou a lanterna nos olhos dele e correu em direção ao porão. Vários tiros foram dados.

Seidel, que estava esperando na escada para o porão, abriu a porta. Jercha desceu os degraus, passou pelo buraco de um metro na parede e entrou no túnel. Seidel bloqueou a porta, mas tiros atravessaram-na. Jercha, ferido no peito, passou aos tropeços pela passagem escura com Harry logo atrás dele. Sangrando profusamente, Jercha começou a diminuir o ritmo. Sua respiração estava ruidosa quando Seidel o empurrou pelo resto do caminho para o lado ocidental. Retirado do túnel por outros escavadores, Jercha gritou sem forças: "Socorro! Estou sangrando, vou morrer!". Ele morreu a caminho do hospital.

Outro jovem *fluchthelfer*, Burkhart Viegel, que esperava levar fugitivos pelo túnel no dia seguinte, foi até a entrada para repassar os detalhes com Harry. O ciclista, que havia acabado de ser apanhado pela polícia da Alemanha Ocidental, parecia pálido e agitado. "Os porcos atiraram em Heinz", Harry exclamou. "Eles poderiam ter me acertado. Foi a primeira vez que deixei que ele fosse na frente – e eles o pegaram imediatamente!" Seidel acrescentou: "A polícia acha que eu atirei nele. Se perguntarem a você, diga que eu estava desarmado". Três horas depois, Seidel mudou de ideia e entregou duas pistolas à polícia, incluindo uma semiautomática. Ele deveria ter sido preso por posse de arma de fogo – algo proibido no Ocidente –, mas os policiais costumavam fazer vista grossa no caso de ajudantes de fugitivos, e foi o que fizeram de novo.

"Guardas da Alemanha Oriental atiraram e mataram um berlinense ocidental esta noite", o *New York Times* divulgou. "Não ficaram claros os detalhes do confronto, mas acredita-se que a vítima havia ajudado alemães orientais a atravessarem o Muro". Enquanto isso, os jornais berlinenses orientais exaltavam sua defesa da pátria contra "terroristas". Afirmavam que Jercha tinha sido baleado por Seidel. A sogra de Harry e os dois filhos dela foram rapidamente presos de novo. Um cinejornal da Universal, lançado nos cinemas norte-americanos, cobriu a matança com o título de "Door to Freedom" ("Porta para a liberdade"). Partes do filme mostravam a entrada do túnel, "bem perto do Muro do Ódio", disse o narrador. O "herói" Jercha havia morrido, mas "sua memória viverá naqueles cuja liberdade ele comprou – com sua vida".

Enquanto isso, Horst Brieger confirmou as suspeitas dos vizinhos de que ele era um informante quando de repente começou a dirigir um novo automóvel Skoda. Seidel, o verdadeiro alvo para prisão ou extermínio, continuou sendo assombrado pela morte de seu colega. Amigos pediram para que ele parasse com esse negócio maluco. Um deles disse que, se tivesse que continuar, que pelo menos "nunca fosse o primeiro a passar para o outro lado".

Harry respondeu: "Mas é o meu trabalho". E ele ainda tinha que passar a mãe, independentemente do que acontecesse.

Seidel logo passou a ter bem mais companhia sob as ruas de Berlim.

Fluchthelfer planejavam escavações em locais bem separados pela cidade, amplamente desconhecidos por Harry, mas que logo ganhariam atenção tanto da Stasi quanto do olhar atento do Ocidente. Entre os novos artistas de fuga estavam estudantes que planejavam escavar até o norte da Kiefholz de Seidel e refúgios da Heidelberger. Os meses que viriam testariam seu ânimo e dedicação, a habilidade da polícia do Oriente de expô-los, e os medos no Ocidente – no ápice da Guerra Fria – de que eles conseguissem apenas dar início a um confronto entre superpoderes. Para surpresa deles, duas redes americanas de televisão se tornariam muito interessadas nos túneis que eles construiriam, incluindo um projeto ousado que, dentro de meses, uniria Seidel e os estudantes – juntamente com um intrépido agente da Stasi – em um terreno comum; ou melhor, abaixo dele.

2
Dois italianos e um alemão

MARÇO–ABRIL DE 1962

As notícias sobre o projeto de túnel de Harry Seidel abalaram a insular comunidade *fluchthelfer*, causando medo e esperança. A morte a tiros de Heinz Jercha foi um balde de água fria, com certeza, mas havia acontecido depois de várias noites sem incidentes, com dezenas de resgatados. Desde que o Muro fora erguido, apenas dois túneis tinham sido totalmente bem-sucedidos, os dois com uma entrada e uma saída arriscadas no nível da rua.

O túnel de Heidelberger mostrava que era possível fazer de um porão a outro. Entre os que estavam se arriscando, havia dois estudantes da Itália que dividiam um quarto na Universidade Técnica, ou TU, um lugar de intensa atividade de fuga não muito longe do Zoológico de Berlim. Eles eram Luigi "Gigi" Spina e Domenico "Mimmo" Sesta. Fisicamente, formavam uma dupla improvável – Spina era alto e moreno, com uma barriguinha saliente. Sesta era baixo, loiro e musculoso. Os dois se conheciam desde o ensino médio, em Gorizia, não muito distante de Veneza, e tinham interesses variados: filosofia, literatura, política, economia. Gigi, após completar o serviço militar na Itália, havia entrado na faculdade de artes, Hochschule der Künste, na Berlim Ocidental, e incentivou Mimmo a tentar o programa de engenharia na TU, ao lado.

Em Berlim, eles eram amigos de um estudante de arte de 24 anos chamado Peter Schmidt, que vivera uma parte da vida na Itália e falava italiano. Ele morava no lado oriental com a esposa, Eveline, e um bebê. Quando a fronteira foi fechada, no dia 13 de agosto de 1961, Peter não pôde mais trabalhar no Ocidente. Uma semana depois, Gigi e Mimmo visitaram Peter (entrando no lado oriental graças a seus passaportes italianos) e pediram para que ele considerasse fugir com a família enquanto a nova barreira ainda estava um tanto quanto permeável. Peter recusou-se. Pensava que o Muro não duraria, já que os berlinenses orientais eram tão contra ele.

Dos dois italianos, Mimmo Sesta era mais próximo de Peter Schmidt. Ambos eram órfãos, portanto os dois jovens desenvolveram um profundo laço. Nos meses depois que o Muro foi erguido, Mimmo frequentemente visitava Peter em sua modesta casa num subúrbio de Berlim Oriental, falando sobre a necessidade de terem um plano de fuga. Ele brincava com o bebê enquanto Peter tocava violão.

Ainda parecia possível para Peter e Eveline construir uma vida suficiente-mente confortável na Berlim Oriental, apesar das privações e das dificuldades. Peter era um artista gráfico *freelancer.* Eveline gostava de seu emprego na biblioteca da Humboldt University. A casinha de madeira deles tinha um banheiro externo, mas eles se sentiam sortudos por terem uma casa, além de empregos com pouca pressão política, enquanto esperavam pela inevitável derrubada do Muro. Mas quando o arame farpado se transformou em uma barreira de concreto em cada vez mais lugares no outono de 1961, a sensa-ção de prisão se tornou opressiva. No Natal daquele ano, Peter disse: "Não aguento mais!". A busca por uma saída começou a valer.

Depois de discutirem vários métodos, incluindo o roubo de um helicóp-tero, Spina e Sesta decidiram que só um túnel resolveria. Um jovem forte poderia se espremer por baixo de um arame farpado, saltar de um trem, até mesmo escalar o Muro – poderia encontrar um cano aberto no esgoto, atravessar o Spree ou se esconder embaixo do banco traseiro de um carro – mas o que uma mulher e um bebê fariam? A mãe adotiva de Peter também queria fugir. Diferentemente de Harry Seidel, Peter não tinha vontade de fugir para o lado ocidental antes de sua família. Ou saíam juntos ou não saíam. O que aumentava a urgência era o fato de Schmidt ter que se alistar no Exército da Alemanha Oriental até o fim de 1962.

Apesar de seu histórico recente, cavar túneis estava entrando na moda. Mimmo e Gigi se inspiraram naquele inverno em um projeto corajoso que não havia alcançado sucesso ao menos parcialmente. Um grupo de estudantes de Berlim Ocidental tinha começado a cavar um túnel sob uma parte isolada da estação Wollank S-Bahn, mais sofisticado que os primeiros esforços com o emprego de toneladas de madeira e ferro para suportá-lo. Infelizmente, os trens que passavam desprendiam a terra. A polícia viu uma pequena depressão em uma plataforma que expunha o túnel. Isso gerou ampla cobertura da imprensa dos dois lados do Muro, mas o progresso constante dos alunos até aquele ponto – quase trinta metros de escavação – e o talento para arrecadar fundos sugeria que o sucesso em outros pontos era plausível.

Agora, em março, e unidos em propósito, Sesta e Spina partiram para encontrar um lugar onde começar o próprio túnel – de porão a porão, do Ocidente ao Oriente. Pensando no futuro, eles sabiam que precisariam de mais ajuda. Nenhum dos dois era fluente em alemão e esperavam que as negociações com a polícia, com os oficiais da cidade e talvez com agentes da inteligência surgissem; e Sesta estava longe de estar preparado para lidar com as obrigações envolvendo a engenharia. Um colega de dormitório, um estudante de engenharia avançada de 21 anos, de Wittenberg, chamado Wolfhardt Schroedter, parecia ser a pessoa perfeita. Eles achavam que Schroedter era confiável. Ele havia fugido da Alemanha Oriental por motivos políticos quatro anos antes – o que sempre inspirava respeito em círculos de fugitivos. Schroedter tinha amizade com um organizador do esquema de passaportes falsos e conhecia dezenas de alunos envolvidos nesse negócio, que agora procuravam outras maneiras de soltar amigos e familiares do Oriente. Talvez eles estivessem prontos para arregaçar as mangas e pegar uma pá.

MESMO antes do drama do túnel de Heidelberger, Piers Anderton havia divulgado um pedido de dicas sobre como escavar por baixo do Muro. Anderton, correspondente da NBC em Berlim, tinha coberto todos os métodos de fuga nos primeiros meses depois de 13 de agosto de 1961 e sabia que cada um deles se tornava cada vez mais difícil. Precisava se manter por dentro das últimas opções.

Incentivando Anderton, estava seu chefe, Reuven Frank, no número 30 da Rockefeller Plaza, em Nova York. Ele havia ajudado a criar – e agora produzia – *The Huntley-Brinkley Report*, o elogiado telejornal da noite. Frank havia cunhado as frases de efeito mais famosas da história da televisão, uma despedida para os coâncoras Chet Huntley, que estava estabelecido em Nova York, e David Brinkley, em Washington, D.C.: "Boa noite, Chet... E boa noite, David". Ele também tinha escolhido a música-tema, trecho da Nona Sinfonia de Beethoven. Nascido em Montreal, filho de pais oriundos da Europa Oriental, Frank havia feito faculdade em Toronto, chegando à NBC em 1950, depois de um tempo em um jornal de Newark. Em uma década, ele estabeleceu o modelo para cobertura de convenções políticas e noites de eleição, marcado por mudanças rápidas entre o âncora e os correspondentes. Ele era da nova safra de produtores de televisão que, por nunca terem trabalhado no rádio, davam mais prioridade a imagens em movimento do que para se ler ou contar as notícias para a câmera. Uma de suas frases mais recorrentes era: "É por isso que isto se chama tele*visão*".

Por acaso, Frank estava em Berlim com Brinkley no dia 13 de agosto de 1961. Alguns dias depois, ele instruiu Anderton a acompanhar de perto o humor do público na Berlim Oriental, sabendo que aquela podia ser a matéria da década. "Traga o que conseguir a respeito de fugitivos tentando sair sob essa nova repressão", disse ele a Anderton. "Não se preocupe em conseguir permissão. Vá em frente e escreva. Eu pago a conta". Era mais uma exigência do que um pedido – Anderton a relacionaria a um ucasse –, mas aceitou o desafio.

Anderton era, em uma era de correspondentes de TV pouco fotogênicos, um dos que tinham visual mais incomum. Seus cabelos pretos, penteados para trás, estavam ficando grisalhos em grandes mechas, e só na frente. Ele tinha olhos tristes e lábios grossos, e era um dos raros rostos na televisão com um bigode (um pouco enrolado nas pontas) e barba. Parecia um *beatnik* envelhecido, sem a poesia, a maconha e os bongos.

Nativo de São Francisco, Anderton, aos quarenta e três anos, era um ano mais velho que Reuven Frank. Seu segundo nome, Barron, refletia sua ascendência e linhagem a Edward Barron, que fez fortuna na mina de prata lendária de Comstock Lode no século XIX, e em outros investimentos. Depois de se formar em Princeton, Anderton serviu no Exército durante a Segunda Guerra Mundial e então trabalhou para o *San Francisco Chronicle*, para a revista *Collier's* e estudou Jornalismo em Harvard. Na NBC, escreveu roteiros para os especiais de Chet Huntley e então se tornou correspondente internacional. Frank achava que ele demonstrava uma combinação incomum de versatilidade e competência. Ele também conhecia bem o temperamento de Anderton, que certa vez (brevemente) o fizera pedir demissão devido à intromissão na reportagem de uma de suas matérias na Espanha.

Anderton não tinha paciência com gente estúpida. Chegou até mesmo a desafiar o Presidente Kennedy na Casa Branca em janeiro, quando, como parte de uma delegação de jornalistas da NBC, ele conseguiu um encontro em *off*. Quando Kennedy criticou parte da matéria de Anderton, o correspondente defendeu seu trabalho. Ele, então, criticou JFK por sua política nuclear na Europa. "O senhor daria mesmo início a uma guerra nuclear em Berlim?", perguntou ele, de modo impertinente. Kennedy disse que sim, se preciso fosse.

Havia, talvez, uma dezena de jornalistas falantes de inglês em período integral em Berlim, mas a NBC se gabava dizendo ser a única com uma equipe completa. Para um programa pré-Muro, *The S-Bahn Stops at Freedom* [O S-Bahn para na Liberdade], Anderton cobriu a fuga de profissionais de Berlim Oriental para o Ocidente por meio da linha de trem elevada. Para outro, ele narrou um relato de dentro de um túnel do esgoto pelo qual os alemães orientais tinham escapado, relembrando o fim do clássico filme *O Terceiro Homem*, filmado em Viena. Sempre que atravessava a fronteira no Checkpoint Charlie, ele acabava sendo interrogado por guardas da RDA, às vezes por horas. Para escapar mentalmente, ele retirava da carteira e lia um poema de T.S. Eliot, "La Figlia che Piange", que termina com "Às vezes, essas cogitações ainda me surpreendem/ A meia-noite problemática e o repouso do meio-dia".

Em pelo menos uma ocasião, Anderton havia auxiliado diretamente um roteiro de fuga. Dois *fluchthelfer* tinham ido ao escritório da NBC e pedido para Anderton emprestar a eles dois *walkie-talkies* feitos no Japão. Anderton concordou, mas insistiu em acompanhá-los na missão. Aquilo seria um baita furo. Numa noite enevoada, Anderton foi levado a uma área afastada da fronteira dividida apenas por arame farpado. Do outro lado da isolada "faixa da morte", os refugiados supostamente esperavam em construções destruídas por bombas. Um ajudante de fuga cortou um caminho (ou "rio", como ele dizia) pelos arames, entrou na construção e levou os refugiados para o Ocidente. Anderton observou quando um dos homens, chamado Klaus, pegou um *walkie-talkie* e cortadores de arame e se arrastou para a fronteira. Klaus desapareceu na escuridão, mas enviou atualizações chiantes por meio do rádio da NBC: "Estou passando pelo arame... descendo a rampa... cabana à esquerda... deitado numa trincheira até o guarda passar". E então: mais nada. O outro homem sussurrou em seu aparelho: *"Klaus, fale... Klaus, apareça... Não estamos ouvindo... Klaus, fale."* Durante meia hora, eles esperaram uma resposta, mas, além da estática de tempos em tempos, o silêncio persistia. Anderton nunca soube o que aconteceu com Klaus.

Na primavera de 1962, Anderton e outros correspondentes de Berlim souberam que a escavação de túneis – a única maneira de escapar que mantinha os ajudantes e os fugitivos longe da vista de outros – estava ganhando força, mas nenhum jornalista ainda havia passado pela terra (enlameada). Anderton sabia que Reuven Frank adoraria investir em um. E então, em março, ele pediu a um colega da NBC chamado Abraham Ashkenasi para descobrir se algum dos amigos de seu aluno sabia algo sobre um túnel, ou planos a esse respeito.

QUANDO a edição final de março do *Der Spiegel* chegou às bancas de jornal, ficou claro que a obscura comunidade *fluchthelfer* da Berlim Ocidental nunca mais seria a mesma. Na manchete, estava escrito *Flucht Durch Die Mauer* ("Fuga Pelo Muro") em uma imagem branca e preta de um policial da VoPo (Volkspolizei) estudando o Ocidente em meio a fios de arame farpado. A matéria começava assim:

De modos aventureiros, parte na superfície e parte dentro da terra, desde 13 de agosto, cerca de 5.000 cidadãos da Berlim Oriental fugiram passando pelo muro de Ulbricht para Berlim Ocidental. Um a cada oito ganhou a liberdade por meio de um grupo de alunos da Berlim Ocidental que se dedicou de modo altruísta para isso. O *Der Spiegel* revela os primeiros detalhes sobre as rotas de fuga e o modo de agir de contrabandistas ocidentais que cavaram túneis depois de 13 de agosto, abriram bueiros e forjaram passaportes para poderem passar pelo muro.

Estudantes de quase todos os países do Ocidente tinham participado, com 146 presos até aquele momento, incluindo dois americanos.

A arquiteta de tudo isso foi a organização de fuga de Berlim Ocidental conhecida como Grupo Girrmann, ou Unternehmen Reisebüro ("Business Travel Agency"), como o *Spiegel* a chamou. O Grupo Girrmann girava em torno de três administradores na Universidade Livre (FU), uma instituição de Berlim Ocidental fundada em 1948 por desertores da RDA. Dois eram estudantes de direito, Detlef Girrmann e Dieter Thieme, e um era estudante de teologia, Bodo Köhler. Todos tinham trinta e poucos anos e haviam escapado do Oriente como fugitivos políticos anos antes. Auxiliados por, entre outros, um aluno americano da Stanford, eles se concentraram em alunos da FU presos no Oriente antes de ampliarem seu escopo.

O grupo havia agido, na maior parte do tempo, fora da vista das pessoas, desde sua formação dias depois da construção do Muro. Era bem difícil realizar centenas de escapadas via pontos de fronteira e esgotos, em boias ou pela Escandinávia, sem que a imprensa descobrisse. Até aquele momento, a maior parte da imprensa sabia disso e guardava o que sabia sobre as operações Girrmann, incentivadas por oficiais da cidade que exigiam discrição. Depois de seis meses de segredo, no entanto, os três organizadores do Girrmann decidiriam ir a público. Um motivo: eles tinham menos a esconder, uma vez que suas primeiras iniciativas eram agora bloqueadas por contramedidas da Alemanha Oriental. Em segundo lugar, depois de meses de operações de resgate, eles tinham acumulado grandes dívidas. O *Der Spiegel* não se importava em pagar a Girrmann, Thieme e Köhler por informações que levassem à primeira história, em primeira mão, sobre o trabalho de fuga. O trio esperava uma taxa de 10 mil marcos alemães (na época, 4 marcos alemães = 1 dólar) mas recebeu apenas 6 mil marcos alemães porque os editores acharam que eles colaboravam menos que o suficiente.

Em uma matéria de capa, o *New York Times* cobriu a história do *Spiegel* com a manchete "Foreign Students Aided Escape of 600 East Berliners to West" ("Alunos estrangeiros auxiliaram fuga de 600 berlinenses orientais para o Ocidente"). Ela se referia a "incursões Pimpinela Escarlate"[1] e a um tipo de "estrada de ferro subterrânea". Nenhum nome foi revelado no *Der Spiegel* ou no *Times*, mas parecia que todo mundo na Berlim Ocidental sabia como e onde entrar em contato com os organizadores. A casa deles no distrito Zehlendorf parecia um castelo em miniatura e tinha até um nome fácil de lembrar: Haus der Zukunft ("Casa do Futuro"). Além de ser um espaço para escritório, servia de hostel para estudantes estrangeiros, muitos dos quais eram recrutados como ajudantes de fuga. A admiração por esses *fluchthelfer* tornou-se grande depois da matéria no *Spiegel*, mas não universal. No dia 31 de março, o reitor da Universidade Livre demitiu Detlef Girrmann do cargo de diretor do Conselho Estudantil, argumentando que seu trabalho de fuga colocava a escola em uma posição política delicada. Mesmo no Ocidente.

UM dos novos interessados em conversar com os organizadores de Girrmann era um jovem da Alemanha Ocidental que havia deixado o Oriente quatro anos antes, chamado Siegfried Uhse. Com apenas 21 anos, ele era barbeiro. Tinha um rosto fino, cabelos fartos e claros e vestia-se bem. Moderno da cabeça aos pés.

Uhse visitou a Casa do Futuro pela primeira vez quando a matéria do *Spiegel* foi publicada e conseguiu conversar com o homem responsável por lá, Bodo Köhler. Ele disse a Köhler que queria levar sua mãe e sua namorada para fora da Berlim Oriental, um pedido comum. No dia seguinte, Uhse descreveu a visita a um amigo, com detalhes: "Notei que estava falando com a pessoa certa. O gerente me disse que eles não estavam trabalhando no momento porque o último negócio havia dado errado em fevereiro. Köhler queria saber se eu era alemão ocidental, e eu disse que sim. Conversamos um pouco sobre rotas de fuga e eu ofereci a ele minha ajuda, caso ele precisasse. Ele anotou meu nome e meu endereço, além de uma descrição de minha namorada e também seu endereço. Disse que entraria em contato comigo se houvesse alguma novidade, mas também queria que eu contasse a ele quando conseguiria um passaporte novo". Köhler, acrescentou ele, "parece o estudante eterno. Usa óculos com aros escuros. Os cabelos são loiros".

Na mesma conversa, Uhse disse que tinha visto um anúncio de oferta de emprego para cabeleireiro na barbearia PX, em McNair, uma grande base do exército americano em Berlim. "Vou tentar conseguir um emprego lá", disse ele.

---

[1] Pimpinela Escarlate, personagem de uma peça de Emma Orczy, publicada em 1903 – um mestre dos disfarces e da fuga. (N.T.)

A pessoa a quem ele contou tudo isso? Seu encarregado no Ministério de Segurança do Estado (MfS) em Berlim Oriental. E aquela história a respeito de sua mãe e de sua namorada? Pura mentira.

Uhse estava atuando como informante da Stasi desde o outono anterior, depois de ter sido preso tentando passar 112 cigarros pelo posto da barreira da Friedrich Strasse. Um relatório oficial dizia que Uhse planejava entregá-los para uma "orgia homossexual e lésbica" semanal. A Stasi andava atrás dele, provavelmente sabendo que ele tinha sido preso e recebido a punição na barreira em Baden-Baden sob suspeita de ser homossexual – o que era contra a lei mesmo na Alemanha Ocidental.

Logo descobriram que ele havia recheado uma mulher da Berlim Oriental com cigarros e vinho do Ocidente para que ela o deixasse passar as noites em um quarto que ela alugava para um de seus amantes. Uhse, que já tinha desejado trabalhar como bibliotecário, não era muito interessado em política. Ele havia trocado a Berlim Oriental por Baden-Baden em 1958 simplesmente para se unir a sua mãe viúva, que trabalhava como assistente de cozinha em um sanatório. Mudando-se para Berlim Ocidental em 1960, ele morou em um apartamento bem mobiliado e passava as noites em clubes de jazz com nomes como Dandy Club, Eden Saloon (procurado por turistas americanos) e Big Apple, onde ele bebia livremente e mantinha amizades de classe social mais alta. Gastava mais do que ganhava, geralmente se oferecia para pagar a conta para impressionar os outros.

Preso pela Stasi no outono de 1961, Uhse era um bom candidato a trabalhos secretos em vários níveis. Ele provavelmente ainda se ressentia dos alemães ocidentais por sua prisão em Baden-Baden. Temporariamente desempregado, ele continuou mantendo um estilo de vida caro. Agora, enfrentava uma acusação de contrabando no Oriente. A Stasi acreditava que, ao recontar suas aventuras, Uhse mostrava tendência ao exagero. Depois de dois dias preso, um café da manhã saboroso e a promessa de um ordenado regular, ele concordou em trabalhar como informante no Ocidente.

Como outros recrutas da Stasi, Uhse teve que enviar uma "carta de compromisso" para os arquivos. No dia 30 de setembro de 1961, um dia depois de sua prisão, ele escreveu à mão:

Eu, Siegfried Uhse, concordo voluntariamente em apoiar de modo ativo as forças de segurança da RDA em sua luta. Além disso, prometo manter total sigilo a todos em relação à minha cooperação com as forças do Ministério de Segurança do Estado e todos os problemas relacionados. Fui informado de que se eu romper meu compromisso, posso ser punido de acordo com as atuais leis da RDA. Para colaborar com o MfS, escolho o codinome "Fred".

Uhse, relacionado nos registros da Stasi como loiro, 1,69 m, começou imediatamente a monitorar a cena homossexual da Berlim Ocidental, mas foi lento para entrar nos círculos de *fluchthelfer*. Era verdade que um informante da Stasi tinha destruído o túnel de Harry Seidel, mas isso tinha sido pura sorte – por acaso, ele vivia acima da entrada. Uhse teria que sair à caça de problema. Sua grande descoberta aconteceu numa noite em um clube, quando um homem contou a ele que um lugar de reunião de estudantes chamado Berliner Wingolf era um centro de contrabando humano. Uhse visitou o tal clube e de lá foi mandado para a Casa do Futuro, inspirando aquele primeiro encontro com Bodo Köhler.

Agora, depois do mais recente interrogatório de Uhse, em março, seu encarregado da Stasi mandou que ele aceitasse aquele emprego de cabeleireiro na base norte-americana, acrescentando em seu relatório: "Uhse tem certeza de que o gerente da Haus der Zukunft está trabalhando com um grupo maior para tentar tirar os cidadãos da RDA do país. O gerente estaria interessado em Uhse porque ele tem um passaporte da Alemanha Ocidental".

ELES não tinham dinheiro nem mercadorias, mas os três estudantes – Spina, Sesta e Schroedter – estavam ansiosos para começar a cavar. Primeiro, eles tinham que se estabelecer em um local para que o túnel começasse no Ocidente e passasse pela fronteira. As considerações cruciais: A entrada e a saída seriam bem escondidas? Qual seria a distância entre os dois pontos? A terra era solta e arenosa (mais fácil de escavar, mas exigindo suporte para o teto) ou era argila dura? Qual era a profundidade do lençol freático?

Reunidos com cuidado no quarto, os três organizadores se debruçaram sobre os mapas detalhados de Berlim obtidos com operários solidários da cidade, com construções numeradas e canos subterrâneos delineados. Eles analisaram cuidadosamente a área perto do Portão de Brandemburgo e o Palácio de Reichstag – a Stasi podia não acreditar que alguém ousaria escavar perto dos pontos mais cheios de turistas – e três outros lugares. Cada um tinha vantagens e desvantagens relacionadas à distância e à segurança.

Teria que haver espaço suficiente em um porão para guardar toneladas de terra escavada, ou um quintal bem escondido para o caso de eles terem que despejá-la do lado de fora ou colocá-la em caminhões. De outro escritório municipal, eles pegaram mapas mostrando os diversos lençóis freáticos de Berlim e aprenderam que a área ao redor da Bernauer Strasse oferecia mais espaço aos erros. Mas sob qual prédio abrir um túnel?

Para sua surpresa, os três localizaram um ponto de saída no Oriente antes de encontrarem uma casa no Ocidente.

Aconteceu por acaso. Um dos amigos de Spina conheceu alguém que conhecia um engenheiro da Bulgária que agora vivia na Rheinsberger Strasse. Era a segunda rua atravessando o Muro no Oriente, paralela à Bernauer. Os dois italianos visitaram o búlgaro para cumprimentá-lo e conseguiram um convite para sua festa de aniversário algumas semanas depois. Naquele dia, enquanto Spina distraía o dono da festa, Sesta conseguiu uma chave do porão.

Explorando o porão, ele viu que servia aos propósitos deles. Relembrando os filmes norte-americanos em que chaves eram roubadas e pressionadas contra barras de sabão ou argila, encontrou uma loja próxima que vendia plastilina. Afundou a chave na amostra e a levou de volta ao apartamento búlgaro. O truque deu certo. Um chaveiro no Ocidente logo produziu uma cópia da chave.

Com o alvo escolhido, as opções para um local de entrada no Ocidente se afunilavam para uma faixa da Bernauer passando diretamente pela fronteira. Um local se destacou: uma fábrica de cinco andares na Wolgaster Strasse, metade da qual tinha sido bombardeada na Segunda Guerra Mundial e não tinha sido restaurada desde então.

Atrás dela, havia um pátio fora da vista de quem passava e dos VoPos.

Entrando na fábrica, Schroedter e Spina descobriram que uma pequena parte no andar de cima ainda estava sendo utilizada para fazer palitinhos de coquetel, que às vezes também eram feitos em forma de canudos. Eles localizaram o dono, um homem pesado, de meia-idade, chamado Müller. Schroedter fez a intermediação, porque o alemão de Spina era limitado. Poderiam usar o primeiro andar e o porão como espaço de ensaio para a banda de jazz que tinham? "Não venham com histórias", disse Müller, rindo, antes de dar permissão para que eles usassem seu prédio para o túnel, desde que limpassem a sujeira depois. "Eu sou de Dresden", Müller disse a eles, para se explicar. "O pequeno negócio de porcelana da minha família foi tomado pelos comunistas. O que vocês veem aqui é a fábrica que eu tive que começar do zero". Ele não cobraria aluguel, e eles poderiam usar o sistema elétrico do local de graça. Quando Schroedter e Spina exploraram o local, ficaram ainda mais animados. Havia quartos onde os escavadores poderiam dormir, pendurar roupas sujas ou beber cerveja, e pontos no porão onde a terra podia ser armazenada. Só havia um problema: A fábrica era afastada da Bernauer e do Muro, e por isso aquela teria que ser a maior escavação que já tinham feito. Precisariam escavar pelo menos trinta metros sob o chão da fábrica e da Bernauer antes de poderem chegar à fronteira. Depois, teriam que cavar embaixo da "faixa da morte" de um quarteirão e depois outra rua antes de, finalmente, assim esperavam, entrar no porão na Rheinsberger. Os estudantes calcularam que isso exigiria escavar mais de 120 metros – quatro vezes mais do que qualquer outro túnel. E cerca de três quartos dele ficariam no Oriente hostil. Eles imaginaram que o trabalho demoraria pelo menos dois meses. Apesar de reconhecerem o risco de vazamento de água e de desmoronamentos com aquela extensão, raramente falavam sobre isso. Eram jovens e abençoados com a coragem e a sensação de indestrutibilidade condizentes. Um túnel parecia a única maneira de recuperar famílias inteiras, como os Schmidt. Evitar VoPos e soldados escavando sob eles como fuinhas parecia mais seguro do que tentar escondê-los em um posto de fronteira ou em um caminhão, passando pelo arame com guardas armados e cães de caça por perto. Agora, só precisavam de mais alguns escavadores destemidos para ajudá-los. Muitos equipamentos, incluindo um monte de madeira. Uma Kombi para transportá-los. E uma boa grana (eles tinham apenas 1.500 marcos alemães, ou cerca de 375 dólares, juntando tudo). Além disso, algumas armas. Porque nunca se sabe.

3
Os recrutas

ABRIL-MAIO DE 1962

Piers Anderton não era o único jornalista americano interessado em explorar um túnel com luzes e câmera. Com a ABC ainda começando, a CBS e a NBC batalhavam como loucas para conseguir furos e especiais, armadas com novas contratações e grandes orçamentos. Reuven Frank, da NBC, havia colocado uma placa em sua sala na qual se lia: *Não importa como você joga, mas sim se ganha ou perde.* Isso alimentou a maior briga no jornalismo desde que William Randolph Hearst atacou Joseph Pulitzer em uma briga de jornal mais de meio século antes.

Era a época de ouro dos documentários de TV. Eles surgiam quase toda semana, como especiais inéditos ou episódios de séries, como o *CBS Reports* ou o *White Paper*, na NBC. Os executivos das emissoras queriam que o público se esquecesse dos recentes escândalos de *quiz show*, com esquemas entre vencedores e produtores, o que provocou investigações por parte do congresso. O legado da lenda da TV Edward R. Murrow ainda está ligado à CBS, mas a NBC superou sua concorrente em todas as oportunidades. Anunciantes, antes avessos a patrocinar documentários, agora competiam por espaço nesses programas de prestígio.

O homem da CBS em Berlim, e o maior rival de Piers Anderton, era Daniel Schorr. Nativo do Bronx, o filho de imigrantes judeus de uma cidadezinha na Europa Oriental (sobrenome: Tchornemoretz) e veterano da Segunda Guerra Mundial entrou para a CBS em 1953 aos 36 anos. Dois anos depois, após a morte de Stalin e o começo de uma tendência sob o comando de Khrushchev, ele abriu a primeira filial da CBS em Moscou. Em 1957, conseguiu uma entrevista exclusiva com Khrushchev, mas logo entrou em conflito com seus apresentadores devido a problemas de censura. Quando os soviéticos se recusaram a renovar o visto dele, em 1959, a CBS mandou Schorr para Bonn.

43

Schorr, como David Brinkley e Reuven Frank, estava em Berlim no dia 13 de agosto de 1961, quando foi acordado no meio da noite. "Daniel, eles estão fechando os postos de barreira", disse seu cinegrafista alemão. Schorr soube que nenhum dos funcionários de seu hotel do Oriente tinha chegado para o turno da meia-noite, o que não era um bom sinal. Indo a Potsdamer Platz em sua Mercedes prata, ele encontrou soldados e guardas desenrolando arame farpado e fechando as ruas. Quando o sol subiu ao céu, Schorr recontou na frente da câmera, com seu barítono inconfundível: "Meu cinegrafista e eu fomos presos e mantidos em uma delegacia por noventa minutos", e a gravação que tinham feito foi confiscada brevemente. (Piers Anderton também tinha sido preso.) Schorr, então, colocou a filmagem em um voo para Frankfurt, e lá ela foi encaminhada ao primeiro voo da Pan Am para Nova York.

No dia seguinte, Schorr contou: "Poucos alemães orientais continuam quebrando o cordão comunista para a Berlim Ocidental." Entre eles, estava um jovem engenheiro que chutou um policial no estômago, outro homem que tomou a carabina de um guarda e "um que pisou fundo no acelerador de seu carro e passou voando". No dia seguinte, Schorr foi à Bernauer Strasse para testemunhar a construção da primeira estrutura pré-fabricada com blocos de concreto, "como se pretendessem construir um muro" (tornando-o, talvez, o primeiro correspondente americano naquela semana a usar a palavra "muro"). "Podíamos estar dispostos a ir para a guerra para defender nosso direito de ficar em Berlim", disse Schorr, "mas podemos ir para a guerra e defender o direito dos alemães orientais a sair de seu próprio país?". Naquele dia, um fotógrafo captou uma das imagens indeléveis da década, publicada de um dia para o outro no mundo todo: um guarda da fronteira da Alemanha Oriental pulando para a Alemanha Ocidental numa parte de arame farpado baixo ao longo da Bernauer Strasse.

Dois meses depois, em outubro, Schorr fez a cobertura instigante de um assustador confronto entre Estados Unidos e Soviéticos no Checkpoint Charlie, o principal ponto de travessia dominado por americanos no Muro. O chefe da Missão dos Estados Unidos em Berlim, Allen Lightner, havia se recusado a mostrar seus documentos a guardas da RDA a caminho da ópera na Berlim Oriental; por ser um diplomata importante, ele tinha que lidar apenas com soviéticos e temia estabelecer um precedente. Em poucas horas, uma guerra absurda de superpoderes parecia pronta a acontecer quando tanques se posicionaram na fronteira. Schorr descreveu o momento de tensão como "soldados americanos e russos posicionados uns contra os outros pela primeira vez na história". Mas ele também destacou as cenas "esquisitas" dos alemães ocidentais levando flores ou petiscos aos soldados norte-americanos sob a luz de holofotes soviéticos do outro lado da fronteira. "Que baita foto para os livros de história", ele previu.

Schorr havia passado a acreditar que a Terceira Guerra Mundial podia muito bem começar em Berlim – dava para senti-lo e até ouvi-lo, quando MIGs soviéticos voavam baixo para criar um boom sônico só para manter os moradores nervosos. Kennedy não estava à procura de guerra, na opinião de Schorr, mas era difícil para qualquer presidente dos Estados Unidos se arriscar a perder o respeito dos outros ao se afastar de uma crise. A situação para a Berlim Ocidental parecia ruim. Schorr achava que ela estava presa nas mãos da Alemanha Oriental e que algo tinha que ser feito. Assim como Piers Anderton, os chefes de Schorr tinham pedido para que ele descobrisse como era a vida na Alemanha Oriental, mas o irascível repórter precisava de pouco incentivo. Apesar de seu sucesso, Schorr mantinha certo complexo de inferioridade, por ter crescido pobre, acima do peso e sem pai.

Um intruso autoproclamado, Schorr admitia ser "insistente". Nem sempre agradava a seus superiores na CBS e costumava gerar controvérsia, mas também estava sempre interessado em "furos". No fim de 1961, começou a trabalhar em um documentário sobre o Leste, *The Land Beyond the Wall* [A terra além-muro], e conseguiu permissão para passar mais de duas semanas na cidade de Rostock (com um acompanhante da Alemanha Oriental, claro). O *New York Times* classificou isso de "um golpe jornalístico". A visita de Schorr tinha quase terminado quando ele recebeu uma oferta chocante: O líder comunista Walter Ulbricht se reuniria com ele em Berlim para sua primeira entrevista filmada com um americano. Naquele dia, enquanto Ulbricht dava respostas longas e vagas, Schorr o interrompia com ganchos, irritando um homem não acostumado à impertinência. Ulbricht acabou por se levantar, apontou um dedo para Schorr e o acusou aos gritos de "provocações", bateu na mesa e saiu. Schorr pensou: *Que fim genial.* Quando a televisão alemã divulgou a filmagem, um jornal da região publicou uma imagem dela em sua capa com a manchete "A América ri de Ulbricht".

Agora, Schorr estava de olho em outro golpe: filmar uma grande escavação de túnel, talvez até engatinhar pela passagem com um cinegrafista para o lado comunista. Assim como Piers Anderton, ele mandou por meio de seus contatos a notícia de que a CBS estava pronta e disposta a cobrir tal empreitada. Schorr sabia que filmar uma fuga pelo túnel podia ser perigoso fisicamente, e ele enfrentava um risco a mais: a oposição da Casa Branca. O chefe de Schorr, o novo diretor da CBS, Blair Clark, havia sido colega de classe do presidente em Harvard e manteve amizade com ele – talvez até demais. Clark havia dito a Schorr que a Casa Branca estava constantemente insatisfeita com o fato de o correspondente da CBS depender de vazamentos dos oficiais da Alemanha Ocidental, que passavam uma imagem ruim das ações – ou falta de ações – americanas. Clark revelou que em um jantar na Casa Branca, pouco tempo antes, JFK havia se aproximado e dito: "Blair, aquele Dan Schorr da Alemanha é um problema – por que não o tira de lá?".

OS CORRESPONDENTES DA TV AMERICANA ainda estavam à procura do primeiro túnel para cobrir do lado de dentro, mas Hollywood já tinha um. A MGM anunciou que logo começaria a filmar um grande filme em Berlim baseado na história real do único túnel totalmente bem-sucedido do ano: a obra dos irmãos Becker, de janeiro, que tinha libertado 28 alemães orientais.

Walter Wood, que havia acabado de produzir o bem-sucedido *The Hoodlum Priest*, desempenharia as mesmas funções no próximo filme e tinha contratado Don Murray, Christine Kaufmann e Werner Klemperer para os papéis principais. Kaufmann, de apenas 17 anos, estava tendo um romance um tanto público com o ator Tony Curtis, casado na época com a atriz Janet Leigh, de *Psicose*, o que garantiria mais publicidade ao filme. O diretor ainda não tinha sido escolhido. As filmagens começariam no famoso estúdio da UFA, no distrito de Tempelhof, em Berlim, onde clássicos de Fritz Lang e Josef von Sternberg, além das famosas propagandas nazistas, tinham sido criadas. O prefeito Willy Brandt deu a Wood permissão para gravar no campo de refugiados Marienfelde.

O orçamento foi fixado em substanciais 500 mil dólares, com um cronograma de filmagem de 35 dias no fim daquela primavera. Um túnel falso seria construído no estacionamento do estúdio, mas os cinegrafistas também filmariam na rua para captar a atmosfera da vida real do Muro. Sem dúvida, os VoPos seriam figurantes relutantes, que participariam sem receber. Um dos irmãos escavadores, Erwin Becker, tinha sido contratado como consultor. Hedda Hopper, a colunista de fofoca de Hollywood, dizia que Becker "foi encontrado em um campo por Wood, e agora está protegido, contando sua história para a tevê". A MGM temia que Becker fosse sequestrado pela Stasi e devolvido à Berlim Oriental antes de as gravações serem finalizadas. O título do filme: *Tunnel 28*.

ENQUANTO Hollywood planejava sua versão fictícia, o projeto do túnel real, mais longo e mais perigoso, estava quase pronto para romper o solo. O único alemão no trio da operação de escavação – e seu membro mais jovem –, Wolf Schroedter havia, em pouco tempo, se mostrado indispensável. Ele se destacava à primeira vista: Alto, magro, com cabelos loiros e curtos, era facilmente identificável perto do moreno e robusto Gigi Spina e do compacto Mimmo Sesta. Por meio do Conselho Estudantil, ele começou a identificar possíveis recrutas. Schroedter também assumiu a responsabilidade de encontrar uma Kombi, sabendo que seria o principal motorista (ele era o único da equipe com carteira de habilitação). Se não bastasse, ele sabia que faria grande parte da negociação com oficiais do governo que às vezes doavam pequenas quantias aos *fluchthelfer* por baixo dos panos. E por ser o único organizador que tinha uma arma, Schroedter era, pode-se dizer, mais ou menos responsável pela segurança também.

Graças a uma dica de Egon Bahr, um dos assistentes do prefeito Brandt, os escavadores de túnel conseguiram dois mil marcos alemães em capital somente de um dos partidos políticos alemães. Mas a grande negociação, no entanto, veio por meio dos italianos. A mãe adotiva de seu amigo Peter Schmidt disse a eles que tinha uma pequena quantia em um banco de Berlim Ocidental, pelo menos três mil marcos alemães, deixados por seu falecido marido. Ela se ofereceu a dar a Spina ou a Sesta o poder de procurador para que eles cuidassem do dinheiro. Mas havia um problema: Deixar dinheiro em uma conta do Ocidente agora era ilegal para cidadãos da RDA. Se um dos italianos fosse pego no posto da fronteira com um documento assinado para o banco, ela podia ser presa.

Sem se deixar abater, os italianos criaram um esquema: Tiraram um cigarro com filtro de um maço e retiraram todo o tabaco. A mãe de Schmidt registrou a ele uma declaração de procuração em uma pequena folha de papel muito fino, que eles tinham cortado e tingido para que combinasse com o dos cigarros. Depois de colocarem o tabaco de volta, eles enrolaram o cilindro, colocaram-no de volta no maço e partiram para o Ocidente. Se fossem perturbados na fronteira, poderiam fumar a prova e ela desapareceria.

O truque deu certo. Com o dinheiro, eles compraram uma Kombi Volkswagen usada que, sem vidros atrás ou nos lados, seria ideal para esconder ferramentas, objetos e colegas.

Enquanto isso, Schroedter havia encontrado mais dois escavadores. Joachim Rudolph e Manfred Krebs moravam do outro lado do hall num quarto da Universidade Técnica. Os dois eram amigos de infância. Schroedter achava que eles eram confiáveis porque, como ele, tinham fugido do Oriente.

Rudolph, que era estudante de engenharia em Dresden, havia passado muitas noites em claro decidindo deixar a RDA no último setembro. Além de interromper seus estudos, aquilo significava deixar sua mãe, com quem ele havia sobrevivido a uma fuga anterior – do Exército Vermelho invadindo a Alemanha em 1945. Ele e um amigo tinham atravessado a fronteira na parte isolada de Luebars no norte de Berlim, levando quatro horas para engatinhar por 243 metros de terra, atravessando um pequeno rio, sob torres de guardas.

Ele e Krebs já tinham um amigo no movimento *fluchthelfer*, apesar de ainda não saberem: Harry Seidel. Os três tinham sido colegas de escola. Em um passeio de bicicleta nas Montanhas Harz em 1953, Rudolph havia se surpreendido por Harry, que tinha quatorze anos na época, conseguir gerar tanta força com pernas relativamente magras. Quatro ou cinco anos depois, Harry entrou para um clube de ciclismo e se tornou famoso. Rudolph assistia às corridas e torcia. Seidel pedalava como um louco e corria muitos riscos. Certa vez bateu em um muro, deixando Rudolph convencido de que para o amigo já não havia mais chance. Então, Harry reapareceu e terminou a corrida.

Rudolph, desde então, tinha perdido contato com o velho amigo. Ele não sabia que Harry tinha liderado a equipe de escavação de Heidelberger. Mas ao entrar no mundo da fuga subterrânea, ele seguia Seidel agora para uma nova área de altos riscos.

CONFORME os meses passaram, cada vez mais berlinenses orientais abandonavam a esperança de que o Muro cairia em breve. Uma mulher que vivia em um prédio perto da fronteira reclamou em uma página de seu diário que o Muro na Bernauer tinha se tornado a "principal atração turística" em Berlim. De uma janela, ela conseguia ver os ônibus de turistas passando. "Ah, ficaríamos felizes se fôssemos ignorados", ela acrescentou. "Que época complicada. Nossas vidas perderam a alma". As autoridades "farão o que quiserem conosco", ela escreveu. "Abaixem a cabeça, amigos, tornamo-nos todos carneiros".

Apesar de a provável permanência do Muro desestimular a muitos, a outros ela inspirava ação. A polícia e os jornais de Berlim no Ocidente monitoravam ocorrências dos dois lados da fronteira, e em abril, eles cobriram o espectro amplo de sempre:

• Philip Held, 19 anos, eletricista, afogado no Spree tentando fugir. Sua mãe só recebeu a notícia duas semanas depois. Quando soube, o corpo dele já tinha sido cremado.

• Um menino de nove anos da Berlim Oriental fugiu de casa, pulou o telhado de um prédio residencial de cinco andares na fronteira e caiu na rede da brigada de incêndio no lado da Berlim Ocidental. O garoto foi levado às pressas a um hospital próximo para tratar possíveis lesões na coluna. Ele contou à polícia que estava prestes a ser tomado da mãe, que estava desempregada, e enviado a uma instituição. Ele queria morar com parentes na Berlim Ocidental. Um segundo menino no telhado foi arrastado por um guarda antes que pudesse saltar. Os dois meninos tinham mochilas escolares nas costas.

• Três jovens berlinenses orientais tentaram uma fuga ousada na fronteira Heinrich-Heine. Klaus Brueske carregou seu caminhão de concreto e cascalho para reforçá-lo. Um pouco depois da meia-noite, depois de reforçar a si mesmo com alguns drinques (prática comum entre os fugitivos), ele atravessou com o veículo por duas barreiras e foi para o Oeste, mas foi baleado por guardas da fronteira. O caminhão se chocou contra uma barreira. Brueske estava ferido detrás do volante quando o cascalho invadiu a cabine e o sufocou lentamente. Seus dois companheiros sobreviveram. Um jornal da Alemanha Ocidental foi publicado no dia seguinte com a manchete "Morreu ao levá-los à liberdade".

• Horst Frank, um agricultor, foi morto na fronteira no distrito de Pankow. À noite, ele e um amigo tinham passado por baixo do arame farpado e engatinhado pela faixa da morte, driblando fios e guardas por quatro horas. Eles tinham chegado à última cerca de arame quando Frank levou tiros de três guardas. Seu amigo chegou ao Ocidente.

Mesmo depois de dezenas de ataques a tiros, os analistas do Ocidente tinham dificuldades para encontrar qualquer padrão que revelasse as exatas "ordens de fogo" dadas aos guardas da Alemanha Oriental. Depois de entrevistar vários ex-guardas que tinham desertado, o Exército americano criou o que se pensava ser uma lista, que incluía: "Desertores não poderão atravessar a fronteira vivos... Não será dada punição para tiros disparados na direção de Berlim Ocidental se um desertor for atingido ou se os berlinenses ocidentais estiverem tentando passar pela cerca da fronteira... Não é permitido atirar em crianças, mulheres grávidas ou idosos... Bombas de gás lacrimogênio podem ser usadas, mas não devem ser lançadas dentro da Berlim Ocidental".

Depois de qualquer ocorrência de disparo fatal nas cercanias do Muro, conhecido oficialmente na RDA como "caso de cadáver", a Stasi assumia o controle. Os mortos eram levados para clínicas médicas do Estado para a realização de autópsias, e os resultados eram sujeitados à falsificação, se fosse preciso. O principal objetivo do Estado era manter os episódios em segredo dos cidadãos da Alemanha Oriental e da imprensa da Alemanha Ocidental.

Quando os agentes da Stasi visitavam familiares dos mortos, sempre que possível, diziam que seus entes queridos estavam "desaparecidos". Isso podia causar uma reação, revelando o motivo de o culpado ter tentado fugir ou se ele tinha conseguido ajuda de alguém. Quando a Stasi confirmava uma morte, a causa real normalmente era escondida até mesmo dos parentes – a vítima tinha simplesmente se afogado ou sofrido uma queda fatal. Às vezes, admitiam ter acontecido um "acidente", e o fugitivo era culpado, invariavelmente, por criar "provocação na fronteira". Os membros da família recebiam a ordem de não contar a ninguém. Nesse ponto, a Stasi já podia ter entregado os restos mortais a um crematório e ordenado que as cinzas fossem enterradas. Quando uma cerimônia fúnebre era permitida, dias ou semanas depois, os agentes da Stasi sempre participavam. Os agentes podiam manter a família sob supervisão por tempo indeterminado. Os membros da família podiam perder privilégios ou mesmo seu emprego.

Dezenas de guardas da fronteira e soldados tinham se unido àqueles que tentavam fugir. No dia 3 de abril, um guarda num posto da fronteira tentou chegar ao Ocidente, mas um segundo militar soltou seu cão de guarda nele e deu-lhe dois tiros com sua pistola. Alguns dias depois, oficiais do Exército da RDA partiram de madrugada. Um deles era Peter Böhme, de 19 anos, que não estava feliz por ser forçado a servir no Exército como pena por suas infrações juvenis. Uma caçada teve início. Na fronteira perto de Babelsberg, ele matou a tiros um VoPo e foi ferido fatalmente por outro guarda. O companheiro de Böhme chegou ao Ocidente.

Fora da bolha de propaganda da RDA, os tiros na fronteira ganharam mais notoriedade na imprensa ocidental, inspirando pelo menos um escritor de ficção. Um jovem agente britânico da inteligência, trabalhando fora do país em missão como cônsul político em Hamburgo, estava escrevendo um romance que dava fim a seu protagonista, um espião britânico baleado no Muro de Berlim enquanto ajudava um fugitivo. David Cornwell estava escrevendo o livro com o pseudônimo John le Carré.

Em meio aos incidentes violentos, a CIA tinha lançado um estudo a respeito da possibilidade de o ódio no Oriente causar rebeliões manifestas. A Estimativa de Inteligência Nacional que surgiu levantava grandes dúvidas a respeito dessa situação. A insatisfação havia aumentado desde a construção do Muro, mas "não há evidência de significativa oposição organizada", dizia o relatório. Uma grande revolta, alimentada pela "repulsa" a Ulbricht, poderia se desenvolver a partir de "conflitos locais", mas "acreditamos que a presença das forças militares soviéticas e as lembranças de seu uso em repressões passadas impedirão as pessoas de se revoltarem".

O moral estava baixo na Berlim Oriental, com certeza. O regime da RDA esperava que a população se tornasse mais flexível, de acordo com o relatório, mas, em vez disso, "teve um efeito contrário". Causou efeitos psicológicos sérios, que iam além da perda de acesso a empregos e a famílias, gerando uma sensação de desesperança, como ficou claro com o aumento do índice de suicídios. A economia em crise também não ajudava muito; apesar de o padrão de vida na Alemanha Oriental superar o de outros países no bloco soviético, nos últimos dois anos, a demanda por alimentos de boa qualidade e por bens de consumo aumentou – e o fornecimento diminuiu. Havia pouca perspectiva de melhora no futuro próximo. A produção industrial e agrícola havia se estagnado. Com isso, veio mais racionamento. Ainda assim, a maioria dos operários da indústria mantinha o respeito alemão de sempre pela autoridade e pelo trabalho. Os estudantes refletiam mais o sentimento virulento antirregime, mas o Estado "tem agido depressa e impiedosamente contra os líderes da juventude", deixando pouca esperança para qualquer tipo de movimento amplo de protesto. Pensando em tudo isso, o relatório concluiu que uma revolta na Alemanha Oriental "não seria bem-sucedida a menos que lançada em conjunto com operações militares do Ocidente".

Apesar das tensões ao longo do Muro, com guardas jovens dos dois lados, principalmente conscritos, eles às vezes conversavam, comiseravam-se ou jogavam cigarros por cima do concreto ou em meio ao arame farpado. Certa vez, um guarda da Alemanha Oriental passou um bilhete para o guarda do outro lado, perguntando se ele podia fazer o favor de passar pelo Muro um pacote de "meia-calça sem costura", difíceis de encontrar no Oriente naquela época, para a namorada dele. "Número 42", e "não muito colorida", ele pediu. "Obrigado desde já!". O guarda da Alemanha Ocidental respondeu com um bilhete escrito na parte de trás de um calendário de carteira, pedindo um endereço para o qual enviar a meia-calça. Ou ele podia "jogar a meia por cima do muro quando você voltar para cá". Assinado: *Sempre amigos!*

O guarda da Alemanha Oriental respondeu:

"Infelizmente, não posso especificar o endereço. Mas, por favor, observe quando eu estiver fazendo guarda aqui de novo". Assinado: *Seu amigo!*

O GRUPO GIRRMANN, sempre inovador entre os artistas de fuga de Berlim, havia pensado em algo para substituir o esquema de passaporte falso. Por considerarem os túneis arriscados (para dizer o mínimo), eles aumentaram os esforços para transportar refugiados para o Ocidente escondidos embaixo do painel do carro ou do banco de trás, ou ainda no porta-malas. Qualquer pessoa no Oriente podia pedir, discretamente, para que um amigo ou familiar do Ocidente preenchesse uma ficha para esse serviço, que incluía perguntas sobre a profissão do refugiado, cor dos cabelos e dos olhos, onde eles podiam ser encontrados e em quais horários, e quem poderia servir como mensageiro. Os candidatos forneciam uma senha que um mensageiro poderia usar para se comunicar com eles. E então vinha a pergunta: *Quem é suspeito?*

Enquanto isso, a pessoa mais suspeita do Grupo Girrmann seguia sem ser notada. De fato, a carreira de Siegfried Uhse na Stasi estava progredindo. Ele havia conseguido aquele emprego como cabeleireiro em McNair, a base do Exército norte-americano. Os oficiais de lá deram-lhe um passe para visitar os acampamentos dos soldados. Ele também conheceu três fontes possivelmente úteis nos bares e nos clubes da Berlim Ocidental. Uma delas era uma mulher alemã que conhecia muitos americanos. O ajudante de Uhse na Stasi, chamado Lehmann – aparentemente um especialista na arte do romance de espionagem – sugeriu que ele levasse chocolates e flores para ela. Lehmann também pediu a Uhse que conseguisse um mapa dos acampamentos e ensinou-lhe como usar uma caixa de correspondências inativas, onde um oficial poderia retirar ou deixar documentos e equipamentos de espionagem.

Até aquele momento, a Stasi teve que mexer os pauzinhos para passar Uhse pelos postos da fronteira para que ele pudesse encontrar seus guarda-costas no Oriente. Agora, ele estava prestes a obter seu novo passe para a Alemanha Ocidental, que lhe daria permissão de entrar no lado oriental mais facilmente. Ironicamente, Bodo Köhler o havia pressionado para conseguir o passaporte para poder trabalhar como mensageiro para o grupo Girrmann. Tudo estava dando certo para o jovem janota. (Ele até comprou uma cara toalha de mesa para sua mãe). Quando Uhse se encontrou de novo com seu encarregado, Lehmann disse:

> Conversamos sobre sua possível promoção. Eu disse a ele que tínhamos chegado a um novo estágio em nosso trabalho, e podíamos começar a trabalhar juntos de um jeito mais "profissional". Discutimos quais seriam suas novas obrigações. Principalmente, conversávamos a respeito de o

trabalho ser voluntário e que deveria ser feito honestamente, mas ele tem a obrigação de se manter calado a respeito de todos os seus contatos no MfS e na RDA... Expliquei para ele que cuidaríamos de sua segurança, mas que ele não deveria conversar com amigos ou parentes, nem mesmo os próximos, nem fazer comentários ambíguos. Se ele não cumprir suas obrigações, será responsabilizado de acordo com as leis da RDA.

Uhse concordou em obedecer às exigências do MfS, prometendo "seguir estritamente as regras", Lehmann escreveu. Com isso, ele foi promovido, com um aumento de 100 marcos alemães no pagamento a cada semana, aproximadamente. (Ele também podia escolher um novo apelido, deixando de lado o indigno "Fred" pelo garboso "Hardy".) Uhse prometeu "trazer resultados mais qualificados e interessantes, e se tornar mais consciente na realização de suas tarefas", segundo contou Lehmann. Os ganhos materiais não eram "sua principal motivação".

O jovem admitiu que não entendia sobre política. Lehmann notou que ele "tem mente aberta, mas precisa ser corrigido em algumas questões".

A Stasi espiava todo mundo, até mesmo seus próprios informantes, então com a promoção de Uhse, veio a "observação", como Lehmann disse, para garantir que ele estava seguindo instruções. A nova prioridade de Uhse era "entrar em contato com o gerente da Haus der Zukunft para falar sobre rotas de fuga".

ELES já tinham esperado o suficiente. Os três estudantes tinham definido os pontos de entrada e de saída, e acrescentaram dois escavadores, Rudolph e Krebs. Agora, eles abriram o primeiro buraco no chão do porão da fábrica com uma picareta, marcaram um retângulo no concreto e começaram a cavar. Precisavam escavar para baixo, aumentando o buraco inicial para uma largura de dois metros. Então cavariam com uma curvatura até uma profundidade de quatro metros. Depois a maior parte do túnel seguiria a cerca de seis metros dentro da terra, antes de cavarem para cima perto do fim, na Berlim Oriental. A câmara que levaria ao lado oriental teria cerca de um metro de altura e de largura.

Spina, com uma câmera pequena de 8 mm, gravou os primeiros momentos, apesar da luz fraca, para a posteridade – e talvez para vender mais tarde. *Der Spiegel* havia pago suas fontes no Girrmann pela recente história de capa da "Business Travel Agency"; talvez seus editores, ou talvez um estúdio de cinema ou rede de TV, pudessem fazer uma matéria exclusiva sobre esse hercúleo projeto de túnel. Sabendo que precisariam de mais fundos, os italianos tinham decidido tirar fotos e fazer uma filmagem amadora ao longo do projeto, na esperança de conseguir um acordo de distribuição, com pagamento adiantado.

Não demorou muito para os escavadores perceberem que precisavam de reforços. Escavar o fosso de entrada vertical estava demorando mais que o esperado, e eles nunca conseguiriam uma operação que durasse o dia todo com apenas cinco escavadores. Uma adição foi fácil: um amigo dos italianos chamado Orlando Casola, um jovem calado que usava óculos de sol em quase todos os lugares. Mas os três organizadores tiveram dificuldade para encontrar outros em quem pudessem confiar.

Vários dias depois, dois homens que tinham ouvido rumores a respeito de uma nova operação de escavação de túnel abordaram os italianos. Um deles era Hasso Herschel, um estudante apresentado a eles na cafeteria da Universidade Técnica; o outro, seu amigo Ulrich Pfeifer, era um engenheiro civil em tempo integral. Herschel, ex-prisioneiro político – sobrevivente do *gulag* da Alemanha Oriental – gostava de imaginar cenários de ousadas fugas por túnel depois de algumas cervejas, com enredos que pareciam saídos de *Conde de Monte Cristo*. Ele fez uma contribuição imediata. Hasso também vinha cavando no cemitério para fazer a tubulação e ganhar algum dinheiro, por isso sabia onde encontrar pás, carrinhos de mão e ferramentas. Naquela noite, ele entrou no cemitério, liberou o equipamento e amontoou os itens numa Kombi. Schroedter os levou até a fábrica.

Os novos recrutas tinham se conhecido alguns anos antes. Uli Pfeifer, como Hasso, havia passado alguns anos da infância em Dresden, depois de sobreviver aos ataques a bomba na Segunda Guerra Mundial e às privações que vieram depois. Mais tarde, um de seus amigos cortejou sua irmã mais nova, Anita. Em uma visita à casa dos Herschel em 1957, Uli viu uma foto de um jovem de cabelos pretos exposta no console do rádio. Anita explicou que aquele era seu irmão Hasso, que havia passado mais de três anos na prisão. Ele foi preso pela primeira vez em Berlim em 1953, aos dezoito anos, por participar de uma revolta popular contra as políticas econômicas dos comunistas e o domínio da política do Estado. Nadador que competia pelo país, Hasso poderia ter sido, como Harry Seidel, o orgulho no esporte da RDA. Mas em vez disso ele foi preso em uma cela com 22 outros homens por várias semanas, com pouco para comer e sem trocar de roupa. Decidiu naquele momento que um dia ele deixaria essa parte de sua terra natal.

Quando Hasso saiu da prisão, soube que tinha sido expulso do ensino médio. Depois de conseguir o diploma de conclusão fazendo supletivo, foi aceito na Faculdade Alemã de Política na Berlim Ocidental e lá alugou um apartamento. Liberdade! Mas então, enquanto visitava os pais em Dresden, foi preso e acusado de violar a "lei de proteção ao comércio dentro da Alemanha". No Ocidente, ele tinha vendido uma câmera, uma máquina de datilografar e binóculos do lado oriental. Com essa acusação, ou pretexto, ele enfrentou quatro anos sob condições degradantes em campos de trabalho. Foi solto em 1958, aos 23 anos.

Em seu retorno a Dresden, Hasso encontrou Uli Pfeifer. Também fez algum trabalho *freelance* para a inteligência da Alemanha Ocidental e depois para a CIA. Para os americanos, ele espionou na base da Alemanha Oriental, anotando quantos homens e quantos veículos entravam e saíam, e até mesmo revirando o lixo em busca de cartas que pudessem revelar segredos. Depois de cerca de nove meses, os americanos deram a ele dinheiro para uma viagem de avião a Berlim. Ele se matriculou na faculdade de novo, mas em agosto de 1961, como milhares de outros, ele ficou preso no lado oriental pelo Muro.

Pfeifer, empregado como engenheiro no lado oriental, estava, ao mesmo tempo, fazendo planos para escapar com sua namorada. Numa noite em setembro de 1961, ele atravessou um túnel no esgoto em direção ao lado ocidental, passando por locais insalubres, e sua namorada logo o seguiria. Mas quando ela foi para a abertura, a Stasi fechou o túnel. Ela foi presa alguns dias depois e recebeu uma sentença de sete anos de prisão.

Imaginem a surpresa de Uli, numa manhã de domingo naquele mês de outubro quando abriu a porta da casa de sua mãe no distrito de Charlottenburg e encontrou Hasso Herschel parado a sua frente. Eles se abraçaram. Hasso tinha cruzado a fronteira um dia antes no Checkpoint Charlie usando um passaporte suíço falso (conseguido pelo Grupo Girrmann), depois de cortar o cabelo e colocar óculos para combinar com a foto do passaporte. Seu único arrependimento era não ter escalado o Muro e mostrado o dedo do meio aos comunistas ao pular para o outro lado. Assim era Hasso, resumidamente.

Agora, cinco meses depois, o projeto de túnel na Bernauer Strasse tinha ganhado dois escavadores altamente motivados. Pfeifer não tinha esperança de reaver sua namorada presa, mas ainda assim estava irado com o que tinha acontecido com ela. Ele não conseguia entender que uma mulher de 21 anos passasse boa parte de sua juventude presa simplesmente por querer deixar um Estado totalitário e ficar com seu namorado. O sociável

Herschel, que agora estudava ciências políticas na Universidade Livre, ainda estava irritado por passar muitos de seus anos de formação atrás das grades. Ele tinha um objetivo concreto, no entanto: levar sua irmã mais nova, Anita, com seu marido e o bebê, para o lado ocidental. Anita quisera partir com Hasso no outono anterior, mas ele a havia convencido a não fazer isso, dizendo: "Um de cada vez – você é a mais nova, não podemos deixar a mãe sozinha ainda, e vai ser difícil com o bebê. Mas vou cuidar disso". Ele prometeu que não faria mais a barba enquanto isso não acontecesse. Hasso se relacionou a Fidel Castro que, escondido nas montanhas em Cuba, havia jurado tirar a barba somente quando seus rebeldes tomassem Havana.

Com os novos recrutas ajudando, os escavadores finalmente chegaram à profundidade almejada. Alguém desenhou um retângulo ao lado da formação de argila voltada para o lado oriental. Uma grande furadeira elétrica na terra pareceu ajudar. Eles estavam a caminho do Muro e além.

4
O presidente
MAIO DE 1962

O presidente Kennedy havia sobrevivido a uma economia instável, ao desastre da invasão da Baía dos Porcos e às acusações de não ter feito o suficiente para pôr fim à segregação racial e para manter boa parte de sua popularidade pessoal. As três redes de televisão desenvolveram um papel-chave, permitindo que ele se tornasse o primeiro presidente a falar diretamente e com frequência ao povo americano – ao vivo, sem edição e sem filtro. Suas coletivas de imprensa, realizadas duas vezes por mês em média, eram televisionadas na íntegra pelas emissoras, algo inédito para qualquer presidente. Por outro lado, a televisão nunca tinha vivido uma época em que o presidente fosse tão jovem, bonito e gracioso. Mesmo durante a tarde, as transmissões atraíam milhões de telespectadores, ajudando a manter os níveis nas pesquisas de aprovação de Kennedy perto dos 75%.

No início de sua coletiva de imprensa em maio, no local de sempre – o pomposo novo auditório do Departamento de Estado –, um jornalista perguntou como ele achava que a imprensa o tratava, além daqueles especiais periódicos da TV. "Bem, tenho lido mais e apreciado menos", disse, tirando risos dos presentes, "mas não reclamei nem pretendo fazer reclamações, de modo geral. Eu leio e discuto comigo mesmo". Segundo ele, os jornalistas estavam fazendo "sua parte, como um braço crítico, o Quarto Estado, e estou tentando fazer a minha, e vamos viver juntos por um período – e então iremos cada um para um canto ", o que arrancou mais risadas.

Muitos presidentes anteriores tinham uma relação de amor e ódio com a imprensa, mas ninguém mais do que John F. Kennedy. Seu assistente e principal redator de discursos, Ted Sorensen, nunca deixava de se impressionar com essa dualidade. Para Sorensen, parecia que seu chefe tratava os jornalistas como se fossem seus amigos pessoais, mas as redes de notícias para as quais trabalhavam, como se fossem inimigos – quase como se as palavras solidárias dos jornalistas fossem distorcidas contra ele antes de serem impressas ou transmitidas. Kennedy não conseguia entender por que um jornal como o *New York Times* apoiava seu governo, de modo geral, mas batia na mesma tecla em relação a seus pontos fracos, mês após mês, nos editoriais. "Tenho certeza", disse ele a Sorensen, certa manhã, "que eles têm guardado um editorial pronto sobre 'falta de liderança' e o repassam de poucas em poucas semanas com poucas mudanças". Ao seu amigo Ben Bradlee, o editor-executivo da *Newsweek* em Washington, ele reclamava: "Quando não temos que passar por vocês, seus malditos, conseguimos nos comunicar de verdade com o povo americano".

Apesar de suas coletivas de imprensa televisionadas aumentarem sua popularidade, a lua-de-mel de Kennedy com grande parte da imprensa não havia sobrevivido à sua primeira primavera no poder. Em abril de 1961, ele pediu aos representantes da imprensa que mantivessem em sigilo os planos (equivocados) da invasão apoiada pela CIA à Baía dos Porcos por exilados cubanos. Apenas um canal, o *New York Times*, publicou uma matéria vaga, mas isso foi o suficiente para deixar o sangue de JFK fervendo. Duas semanas depois, em um discurso à American Newspaper Publishers Association, ele pediu, diretamente, que "todo publisher, todo editor e todo jornalista reexamine seus próprios padrões e reconheça a natureza do risco de nosso país". Os Estados Unidos foram ameaçados no mundo todo pelos comunistas e "em tempos de guerra, o governo e a imprensa costumam se unir em um esforço, em grande medida baseado em autodisciplina, para impedir revelações não autorizadas ao inimigo". Em momentos assim, os tribunais mantiveram que "até mesmo os direitos privilegiados da Primeira Emenda devem atender à necessidade de segurança nacional do povo".

A ameaça comunista exigia uma mudança sem precedentes no ponto de vista não só do governo, mas de todos os meios de comunicação. Cada democracia, dizia o presidente, reconhece limitações necessárias à atuação da imprensa – e o caso, nos Estados Unidos, era determinar "se essas limitações precisam ser mais estritamente observadas". Ele criticava vazamentos que pudessem dar força a inimigos. Esses vazamentos podiam passar no teste do jornalismo, mas não no da segurança nacional, e Kennedy se perguntava em voz alta se esses testes adicionais "não deveriam ser adotados agora". Ele pedia a sua plateia que "pensasse com cuidado" e reexaminasse suas "responsabilidades".

Quando trechos do discurso foram publicados, os comentaristas da imprensa – com ou sem boa consideração – rejeitaram o que muitos sentiram ser ameaças veladas para impor novos controles caso o pedido de autolimitação não fosse atendido.

Com a manchete "A Imprensa: Sem Autocensura", a revista *Time* chamou o discurso de "mal feito". Até mesmo alguns aliados de Kennedy, como Arthur Schlesinger Jr., achavam que ele tinha ido longe demais. O presidente recuou, mas suas opiniões sobre a irresponsabilidade da imprensa se espalharam.

QUASE todas as manhãs na Casa Branca, Kennedy recebia poucas páginas concisas da CIA, conhecidas como "Lista de afazeres da Inteligência do presidente". Esse resumo leve oferecia pílulas de notícias e atualizações de pontos de destaque no mundo, do Laos ao Vietnam, de Cuba ao Congo. Um relatório de certo dia de maio divulgava:

> A tensão ao longo do Muro, já alta em decorrência de tiros e explosões durante tentativas de fuga de alemães orientais rumo à Berlim Ocidental na semana passada, deve aumentar ainda mais. Opiniões sobre o problema dos fugitivos têm sido oferecidas dos dois lados em forma de propagandas políticas. O prefeito Brandt autorizou seus homens a usar suas armas, se for preciso, para ajudar os fugitivos, e as forças de segurança de Berlim Oriental parecem estar mais dispostas a atirar do que o normal e têm se reforçado intensamente ao longo de todo o Muro. Mais combates entre as duas forças policiais parecem inevitáveis.

"Os alemães orientais parecem determinados", concluía a notícia, "a estancar o fluxo de fugitivos, que ainda está na média de 50 a 60 por semana. Pode ser que estejam à espera de uma oportunidade de reagir a um incidente de fugitivos com força suficiente para atacar a política publicamente anunciada do prefeito Brandt de ajuda ativa aos fugitivos". No dia 21 de maio, a CIA garantiu ao presidente que a expulsão, pelo presidente Fidel Castro, dos comunistas extremos de seu governo desagradou ao Kremlin e "pode causar sérios problemas com a União Soviética". A agência não sabia que cinco dias antes, Khrushchev havia decidido enviar mísseis nucleares a Cuba.

Os relatórios sobre Berlim normalmente dominavam a "Lista de afazeres da Inteligência". Berlim não era só o ponto de conflito político da Guerra Fria, mas também a linha de frente da batalha da inteligência, uma das poucas áreas nas quais os Estados Unidos e a União Soviética entravam em conflito direto, frente a frente. Era um ponto de espionagem talvez único na história. Os dois centros operacionais ficavam em uma cidade (antes unida), e até 1961, cada lado tinha notório acesso ao outro. O período de 1945 a 1961 foi considerado o ponto alto da guerra da inteligência em Berlim, espião contra espião, matéria-prima de muitos romances e filmes. O Muro dificultava essas operações de modo significativo, e em pouco tempo Berlim passou a desempenhar um papel menos importante na espionagem entre superpotências. Em 1962, todos os lados ainda se ajustavam à nova realidade.

Os Estados Unidos e a inteligência soviética tinham dois objetivos básicos em Berlim. Um era claro: informação. Os dois lados queriam saber o máximo que pudessem a respeito das capacidades militares, das tendências políticas e das condições econômicas de seus adversários – tanto o oponente alemão quanto seu patrono poderoso. O Muro desmantelou seriamente as complexas redes de contato entre agentes e informantes.

O outro objetivo, como nos jogos de espiões de todos os lugares, era autorreferente: impedir a subversão e realizar operações de contrainteligência contra agências estrangeiras. Com seu número sem precedentes de informantes cobrindo o Ocidente e o Oriente, a Stasi atuou com destreza nesse aspecto. Os oficiais da RDA foram motivados pelo medo de rebeliões, alimentando a paranoia e a obsessão que viriam a caracterizar o MfS. Os cidadãos da Alemanha Oriental eram vistos como "suspeitos" e vulneráveis à propaganda ocidental, e, assim, precisavam de controle rígido. A Stasi chegou a se infiltrar nas agências militares e policiais da RDA.

Sob a direção do aparentemente todo-poderoso Erich Mielke desde 1957, a Stasi havia construído uma fama odiosa. Sua enorme prisão Hohenschönhausen, em Berlim, era muito temida, apesar de que a tortura ocorrida ali àquela altura era mais psicológica do que física. Ainda assim, a eficácia do MfS só tomou forma completa com a construção do Muro, quando sua habilidade de controlar e monitorar a população fisicamente aumentou. Os dissidentes costumavam fugir para o Ocidente à noite, mas não o fariam mais. Algumas pessoas na Inteligência Ocidental começaram a ver a RDA como uma "ditadura da Stasi", como se o MfS controlasse tudo. Isso subestimava o poder do partido no poder, o SED. Na verdade, o lema da Stasi era *Schild und Schwert der Partei* ("Escudo e Espada do Partido"). Pode-se dizer que a maior contribuição do MfS não era a informação que ele reunia, mas a aura de mistério e de onipotência que gerava em nome do SED, o que permitia ao partido acabar com a livre expressão e permanecer stalinista linha-dura.

Talvez o maior impacto do Muro na inteligência de Berlim tenha sido a repentina interrupção na onda de refugiados. Antes de agosto de 1961, os serviços espiões do Oriente e do Ocidente se aproveitavam do movimento em massa dos refugiados através de Berlim. Mas havia também o outro lado: os alemães orientais que passavam para o lado ocidental tinham que se registrar no campo de refugiados Marienfelde, onde oficiais da inteligência dos Estados Unidos, da França e da Grã-Bretanha podiam questioná-los à vontade.

Mas agora, com menos refugiados chegando ao Ocidente, Marienfelde parecia correr perigo de se tornar uma cidade-fantasma. Isso deixava a inteligência dos Estados Unidos muito mais interessada em conversar com os alemães orientais que conseguiam atravessar, por meio de túneis ou de qualquer outra rota de fuga. Eles contavam com os ajudantes de fuga para lhes dar refugiados novos que pudessem ter informações atualizadas do Oriente. Ao mesmo tempo, claro, os agentes da CIA temiam que operações de fuga organizada pudessem provocar um confronto entre Estados Unidos e União Soviética.

DEPOIS DE vários dias cavando verticalmente, a equipe de jovens no porão da fábrica de mexedores de coquetel finalmente havia feito a fatídica curva para o lado oriental. O trabalho só ficava mais difícil. Por um lado, ficava mais frio e mais úmido na câmara do que eles esperavam. Mesmo em dias muito quentes na superfície, a temperatura no túnel não ia muito além de 13° C. O mais crítico foi que, quando eles começaram a longa parte horizontal do projeto, suas pás encontraram resistência. O solo àquela profundidade não era a mesma terra arenosa perto da superfície, mas, sim, uma argila mais grossa e bem mais pesada. Isso tornou mais lentos tanto a escavação quanto o descarte.

No começo, eles tinham criado um sistema de polias com balde, corda e manivela que levava a terra até o chão do porão e a depositava num canto. A terra tornava essa tarefa muito pesada. Além disso, para forçar a pá ainda que por apenas alguns centímetros na terra, um escavador tinha que se deitar de costas e empurrá-la com força com os pés e então se virar lentamente e de mau jeito para despejar o conteúdo – ou o que sobrava dele – em um carrinho. A furadeira elétrica ajudava a soltar a parede de terra no começo, mas os escavadores sabiam que assim que se aproximassem da fronteira, teriam que abandonar aquela ferramenta barulhenta.

Depois de avançarem cerca de 20 metros, eles começaram a colocar tábuas finas de madeira no chão de terra e então desceram um trilho de aço pelo centro e acrescentaram uma roda de borracha ao carrinho. O escavador enchia o carrinho, não muito maior do que uma caixa de maçãs, com cerca de 15 quilos de terra, e então gritava ou puxava a corda para sinalizar ao homem na boca do túnel que ele deveria puxar o monte para si usando uma manivela. Quando a carga chegava, ele a jogava dentro de um carrinho de mão e levava o carro de volta para a frente. As mãos dos escavadores logo ficavam doloridas e cheias de bolhas. Sem parar, eles repetiam o movimento de cavar e descartar, iluminados por uma série de lâmpadas instaladas por Joachim Rudolph e ligadas à rede elétrica da fábrica. Por fim, eles conseguiram telefones de campo da Wehrmacht (peças antigas da Segunda Guerra Mundial) para se comunicarem da parte da frente com a de trás no túnel.

Uma coisa boa: a terra firme significava que as laterais e o teto do túnel tinham mais chances de se manterem de pé. Ainda assim, os escavadores decidiram construir suportes fortes.

Com um pouco do dinheiro escasso, eles compraram algumas toras de madeira (descarregadas no quintal da fábrica, fora da vista do lado oriental) e começaram a serrá-las em tocos de cerca de um metro de comprimento e dez centímetros de diâmetro. Uli Pfeifer tinha sugerido uma forma triangular para esses suportes. A cada poucos metros, eles instalavam duas ripas unidas na parte de cima do túnel. As tábuas, então, eram encaixadas nas laterais. Ainda assim, a possibilidade de um desmoronamento ou de um vazamento repentino de água – havia canos antigos acima de onde cavavam – ameaçava a segurança deles.

O progresso diário era medido em pés. O avanço de seis pés, ou 1,80 m, indicava um dia bom. A madeira já estava rareando, e em pouco tempo eles teriam que instalar um tipo de cano que levasse o ar para o fim da caverna. (Mimmo Sesta sempre testava os níveis de oxigênio acendendo fósforos.) Era claro que eles precisavam de mais ajuda no trabalho, mas não era fácil encontrar voluntários para aquele trabalho perigoso e exaustivo. Outro obstáculo: quase todo mundo dentro ou próximo daquela parte da comunidade *fluchthelfer* era estudante de alguma coisa. Para se dedicar à escavação, a pessoa podia ter que abandonar os estudos por um semestre. O outro lado da comunidade de fuga – representado por Fritz Wagner, Harry Seidel e dois irmãos de sobrenome Franzke – eram operários. Os dois campos, estudantes e operários, raramente interagiam, limitando a chegada de novos recrutas.

Felizmente, vários outros aventureiros estavam querendo sujar as mãos.

O primeiro deles: Joachim Neumann, outro estudante de engenharia da Universidade Técnica. Perto do fim de 1961, ele havia fugido do lado oriental com um passaporte falso. Em abril, ele organizou a passagem da irmã ao lado ocidental, escondida em um carro. Agora, ele queria que sua namorada, Christa, se unisse a eles. Outro estudante, conhecido como Oskar, que tinha trabalhado no fracassado túnel Wollank S-Bahn, conhecia colegas daquela escavação que participariam de qualquer projeto novo. Um dia, em maio, os dois visitaram um agente no Ministério de Assuntos Alemães, conhecido por ser solidário aos ajudantes de fuga. Ele disse que não podia financiar o túnel proposto, mas sabia de alguém que já tinha escavado – e ouvira que os organizadores precisavam de ajuda.

Alguns dias depois, os dois estudantes voltaram para aquele escritório e souberam que podiam conhecer os organizadores do túnel em um restaurante no distrito de Wedding. Como identificar escavadores de túnel? Um deles viu uma barba – algo raro na Berlim daqueles dias. Como esperavam, quando chegaram ao estabelecimento, viram Hasso Herschel com seus novos pelos faciais. Com ele, estavam Gigi Spina e Wolf Schroedter, que estavam desconfiados dos possíveis recrutas até saberem que um tinha fugido do Oriente e o outro tinha trabalhado no túnel Wollank.

Com isso resolvido, Wolf os levou na Kombi até o local. No túnel, Neumann, robusto e de rosto arredondado, estimou que os escavadores tinham avançado cerca de 12 metros. Só faltavam 122 metros! Mas ele perguntou: "Por que o formato triangular?". Do seu ponto de vista, era desnecessariamente complicado. Era só colocar as madeira de pé e cruzá-las, disse ele, acrescentando que isso permitiria que eles fizessem um teto. Oskar, com uma contribuição igualmente importante, disse que podia trazer cinco escavadores do projeto Wollank para ajudar. Por fim, a escavação poderia ocorrer em três turnos de oito horas – o dia todo.

OS ESCAVADORES gostavam de se gabar de que eram os verdadeiros fiscais da divisão de quatro poderes da cidade – os únicos berlinenses que entravam livremente em todo e qualquer setor, ainda que fosse debaixo da terra e certamente malquistos em um deles. Desde a fuga liderada pelos irmãos Becker em janeiro, quase todas as tentativas tinham ido na direção Ocidente-Oriente. Havia motivos fortes para isso. Era bem menos perigoso começar a cavar na relativa segurança do Oeste, onde também era possível se livrar da evidência com mais facilidade. E qualquer túnel organizado no Oriente enfrentava uma chance bem maior de infiltração da Stasi.

Mas nada disso podia impedir Max Thomas. Ele gostava de dizer às pessoas que não queria ser enterrado no lado oriental quando morresse – uma afirmação premente, já que ele tinha 21 anos. Thomas tinha tentado se unir à expedição de janeiro dos Becker, mas eles alertaram que seu túnel seria apertado demais para Max e seus amigos e familiares idosos, que também podiam entrar em pânico. Três meses depois, Thomas decidiu direcionar seu próprio caminho de fuga, recrutando um motorista de caminhão de 57 anos e dois outros, ambos de 70 anos, para fazer a escavação. Começando de um galinheiro no quintal de Thomas, eles retiraram quatro mil baldes de terra em 16 dias, despejando-os em um antigo estábulo.

A passagem, que tinha um pouco mais de 30 metros de comprimento, era cavernosa para os padrões normais – tinha cerca de 1,53 m de altura. Assim, os fugitivos poderiam caminhar (meio encurvados) em vez de engatinhar, usar suas melhores roupas e levar maletas – para fugir com dignidade. No local de saída do lado ocidental, os escavadores construíram uma rampa para que os refugiados não tivessem que subir uma escada íngreme. Deu certo.

Cinco mulheres e 12 homens – todos com mais de 55 anos, menos um deles – atravessaram na noite de 5 de maio, saindo em um parque. A imprensa de Berlim Ocidental chamou o túnel de "Túnel dos Aposentados". Duas semanas depois, o *New York Times* cobriu o episódio, identificando Max Thomas como o "Vovô Fritz", que explicou que seu túnel era mais amplo do que qualquer outro até então porque "alguns de nós são tão corpulentos que precisamos de mais espaço". (Um relatório da Stasi sobre o episódio criticava os guardas de fronteira por não "chegarem às conclusões necessárias" depois da fuga de Becker, apenas quatro casas adiante, em janeiro).

Em todos os outros pontos ao longo do Muro, a violência continuava forte. Um tiroteio causou a maior revolta até então. Começou um pouco depois das cinco da tarde de 23 de maio, quando Wilfried Tews, de 14 anos, que estava com problemas em casa por ter se recusado a distribuir panfletos para um jovem grupo comunista, atravessou o Invaliden Cemetery, um cemitério com séculos de existência. Um tiro passou perto dele quando se aproximou do muro e outro quando pulou o muro. Depois de rolar barranco abaixo, ele mergulhou no canal Humboldt e começou a percorrer a curta distância a nado – 15 metros – até a outra margem, como havia planejado fazer com base em um mapa de turista que tinha comprado. Guardas dispararam dezenas de tiros; uma bala atravessou um de seus pulmões, outra se alojou em um braço e outra em uma perna. Ainda assim, ele conseguiu subir em uma plataforma no Ocidente perto do canal mesmo quando foi atingido de novo. Dezenas de outros tiros acertaram as pedras perto dali.

(Para Tews, o "Oeste" que lhe ocorria naquele momento não era Berlim, mas o faroeste, aquele de Hollywood.) Policiais da Berlim Ocidental, tentando acertá-lo, trocaram tiros. Um deles gritou do outro lado do canal: "Pare de atirar! Você também é alemão, não é?".

E então, o soldado Peter Göring, um guarda de 21 anos da Alemanha Oriental, caiu, atingido por três tiros ao sair de sua posição.

Tews sobreviveu, mas Göring morreu. E assim começou a propaganda e assim começou a guerra. Oficiais comunistas chamaram Göring de mártir, organizaram um funeral do Estado e começaram a procurar ruas e construções às quais dar o nome dele. O *Neues Deutschland*, apoiado pelo SED, publicou uma foto horrorosa de Göring – um cadáver no chão, olhos estatelados para o céu – na primeira página.

A imprensa do lado oriental dizia que ele havia sido atraído em uma armadilha e "assassinado". Uma recompensa de 10 mil marcos alemães (cerca de 2.500 dólares) foi oferecida pela captura do berlinense ocidental que matou o pobre Göring. Em resposta, oficiais da Berlim Ocidental acusaram os VoPos de tentativa de homicídio doloso, enfatizando que as regras dos próprios guardas proibiam que eles atirassem em mulheres ou crianças, como Tews, sem falar que não podiam atirar no lado ocidental. Os agentes americanos enviaram um telegrama para Washington dizendo que a versão comunista do acidente omitia o fato de os guardas da RDA terem atirado primeiro.

Alemães tentando derrubar alemães – isso vinha acontecendo havia meses, mas esse episódio de destaque separou os cidadãos de novo em dois lados da barreira. Depois de ler sobre a morte de Göring, uma mulher supostamente disse a seu marido, um sargento de uma das brigadas da RDA na fronteira: "Você não deveria se registrar para mais um ano de serviço sob nenhuma circunstância". Então, ela foi chamada ao escritório do comandante do batalhão para uma "conversa esclarecedora". Mas os tiroteios continuaram. No dia 27 de maio, outro jovem que tentava escapar levou um tiro na cabeça disparado por um guarda em uma torre de observação. Mais uma vez, a polícia de Berlim Ocidental revidou. Médicos e enfermeiras em um hospital adjacente observaram quando a jovem vítima foi deixada nos arbustos por 40 minutos até ser levada.

UM segundo muro, ainda que bem menos intimidante, agora chamava atenção dos moradores e turistas da Berlim Ocidental. A Associated Press disse, com uma foto para ilustrar, que "Os produtores de filme de Hollywood estão construindo um muro de gesso em Berlim para um filme contando a fuga de 28 fugitivos da Alemanha Oriental Comunista. O muro de mentira, de cerca de 275 metros de comprimento, fica numa parte de Berlim bem distante do muro de quarenta quilômetros de extensão erguido pelos comunistas. Mas para evitar qualquer engano, os produtores colocaram cartazes em quatro idiomas explicando se tratar apenas de uma imitação". O local era perto de Tiergarten, o parque mais famoso de Berlim, e no cartaz estava escrito: "*Este não é o Muro de Berlim de verdade. Este muro é para o Filme Tunnel 28. W. Wood Prods*". Foi uma sacada de marketing. Tantos turistas estavam parando para ver – mesmo com o Muro de verdade por perto –, que às vezes atrapalhavam as filmagens.

A MGM torcia para que o filme se saísse melhor do que a última produção de Hollywood lançada na cidade, o filme de Billy Wilder, *Cupido não tem bandeira*. Wilder teve o azar de começar a filmar um pouco antes de o Muro ser erguido, e não tinha terminado quando ele surgiu. Os *sets* de filmagem na Berlim Oriental foram desmontados, e a equipe do filme teve que construir uma versão quase do tamanho real do Portão de Brandemburgo com *papier-mâché* perto de Munique. E ainda havia o tom do filme – era comédia, sobre a filha de um executivo da Coca-cola estabelecido em Berlim (James Cagney), que se apaixona por um comunista da Alemanha Oriental (Horst Buchholz). Depois de agosto de 1961, poucos riam de Berlim, e o filme teve pouquíssima repercussão nas bilheterias tanto dos Estados Unidos quanto da Alemanha Ocidental. "O que nos deixa muito tristes, Billy Wilder acha engraçado", lamentou um jornal de Berlim.

O diretor de *Tunnel 28*, Robert Siodmak, parecia ter sido bem escolhido. Ele entendia sobre escapar da opressão. Nascido em 1900 e criado em Dresden, e por ser judeu, ele havia fugido para Paris e então para Hollywood nos anos 1930, como seu amigo austríaco, Billy Wilder. Depois de dirigir alguns filmes B, como *Filho de Drácula*, ele avançou para gravar *noir*, incluindo *Silêncio nas trevas*, e foi indicado ao Oscar de Melhor Diretor pelo filme *Os Assassinos*, em 1946. No início dos anos 1950, ele trabalhou com Budd Schulberg num roteiro intitulado *A Stone in the River Hudson*. Muito revisado, ele se tornou o admirado roteiro de *Sindicato de ladrões*. (Siodmak nunca conseguiu crédito, nem mesmo parcial; processou o produtor e ganhou um processo de 100 mil dólares). Depois de uma série de filmes que não foram bem-sucedidos, ele voltou para a Alemanha Ocidental para fazer dramas bem avaliados.

Os roteiristas de *Tunnel 28* eram Peter Berneis, outro alemão nativo que escreveu o roteiro de *O retrato de Jennie*, e Gabrielle Upton, que havia escrito (improvavelmente) o filme adolescente *Maldosamente ingênua*. O produtor Walter Wood aclamou o realismo de Siodmak, comparando-o de modo favorável à superdependência da New Wave francesa à "espontaneidade".

Mas o diretor teve dificuldade para encontrar um único berlinense ocidental disposto a interpretar um VoPo – alguns diziam temer que a polícia da Alemanha Oriental pudesse reconhecê-los mais tarde e prendê-los em postos de fronteira na Autobahn para a Alemanha Ocidental. Siodmak precisou ir até Munique para conseguir atores para esses papéis.

De acordo com um colunista do *Los Angeles Times*, Siodmak mal "conseguia conter a animação" em uma ligação promocional de Berlim. Ele vinha filmando uma cena ao longo de um canal na fronteira com um grupo de figurantes alemães ocidentais, o que acabou chamando a atenção dos VoPos, que dirigiram três de seus veículos perto da fronteira e acenderam refletores diretamente para as câmeras. Siodmak, que havia previsto o abuso, colocou uma segunda equipe para filmar uma cena parecida mais adiante no canal. O diretor se gabou de não só ter feito as duas gravações que queria, mas de que "você verá os holofotes deles de um lado a outro. Isso é que é realismo!". Em outra ocasião, Siodmak e o produtor Wood estavam perto do Muro em uma plataforma e espiaram com seus binóculos. Um soldado americano veio correndo e os instruiu a abaixar os binóculos. Guardas alemães orientais consideravam todos que usassem binóculos como espiões e eram conhecidos por atirar, tanto em alerta como para valer.

Erwin Becker deu conselhos aos produtores a respeito de muitos detalhes, desde o tipo de terra que ele e seus irmãos tinham escavado até os fios usados para fazer a instalação elétrica. Ele ia ao *set* na maior parte dos dias, analisando os atores e os ambientes. Becker aprovou a aura de determinação e pessimismo dentro do porão falso do palco da UFA. O túnel de gesso era bem diferente do dele, claro: as paredes podiam ser afastadas e o teto erguido com polias para acomodar as câmeras.

QUANDO Franz Baake atendeu a batida à porta no estúdio da UFA em Tempelhof e encontrou três jovens muito intensos, foi uma surpresa. Ninguém tinha marcado horário e ele estava ocupado. Baake estava trabalhando num segundo emprego como assessor de imprensa do *Tunnel 28*, da MGM, enquanto as gravações aconteciam em Berlim. Ao mesmo tempo, estava dando os toques finais a seu curta-metragem a respeito dos primeiros meses do Muro, *Test for the West*, que seria exibido no Festival de Cinema de Berlim em junho. Devido ao assunto dos dois filmes, ele logo se interessou no que os visitantes tinham a dizer. Eram dois italianos e um alemão, um pouco mais jovens do que Baake, que tinha 30 anos. Um dos italianos começou com "Você gostaria de ver um túnel *de verdade*?".

Tunnel 28 estava começando a atrair ampla cobertura na Alemanha, em parte devido ao trabalho de Baake. Ele tinha escrito frases de efeito, como "O *Tunnel 28* não é um filme – é uma dinamite!". Quando uma história parecia essencial ao filme, Baake pedia ao produtor Walter Wood que dissesse à imprensa que a MGM estava apenas tentando ajudar os americanos e os alemães a entender o verdadeiro mal do Muro. Alguns assessores de imprensa tinham divulgado no mundo todo como a história a respeito da réplica do Muro na rua. Entre os que souberam a respeito do filme da MGM por meio da cobertura da imprensa estavam os três escavadores da vida real.

Recusando-se a dizer seus nomes a Baake – e alertando-o para que não conversasse com ninguém a respeito do projeto –, eles pediram a ele para tirar fotos do suposto túnel para uso não específico. Curioso, ele concordou. Voltando alguns dias depois, eles vendaram seus olhos e o colocaram dentro da Kombi. Baake respeitou suas preocupações com segurança. Ele conhecia um jornalista alemão que tinha sido tratado como traidor por seus colegas por revelar um pouco demais a respeito de um outro túnel. Baake levou consigo sua câmera Rolleiflex, que produziria imagens em um formato muito maior do que sua usual Leica.

Saindo da Kombi, ele desceu alguns degraus até o porão de um prédio e então foi levado para dentro do túnel. Baake, sem venda nos olhos, se impressionou com o profissionalismo, com as luzes pelo teto e com os resistentes apoios de madeira. Por outro lado, estava meio escuro, com poças de água na terra – o que, para ele, era "assustador". Ele sentiu o coração bater forte ao engatinhar alguns metros além da abertura para tirar a última de várias dezenas de fotos. Em seguida, revelou que um amigo tinha uma câmara escura que ele podia usar para produzir as fotos. Os escavadores do túnel insistiram em acompanhá-lo por razões de segurança. Baake revelou o filme e fez algumas impressões. Como ele considerava os estudantes idealistas e apoiava sua missão, ele deu a eles as fotos e os negativos sem cobrar nada.

Alguns dias depois, os três voltaram para o escritório de Baake. Agora, começavam a pensar em fazer mais do que apenas documentar a escavação com fotos. Queriam saber se Baake tinha contato com as redes de televisão americanas que pudessem oferecer um público maior – e pagamento maior – pelo projeto que tinham.

Baake não tinha contatos, mas conhecia alguém que tinha: Fritjof Meyer, que estava trabalhando para uma agência federal, mas aspirava a uma carreira no jornalismo. Aquele projeto maluco de túnel poderia ajudar nessa busca.

Meyer queria ver o túnel primeiro, e então ele também fez a viagem, seguindo de olhos vendados na parte de trás da Kombi depois de encontrar os dois italianos e o alemão em um parquinho. Ainda mais nervoso do que Baake ao entrar no buraco escuro, Meyer quase se virou quando um carro passou acima deles na Bernauer Strasse, espalhando terra. Depois de sobreviver à experiência, ele entrou em contato com um amigo da NBC. O amigo era Abe Ashkenasi, o funcionário de meio período da NBC que vinha buscando uma dica desse tipo havia semanas. Meyer e Abe eram ocasionais parceiros de bebida no Eden Saloon, um bar procurado por jornalistas do lado ocidental, descrito no guia de turismo para os militares norte-americanos como "um tipo de local boêmio para jovens". (Outro cliente frequente: Siegfried Uhse.) Ashkenasi contou a seu editor-executivo, Gary Stindt, sobre o túnel – e Stindt informou o correspondente Piers Anderton. Foi um presente a Anderton na hora certa. Meses tinham se passado desde que seu chefe, Reuven Frank, havia orientado a encontrar um túnel. Agora, um túnel o havia encontrado. E veio a calhar, com seu rival, Daniel Schorr, pressionando o Grupo Girrmann para ganhar acesso a qualquer túnel sobre o qual soubessem.

A CARREIRA DE SEIS meses de Siegfried Uhse como informante ganhou novo patamar em maio, com sua primeira matéria sobre a fuga do Grupo Girrmann, organizada por sua melhor equipe americana. Começou certa tarde na Casa do Futuro quando ele viu o gerente, Bodo Köhler, numa conversa curiosa com um jovem policial da Berlim Ocidental que queria deixar suas "coisas" no escritório. Köhler concordou. Posteriormente, Köhler disse a Uhse: "Que bom que você veio de novo. O que decidimos antes de ontem à noite está pronto. A ideia é tão boa que esperamos poder investir muito nela. Não posso contar mais agora, você vai entender por quê". Uhse se ofereceu para atuar como mensageiro e se encontrar com possíveis fugitivos, auxiliado por seu novo passaporte da Alemanha Ocidental.

Alguns dias depois, Uhse conheceu uma jovem americana na Casa do Futuro. Joan Glenn tinha chegado a Stuttgart no mês de junho como aluna intercambista da Universidade de Stanford (ela era de Salem, Oregon). Numa visita à Berlim Ocidental naquele mês de dezembro, ela por acaso se hospedou no hostel de jovens da Casa do Futuro. Inspirada pelo que testemunhou, Glenn, de 19 anos, esqueceu-se de Palo Alto e ficou em Berlim para ajudar com o esquema de passaportes falsos enquanto vivia no porão, e depois no sótão, da Casa do Futuro.

Berlim havia se tornado uma meca para alunos idealistas de toda a Europa Ocidental e dos Estados Unidos que desejavam ajudar seus semelhantes presos atrás do Muro. Alguns, como Glenn, estudavam na Alemanha; outros dedicavam feriados à causa ou perdiam semestres inteiros. Eles corriam riscos em níveis diversos. A maioria ficou na Berlim Ocidental, empacotando a Casa do Futuro toda. Eles ajudaram os organizadores do Girrmann a relacionar fotos de passaportes antigos a imagens de pessoas parecidas no lado oriental que desejavam fugir. Os estudantes se debruçavam sobre fotos em mesas enormes nos escritórios do Girrmann. Alguns se ofereciam para dar o passo bem mais arriscado de levar as fotos e os passaportes ao lado oriental, onde poderiam ser detidos na fronteira entrando ou saindo. Várias dezenas de estudantes estrangeiros já tinham sido presas. Dois estudantes da Califórnia e um da Holanda tinham sido condenados à prisão por sequestro de pessoas, mas mais tarde foram soltos em um "ato de clemência" pelo líder da RDA, Walter Ulbricht. O destino de outros era desconhecido.

Dois dos estudantes intercambistas colegas de Joan Glenn em Stanford, também hospedados na Casa do Futuro, usaram seus passaportes norte-americanos para visitar a Berlim Oriental e mostraram identidades falsas a possíveis fugitivos. No fim de janeiro, um deles, Robert A. Mann, havia desaparecido. Glenn disse aos agentes de Stanford, e então aos pais de Mann, o que ele vinha fazendo. Em pouco tempo, os alemães orientais anunciaram que Mann tinha sido preso acusado de ajudar na fuga de um ex-aluno da Universidade Livre.

Os pais de Mann, do outro lado do mundo, em Sepulveda, Califórnia, expressaram a esperança de que ele fosse libertado da prisão de Brandemburgo sem ser julgado, mas Washington podia causar pouca pressão na fronteira. Meses depois, ainda não havia notícias.

Joan Glenn pediu a Siegfried Uhse para ajudá-la a passar sua mãe e sua filha para o lado ocidental com meios não identificados. Uhse ofereceu seus préstimos. Glenn confidenciou outra coisa: uma "entrada violenta" estava planejada na fronteira em algum momento entre 23 e 25 de maio. Uhse não pediu detalhes, temendo que Glenn ficasse desconfiada. Mas ele levou a fonte a sério. Köhler, afinal, o havia informado mais cedo de que Glenn estava "envolvida no negócio todo", era, na realidade, seu "braço direito". Ela havia assumido a tarefa de manter a grande e secreta lista de possíveis fugitivos atualizada e de organizar os mensageiros para ações futuras. E havia o boato de que Köhler e Glenn também estavam tendo um caso.

SIEGFRIED não teve que esperar muito tempo para descobrir o que a "entrada violenta" podia acarretar. Ela chegou um pouco atrasada, nas primeiras horas do dia 26 de maio, mas o impacto foi, em mais de um aspecto, enorme. A manchete na primeira página do *New York Times* declarava: "Quatro explosões em 15 minutos estraga o Muro de Berlim". Era o mais drástico ataque à barreira até então, espalhando pedras por dezenas de metros pela Bernauer Strasse. Ninguém se feriu – e aparentemente nenhum alemão oriental escapou pela abertura –, mas a explosão destruiu alguns postos de fronteira da RDA. Um policial da Alemanha Ocidental disse que parecia haver agora um "movimento ativo para derrubar" o Muro. O *Times* anunciou que os oficiais "acreditavam que grupos subterrâneos de berlinenses orientais eram responsáveis". O jornal publicou uma foto grande da UPI de dois policiais preocupados, da Berlim Ocidental, espiando por um buraco de 4,5 m no Muro. Os editores não tinham como saber, nem sequer imaginar, que o policial do lado direito da imagem era o homem que havia ajudado a organizar, e causar, a principal explosão – usando um charuto, alguns disseram.

Ele era Hans-Joachim Lazai, 24 anos, há muito designado à região da Bernauer. No mês de agosto anterior, ele havia visto, de seu carro de patrulha, Ida Siekmann saltar de seu apartamento para a morte, tornando-se a primeira fatalidade do Muro. Ele também estava presente quando um jovem alemão saltou para a morte algumas semanas depois, caindo fora da rede esticada dos bombeiros (Lazai estava entre os que tinham incentivado a tentativa). As mortes o deixaram irado. Em outras ocasiões, ele se sentira enojado ao receber ordens de mirar mangueiras de incêndio em jovens alemães ocidentais protestando na barreira. Alguns de seus colegas auxiliavam ajudantes de fuga emprestando-lhes armas ou mantendo guarda durante uma saída do túnel. Lazai havia auxiliado várias operações, mas todas tinham fracassado, e ele queria fazer algo mais provocante para derrubar a estrutura que ele considerava profundamente desumana. Para isso, oferecia seu treinamento em explosivos ao grupo Girrmann. (Ele provavelmente era o policial que Uhse tinha visto deixando pacotes na Casa do Futuro alguns dias antes.)

Os líderes do Grupo Girrmann não eram conhecidos por apoiar a violência, mas detestavam com força o regime comunista. O antiautoritarismo de Detlef Girrmann e Dieter Thieme podia ser relacionado aos meses finais da Segunda Guerra Mundial. Ainda na adolescência, Thieme entrou para o Exército, e Girrmann se candidatou à SS de Hitler. Depois da guerra, envergonhados de seu passado, eles se tornaram democratas sociais ardorosos no lado oriental. Thieme passaria três anos na prisão por distribuir livros e folhetos com críticas ao governo, e então fugiu para o Ocidente. Nessa altura, Girrmann e Bodo Köhler, também ameaçados de prisão, já tinham emigrado. Depois de anos de outras formas de ativismo, o trio havia encontrado sua verdadeira missão organizando fugas do Oriente.

Apesar de se oporem à violência contra pessoas, um muro de concreto que não sentia nada era outra história. Com Lazai, eles escolheram um ponto de explosão em uma área movimentada e altamente visível, mas deram ordens para que não ferissem ninguém. De um ajudante do Girrmann, um estudante de mineração suíço, Lazai conseguiu seis quilos de explosivos plásticos maleáveis em 12 rolos do que parecia ser marzipã. Colegas policiais o ajudaram a descarregar sacos de areia de 20 quilos para serem usados para direcionar a explosão para o lado oriental, através do Muro. Um plano de resgate de fugitivos nunca foi a intenção – uma explosão simbólica teria que bastar.

Logo depois da meia-noite do dia 26, Lazai deu início à explosão na Bernauer e na Schwedt. Quando detonou, 60 segundos depois, ele estava correndo em direção a sua viatura, a 200 metros dali. Então, entrou em contato para avisar a sede de dentro do veículo coberto de poeira. Em pouco tempo, as polícias francesa e da Berlim Oriental chegaram à cena. Enquanto o sol nascia, os fotógrafos tiravam fotos da polícia da Berlim Ocidental, incluindo Lazai, sem pudor, no local. Mas Lazai não tinha terminado. No dia seguinte, ele voou para Frankfurt, onde havia combinado de pegar mais explosivos secretamente guardados em uma base norte-americana. A polícia militar tinha sido informada, e Lazai foi preso. Os interrogadores da polícia da Alemanha Ocidental disseram a ele: "Não gostamos do que você fez, mas compreendemos". Ele não foi preso por muito tempo e não foi condenado por sua sabotagem, foi apenas transferido a um posto em Lower Saxony.

E não foi à toa: Ele tinha apoiadores em cargos importantes. Um pouco antes do ataque, Bodo Köhler havia se encontrado com Egon Bahr, o assistente influente do prefeito Willy Brandt, que era tido como solidário aos ajudantes de fugitivos. Bahr, que tinha sido repórter de jornal na Berlim Oriental antes de fugir em protesto à censura do governo, desprezava o que ele chamava de *Scheissmauer* – muro de merda. Depois de discutirem tomar medidas mais fortes contra o lado oriental, até mesmo uma ou outra explosão, Barh levantou os braços de modo dramático e disse: "Alguma coisa tem que acontecer no Muro! Entendeu?". Köhler entendeu isso como apoio aos bombardeios.

Quando as explosões ocorreram, o Partido Social-Democrata (SPD), ao qual Bahr pertencia, estava reunido em sua convenção nacional em Colônia, onde Willy Brandt esperava ser eleito pela segunda vez. Ligando de um telefone público em Berlim, Köhler informou a Bahr sobre a operação bem-sucedida. A resposta de Bahr foi *Puxa, já era hora*. Brandt então disse à convenção que os estudantes do lado ocidental tinham explodido parte do Muro, e ele os exaltou por não aceitarem sua existência de modo passivo.

O Muro, segundo ele, era tão "pouco natural e desumano que não podemos aceitá-lo, nunca". Isso inspirou aplausos de pé. Mais tarde, Brandt venceu a eleição de vice-presidente de seu partido, o que o colocou no caminho para ser chanceler.

No dia 27 de maio, um dia após a explosão na Bernauer, Piers Anderton se encontrou com Franz Baake e Fritjof Meyer para discutirem sobre o misterioso projeto do túnel. Eles deram a ele o endereço de um apartamento perto do *campus* da Universidade Técnica, onde ele poderia encontrar os três organizadores no dia seguinte.

Anderton escreveu em sua agenda no dia 28 de maio: *Estudantes etc.* Isso manteria o assunto em segredo se alguém lesse a anotação.

Anderton chegou e viu que um dos italianos – o baixinho, Sesta – conseguia se comunicar muito bem em inglês. Spina, o alto, falou pouco. O alemão, Schroedter, não disse nada – enquanto manuseava uma pistola automática. Anderton percebeu que os caras não estavam brincando. Sesta contou a ele a respeito dos apuros de Peter Schmidt e mostrou-lhe os mapas da rede subterrânea da cidade e diversas plantas para o túnel. Tranquilamente, ele declarou que precisariam de 50 mil dólares para completar a escavação. Reuven Frank nunca aceitaria isso ao voltar a Nova York, Anderton sabia, mas pediu para ver o túnel. E assim, como Baake e Meyer, ele fez a viagem na Kombi, com Schroedter como acompanhante.

No momento da visita de Anderton, o túnel se estendia por mais de 21 metros, quase até o Muro. Anderton ficou surpreso ao ver quanta terra já tinha sido depositada no porão. O formato triangular dos apoios de madeira perto da abertura havia desaparecido, agora era quadrado. Anderton disse a Schroedter que estava muito interessado em filmar o projeto, mas teria que receber permissão, e dinheiro, de Nova York. Por sorte, ele estava prestes a ir para Manhattan – para se casar. Ele encontraria seu chefe, Reuven Frank, na festa de casamento. Schroedter fez com que ele assinasse um acordo (provavelmente não executável) que afirmava: *Neste, declaro que no dia 28 de maio de 1962... que manterei sigilo a respeito do empreendimento de Wolfhardt Schroedter. Se eu descumprir essa promessa, pagarei a quantia de 50 mil dólares a Herr Schroedter.*

Três dias depois, Anderton partiu para Nova York.

5
O correspondente

JUNHO-JULHO DE 1962

Piers Anderton havia levado negócios importantes a Nova York, mas primeiro, as prioridades: seu casamento.

Divorciado e pai de seis filhos, ele se casou de novo em uma breve cerimônia civil no centro da cidade, na Prefeitura. Sua atraente noiva sueca, Birgitta, 18 anos mais jovem do que ele, já conhecia muito mais do mundo do que Anderton, já que tinha sido comissária de bordo da Pan Am. Piers, com uma barba recentemente aparada, usou um terno; Birgitta, um vestido de seda. O correspondente da NBC John Chancellor e sua esposa encontraram o sorridente casal na frente da Prefeitura, e, juntos, partiram para a festa da emissora em homenagem ao casal Anderton, no sofisticado Four Seasons.

Reuven Frank estava aproveitando as comemorações – vários colegas estavam começando a beber mais cedo naquele dia – quando o noivo o chamou de canto e alertou: "Nós temos que conversar. A sós. No seu escritório". Frank achou aquilo estranho, devido à ocasião, e tentou demovê-lo da ideia, mas Anderton insistiu. Quando a festa terminou, em vez de comemorar mais com Birgitta, Anderton a levou à calçada do lado de fora e disse: "Preciso ir ao escritório".

"Como é? Você vai me deixar na calçada no dia do meu casamento?", protestou ela.

Concordando, ele entrou em um táxi com ela em direção ao Summit Hotel e então partiu para encontrar Frank no 30 Rock.

Depois de pedir a Frank para fechar a porta do escritório, Anderton disse: "Eu tenho um túnel".

"Do que você está falando?"

Anderton explicou. Na verdade, além de ver o túnel, ele tinha engatinhado alguns metros dentro dele. E queria que a NBC pagasse três organizadores de túnel em troca de acesso exclusivo.

Frank, que praticamente exigiu que Anderton encontrasse um negócio assim no mês de agosto anterior, ficou encantado, mas insistiu que eles mantivessem o assunto em segredo. Ele contaria a apenas algumas pessoas na NBC, conforme se fizesse necessário. Como os telefonemas para Berlim eram, supostamente, grampeados pelos russos, os alemães ocidentais ou pelos americanos (ou pelos três), Anderton devia se comunicar com ele apenas em código ou quando estivesse viajando fora da Alemanha. Anderton teria que agir meio como James Bond, disse Frank, sabendo que Piers sabia guardar segredo: ele havia passado dois anos no Pacífico durante a Segunda Guerra Mundial como agente da inteligência.

Nesse momento, Anderton revelou que os três organizadores também tinham exigido 50 mil dólares.

"Que loucura!", disse Frank. "Não podemos fazer isso."

"O que acha de pagarmos apenas pelos suprimentos?", perguntou Anderton.

"Bem, acho que podemos fazer isso", respondeu Frank. Mas estabeleceu o limite de 7.500 dólares (ainda uma quantia considerável, já que um carro novo nos Estados Unidos era vendido por cerca de 2 mil dólares) pelos direitos de filmar o resto da escavação e uma fuga, pegar ou largar. Frank logo encontrou seu chefe, William McAndrew, vice-presidente da NBC, responsável pela divisão de notícias desde 1951. McAndrew concordou que eles deveriam esconder o assunto dos advogados e até mesmo de seu chefe, o presidente da NBC, Robert Kintner. Ele encontraria outro canal através do qual garantir o dinheiro.

Anderton rapidamente conseguiu duas passagens aéreas e foi ao hotel para dizer a Birgitta que eles tinham que voltar para a Europa naquela mesma noite. Nada de lua de mel.

Frank sabia que Anderton já estava bem envolvido nessa história, mas não se preocupou com a objetividade dele. Diferentemente de muitos de seus colegas, Frank não considerava isso algo a ser observado em documentários. Os filmes são feitos por pessoas, não por máquinas; os únicos roteiristas e correspondentes que se prezavam eram os que estavam tão envolvidos em um assunto ou acontecimento a ponto de *reagir*. Daqueles jornalistas, ele nem sequer exigiu "equilíbrio", apenas o que chamou de "responsabilidade". Frank gostava de dizer "Não dá para medir a justiça com um cronômetro".

Naquela noite, Piers e Birgitta (ainda sem saber dessa trama), embarcaram num voo para Paris. Anderton levava o dinheiro da NBC no bolso da calça. O casal alugou um carro em Paris e então dirigiu até Bonn, na Alemanha.

Anderton deixou a noiva no apartamento e saiu de carro, correndo na estrada em direção à Alemanha Oriental e a Berlim.

ANDERTON sabia que ele não estava livre de problemas. Se os três estudantes aceitassem o acordo da NBC e se ele conseguisse cobrir a fuga deles pelo túnel, ainda não era possível saber como os oficiais americanos em Berlim, ou aqueles em Washington, reagiriam se descobrissem. Anderton já havia recebido notoriedade e críticas e culpava o Departamento de Estado por isso.

Seus problemas começaram mais cedo naquela primavera depois que ele relatou que as tropas da RDA atiravam em veículos americanos na estrada conforme traziam soldados e suprimentos da Alemanha Ocidental para Berlim ao longo desse corredor. A administração queria manter isso em sigilo, porque expunha a vulnerabilidade da posição americana ali. Um oficial do Departamento de Estado censurou Anderton pela revelação. O repórter perguntou se seu relato tinha sido exato. "Sim", respondeu o oficial, e acrescentou "mas é contra a política norte-americana relatar isso". Anderton considerou a questão como uma tentativa de censurar as notícias.

Um agente da Missão Berlim então (de modo mentiroso) informou ao Secretário de Estado, Rusk, que Anderton parecia manter uma "linha muito negativa de 'os Estados Unidos deveriam sair de Berlim'", o que os tornou relutantes em cooperar com ele. Rusk respondeu que a "situação no corredor tinha que ser abordada com discrição". Ainda que os repórteres devessem ganhar algum acesso, "não achamos inteligente nos esforçarmos para oferecer estrutura adicional ou, de outros modos, aumentar a publicidade ou o tratamento público da situação, ou cooperar muito". Alguns dias depois, o Subsecretário de Estado, George Ball, avisou a embaixada de Bonn que o relato de Anderton tendia ao "alarmismo" e "tem sido altamente crítico" em relação às políticas governamentais.

Anderton atraiu mais críticas, dessa vez em público, após um discurso de 20 minutos, em abril, a um grupo de mulheres na Alemanha formado principalmente pelas esposas de diplomatas americanos e outros oficiais. Supostos trechos da conversa vazaram à *Variety*, que os detalhou na matéria de capa intitulada "Discurso incendiário de Anderton, da NBC, em Berlim, choca as esposas dos VIPs americanos". Aparentemente, ele havia atacado Kennedy e Rusk por serem (de acordo com a *Variety*) "fracos" em relação a Berlim. Os berlinenses eram "duas caras" por reclamarem, em privado, dos perigos, mas por insistirem que a imprensa os aliviasse de modo a não fazer com que perdessem os dólares dos turistas. Quanto ao público americano, eles não sabiam nem se importavam muito com Berlim. Tudo isso dito por Anderton havia feito com que a esposa do embaixador americano Walter Dowling saísse da sala; outras mulheres presentes ficaram "chocadas". Anderton tinha até detonado sua própria emissora, acusando a NBC de tentar "amordaçar" (mais uma vez, um termo usado pela *Variety*) seus correspondentes. Isso, acima de qualquer coisa, certamente irritaria seus superiores. Como se quisesse garantir isso, a frase inicial da matéria afirmava que, devido a seus comentários, ele agora estava "em apuros" com seus chefes em Nova York e com os "principais representantes do governo norte-americano na Alemanha".

Anderton ficou lívido. As frases tinham sido arrancadas do contexto ou manipuladas de modo malicioso. Em alguns casos, sua opinião era o contrário do que a *Variety* divulgou. Ele não havia dito que a NBC estava amordaçando quem quer que fosse. O episódio todo foi, ao que lhe pareceu, claramente um esforço do Departamento de Estado para forçar a emissora a tirá-lo de seu cargo ou despedi-lo. Até aqui, seus chefes o tinham apoiado, mas agora, em junho, ele consultou um advogado a respeito de processar a *Variety* por difamação. Enquanto isso, dois repórteres disseram a ele que tinham visto um telegrama do Departamento de Estado acusando-o de ser "pró-comunista".

CONFORME o túnel da Bernauer se aproximava da fronteira e da faixa da morte, Harry Seidel não conseguia parar. Ele e Fritz Wagner tinham preparado um projeto promissor para derrubar o Muro no antigo local de escavação. Dicke havia pagado 400 marcos alemães (cerca de mil dólares) ao dono do pub Krug na esquina da Heidelberger Strasse com a Elsen Strasse pelo uso temporário de seu porão. O alvo deles estava apenas a 24 m dali, do outro lado da fronteira: o porão de uma loja de fotografia, que ficaria fechada no fim de semana de Pentecostes.

Heidelberger talvez continuasse sendo o endereço residencial mais bizarro do mundo. A fronteira da RDA se estendia de um lado da rua ao outro, para as fachadas dos prédios no Ocidente, mas diferentemente da Bernauer Strasse, os alemães orientais não podiam fechar paredes e janelas com tijolos naquele lado. Em vez disso, construíram o Muro no meio do quarteirão, apesar de metade da rua e da calçada do outro lado ainda serem do território da Alemanha Oriental. Os berlinenses ocidentais podiam entrar e sair de seus prédios, e as crianças ainda brincavam na calçada, mas era um território da RDA e analisado pelos VoPos de perto. Se um berlinense ocidental estacionasse o carro ali por muito tempo, o veículo podia ser tomado pelos comunistas e jogado por cima do Muro.

Liderados por Seidel, duas equipes de três homens começaram a escavar no dia 6 de junho, com turnos de 12 horas, descansando em colchões sob o pub. Alimentos e bebidas tinham sido deixados ali para mantê-los por uma semana. Um detetive da polícia da Berlim Ocidental, que tinha um segundo emprego como informante da Stasi, xeretou o andar de cima, mas não viu nada de estranho. Um relatório da Stasi chamou o pub de "ninho conspiratório", frequentado principalmente por policiais de Berlim Ocidental querendo se embebedar e jovens que arquitetavam "provocações". Um desses provocadores que vivia no andar de cima do pub gostava de levar seu aparelho de som à varanda para tocar discursos de líderes do Ocidente em direção à fronteira para o lado oriental.

A patrulha e as inspeções feitas por agentes da Stasi tinham aumentado devido a atividades de escavação na área no passado, mas os escavadores não se detiveram. Um deles era o jovem Peter Scholz, um açougueiro que pretendia buscar sua noiva e seu bebê de quatro meses. Como muitos dos outros, ele ficou surpreso por estar trabalhando com o Harry Seidel, como sempre se referiam a ele, devido a sua fama como ciclista. Harry mal parecia descansar; ele era conhecido por pegar uma pá de um homem que estivesse diminuindo o ritmo e fazer o resto de seu turno. Para descobrir se o túnel, que era apenas uma casca vazia sem suportes, aguentaria, Harry deu ordem para que alguém dirigisse em uma parte de Heidelberger em um caminhão carregado de carvão. Quando só um pouco de terra caiu do teto, ele concluiu que era seguro – ou suficientemente seguro. Apesar de Seidel fazer o tipo silencioso e forte, alguns escavadores o tinham visto perder a paciência. Certa vez, o falatório constante de Wagner e suas ostentações o irritaram tanto que ele jogou uma pá na direção do gordo, gritando: "Pelo amor de Deus, cale a boca, *Dicke*!".

No nível da rua em Heidelberger, na noite de 8 de junho, vários alemães ocidentais jogaram garrafas e pedras por cima do Muro na direção dos guardas da fronteira, que foram obrigados a se proteger. Então, uma escada foi encostada no Muro no Leste e uma jovem começou a subir. Três tiros foram disparados, mas ela conseguiu passar para o outro lado. Um informante da Stasi reportou que o lendário Harry Seidel tinha sido visto perto da cena 20 minutos depois.

Alguns dias depois, Harry rompeu a parede do porão da loja de fotografia no lado oriental. Na tarde seguinte, um domingo, esperando na loja de fotografia com as cortinas fechadas, os escavadores tentaram relaxar, apesar de saberem que a polícia da Alemanha Oriental estava patrulhando a poucos metros dali. Vários estavam armados com pistolas. Mais cedo naquele mesmo dia, o mensageiro de Wagner, Dieter Gengelbach, havia dito aos fugitivos para irem ao prédio em intervalos escalonados. Duas mulheres logo chegaram à porta, parcialmente escondidas embaixo da cobertura da varanda, carregando pacotes grandes, ao contrário das orientações dadas. Uma das mulheres, apesar de saber que passaria por terra e lama, vestia um casaco de pele. Discretamente, Harry deixou clara sua reprovação enquanto a levava túnel adentro.

Mais duas mulheres chegaram com crianças. Uma das mulheres começou a entrar em pânico e caiu de joelhos, rezando. Peter Scholz levantou-a e desceu a escada com ela, que começou a gritar, e ele cobriu sua boca com a mão. Mas ele próprio estava quase entrando em pânico também. Sua noiva, Erika, e o bebê dela não tinham chegado, e o tempo estava acabando. Depois de pedir permissão a Harry, ele telefonou para ela no hospital onde ela trabalhava. Erika não tinha recebido nenhuma mensagem. Conforme foi instruída, ela deu uma parte de um comprimido de dormir para o bebê e chamou um táxi até a loja de fotografia. Peter se arriscou e saiu para encontrá-las. Ao ver isso, Wagner murmurou: "Idiota!". Quando eles entraram na loja, Erika entregou a filha adormecida a Harry Seidel, que a colocou em uma das bacias grandes de latão que eles usavam para transportar terra – e arrastou a bacia pelo túnel. Em pouco tempo, eles estavam no porão do pub, onde Seidel entregou a bebê a Erika e disse: "Bem-vindos à Berlim Ocidental".

No dia seguinte, o *New York Times* divulgou que 12, ao todo, tinham atravessado o túnel (no total, na verdade, mais de 20 pessoas devem ter passado). "Oficiais da Alemanha Oriental", diziam, "afirmam estar assustados com o número crescente de fugitivos e com o movimento contínuo ao longo da fronteira". Quando Harry Seidel voltou para casa depois de seu sucesso, sua esposa implorou para que aquele fosse seu último túnel. Ele podia se orgulhar do que já tinha feito e se aposentar na crista da onda. Harry se recusou de novo. Ainda tinha que libertar a mãe. E já tinha decidido o local do próximo túnel, voltando à área que ele mais conhecia, onde tinha ajudado sua esposa, o filho e muitos outros a atravessar o arame farpado: Kiefholz Strasse.

NOS PRIMEIROS dias de junho, a realidade confrontou todo mundo que esperava que a violência ao longo do Muro pudesse diminuir depois dos tiros disparados no adolescente Wilfried Tews e da morte do guarda de fronteira

Peter Göring. Na verdade, o desespero no lado oriental crescia, levando a um aumento nas tentativas de fuga. "O Muro não satisfez a esperança que os comunistas tinham de que ele estabilizaria a situação na Alemanha Oriental", disse o *New York Times*. "Em vez disso, a insatisfação e a inquietação parecem estar aumentando entre os berlinenses orientais. Fugas drásticas... ocorreram quase diariamente nas últimas semanas".

Aparentemente em resposta, as equipes de trabalho da Alemanha Oriental e soviéticas aumentaram a altura do muro de concreto em alguns pontos e construíram um segundo muro interno do lado mais distante da faixa da morte em outros. Instalaram painéis altos de madeira de modo que os berlinenses não pudessem nem mesmo acenar para amigos ou parentes do outro lado. O patrulhamento da polícia aumentou, e mais torres de guarda, com mais linhas de observação, eram erguidas toda semana. Minas de chão foram plantadas estrategicamente. Para impedir fugas pela água, instalaram arame farpado em partes do canal e ao longo dos portões posicionados. Ainda assim, de acordo com a polícia de Berlim Ocidental, 86 fugitivos venceram o Muro em junho – principalmente passando pelo arame e pela cerca em distritos vizinhos – incluindo seis membros do Exército soviético.

A polícia também registrou nada menos que 19 novos casos de guardas da Alemanha Oriental atirando em fugitivos. Começou quando um berlinense ocidental de 16 anos levou um tiro na bacia tentando ajudar um amigo a escapar. E então, Axel Hannemann, de 17 anos, levou um tiro e morreu no Spree depois de deixar este bilhete à família: "Não tenho outra escolha. Explicarei meus motivos quando atravessar. Mas por enquanto posso dizer que não fiz nada de errado". Dois dias depois, dois adolescentes da Berlim Oriental tentaram escalar o muro do cemitério perto da barreira na Bernauer Strasse. Um deles levou um tiro na perna, mas os dois chegaram ao outro lado.

Uma fuga especialmente cinematográfica foi arquitetada por um grupo de berlinenses orientais que alugaram um barco para um cruzeiro no canal Landwehr. Houve uma festa, e os farristas, como planejado, embebedaram o capitão e o engenheiro. Então, um dos passageiros assumiu o timão e guiou o barco para o lado ocidental, enquanto tiros de metralhadora eram dados a partir do lado oriental e atingiam a construção de metal do barco, onde todos (incluindo um bebê) estavam protegidos. O ataque continuou mesmo depois de atracarem na Berlim Ocidental. Mais de 200 tiros foram disparados, e alguns acertaram casas e construções na parte americana. Uma bala passou pela janela de uma cafeteria; ninguém se feriu. A polícia da Berlim Ocidental contra-atacou. Os fugitivos desembarcaram, e o capitão e o engenheiro puderam pilotar a embarcação de volta ao lado oriental. Os fugitivos disseram aos jornalistas que estavam tão desesperados que teriam pulado na água e tentado nadar para o lado ocidental, mesmo em meio aos tiros de metralhadora, se não conseguissem pegar o controle do barco.

Em outro ponto, um pequeno túnel caiu e soterrou um fugitivo. Felizmente, isso aconteceu depois de ele ter chegado à Berlim Ocidental. Três outros fugitivos o desenterraram usando as pás e colheres de sopa que tinham usado para cavar o túnel.

E então, outro incidente terminou em tiros – dessa vez, disparados pela arma de um escavador. O conflito teve início certa noite em que um guarda da VoPo percebeu que um homem, uma mulher e duas crianças seguiam em direção a um prédio de quatro andares no centro de Berlim. A polícia havia desconfiado mais cedo ao ver câmeras no telhado do prédio Axel Springer, que ficava à beira do Muro no lado ocidental. Quando pediram a identidade do grupo, a mulher e as crianças começaram a correr, enquanto o homem, Rudolf Müller, puxou uma pistola, deu um tiro em um dos guardas e voltou a se unir aos outros na fuga para o lado ocidental. Müller, o marido da mulher e pai de seus dois filhos, havia cavado o túnel com seus irmãos e amigos, começando no complexo Axel Springer.

Um jornalista registrou o burburinho da grande multidão reunida do lado ocidental. Um aluno que se gabava de ter trabalhado no túnel disse a respeito do Exército americano: "Eles vêm aqui mascando chiclete e não fazem nada".

"Ninguém faz nada para ajudar os coitados ali."

"O que os Aliados podem fazer?"

"Nada, nada. Alemães estão atirando em alemães, isso não basta?"

O guarda, Reinhold Huhn, de 21 anos, morreu e, como Peter Göring, imediatamente foi transformado em um mártir comunista. Oficiais da Alemanha Oriental pediram a prisão do atirador. Müller negou num primeiro momento, e então admitiu que tinha uma arma, mas disse às autoridades da Berlim Ocidental que Huhn tinha levado um tiro por acidente de um de seus colegas guardas. As autoridades locais e a imprensa no lado Ocidental (incluindo Daniel Schorr, da CBS) repetiram a mentira. E assim, outra batalha se estabeleceu por dias.

Estava claro que, como o "Resumo Semanal da Inteligência" tinha previsto recentemente, o "clima mais quente e a época de férias de verão provavelmente trarão um aumento no número de incidentes na parte da Berlim Ocidental". Seis fugitivos tinham morrido perto da fronteira só no mês anterior, elevando o total de mortes pós-Muro a pelo menos 30. "Os líderes da Berlim Ocidental já estão assustados com o número de incidentes de fuga, com a frequência e com a seriedade dos tiroteios, e com os esforços para destruir o Muro com cargas explosivas", o relatório da CIA revelava. De qualquer modo, a agência de espionagem parecia ter informações precisas sobre as operações de fuga:

> Muitos alemães orientais e berlinenses orientais fugiram com a ajuda direta de berlinenses ocidentais, principalmente estudantes universitários. Quando avisada com antecedência, a polícia da Berlim Ocidental se escondia perto da fronteira para ajudar, se necessário [...] os túneis se tornaram um meio comum de fuga. Os alunos da Berlim Ocidental [...] aparentemente fizeram uso dos mapas de planejamento da cidade e do conhecimento em primeira mão das ruas da cidade, das linhas de trens elevados e do sistema de esgoto para arquitetar escavações de prédios imediatamente adjacentes à fronteira perto de construções da Berlim Oriental. Eles conseguem entrar em contato com possíveis fugitivos – muitos dos quais são ex-estudantes ou parentes – e às vezes enviam um dos seus para a Berlim Oriental para guiar os fugitivos.

O prefeito Brandt, enquanto isso, havia dito que a polícia dele pegaria em armas para ajudar aqueles que fugiam. A Berlim Ocidental havia impedido a militarização crescente do lado oriental no Muro construindo suas próprias torres de observação e dando à polícia carros com novas armas, como carabinas M-2. Berlim estava fervilhando conforme o verão se aproximava.

PIERS ANDERTON, no fim, não precisou se esforçar muito para conseguir que os organizadores do túnel da Bernauer aceitassem a oferta de 7.500 dólares da NBC pelos direitos de filmar a aventura. Fritjof Meyer negociou por Spina, Sesta, e Schroedter, com a esperança de que ele e seu amigo Franz Baake seriam envolvidos na produção da NBC. Mas no fim, os organizadores escolheram tirá-los do contrato (e de qualquer chance de ajudarem com as filmagens). Trabalhar apenas com a NBC não apenas simplificaria o projeto, mas também o status de seus direitos e pagamentos ao longo do tempo. No entanto, isso significava que pelo menos duas pessoas de fora da Berlim Ocidental sabiam a respeito do túnel, ainda que Baake e Meyer não pudessem identificar exatamente onde ele se localizava. Mimmo Sesta os havia alertado dizendo que se falassem qualquer coisa sobre o assunto, teriam que "se entender com o grupo todo".

O contrato da NBC, assinado pelos três organizadores no dia 17 de junho, prometia um bônus de mais 5 mil dólares, para dividirem, se e quando a filmagem fosse completada. Isso faria com que o total de pagamentos fosse a 12.500 dólares. Spina, Sesta e Schroedter receberiam, cada um, uma cópia das gravações e teriam o direito de vender qualquer foto que tirassem. Se a NBC relevasse o segredo do túnel antes do dia da fuga, a emissora teria que pagar ao trio mais 50 mil dólares. Reuven Frank não mostrou o contrato ao departamento jurídico da NBC, então não se sabia se aquilo poderia gerar um processo. Para os organizadores, qualquer receio a respeito de aceitar pagamentos era racionalizado: o dinheiro pago em adiantamento podia ser totalmente gasto com comida, equipamento e outros produtos, enquanto que o pagamento posterior seria compensação pelos perigos enfrentados e pelas aulas da faculdade perdidas. O bônus também dava incentivo para completar a operação da maneira mais rápida e segura possível.

Um motivo pelo qual os organizadores do túnel aceitaram muito menos da NBC do que haviam pedido era que haviam acabado de encontrar uma maneira de refazer o estoque de madeira a custo quase zero. Um dos escavadores tinha um tio rico, Dietrich Bahner, um anticomunista voraz que havia fugido do lado oriental e agora estava ativo na política do Partido Democrático Liberal na Bavária. Ele costumava dizer a seus filhos: "Fugimos uma vez, não podemos fugir uma segunda vez!". Entre as propriedades dos negócios de Bahner estava uma madeireira em Wellenburg, e seu filho, Christian, disse que ele doaria toda a madeira de que os escavadores precisassem. Só havia uma coisa: Christian, um estudante de economia em uma universidade de Berlim, queria desesperadamente acompanhar os escavadores quando eles entrassem no lado oriental. Isso parecia um pouco arriscado – tanto para os escavadores quanto para o jovem Bahner –, mas os organizadores aceitaram. Preocupariam-se com isso depois.

Outro assunto sensível crescia: O que deveriam dizer aos outros escavadores a respeito das filmagens da NBC – e sobre o dinheiro da NBC? Os três sentiam que mereciam compensação, mas também sabiam que seria uma empreitada puramente idealista. Um organizador embolsando qualquer pagamento que fosse certamente pegaria muito mal. Mas se não contassem a ninguém, por quanto tempo conseguiriam guardar segredo? A equipe de filmagem da NBC começaria a filmar em breve. A única maneira de manter o acordo escondido era cuidar para que os três fossem os únicos a estarem trabalhando quando a NBC aparecesse.

A escavação, de qualquer modo, seguia bem tranquila, apesar de eles terem que torcer para que seu caminho até o porão da casa do búlgaro em Rheinsberger, no lado oriental, estivesse certo. (Ainda estavam cuidando de obter as ferramentas de análise.) Quando alcançaram o que acreditavam ser a fronteira, alguém afixou uma placa no teto imitando aquela famosa e muito fotografada em Checkpoint Charlie: *Achtung! Você está saindo do setor americano!* Não importava que, até ali, eles tivessem escavado sob o setor francês. Em pouco tempo, os escavadores estavam logo abaixo da árida faixa da morte, com seus guardas, atiradores de elite e cães de guarda. Qualquer barulho alto subiria com facilidade. Guardas que pudessem ouvi-los, sem querer, ou por estarem com equipamentos de escuta pressionados contra o chão, podiam abrir um buraco e jogar dinamite lá dentro (como costumavam fazer).

Nesse momento, os jovens tinham chegado a um ponto que sabiam que viria: o ar estava se tornando escasso no fim do túnel escavado. Eles vinham usando grandes ventiladores industriais para direcionar o ar para dentro, mas isso era inútil agora. Sem se deixarem abater, dois dos engenheiros criaram um sistema complexo envolvendo dezenas de tubos de um metro unidos por fita adesiva, aumentando a extensão do fosso preso aos lados ou no teto, com motores de aspiradores de pó ou um ventilador soprando oxigênio por eles. Deu certo. Por diversão, um dia, um escavador pingou algumas gotas de perfume no cano; em outra ocasião, conhaque. Os cheiros se espalharam no lado do túnel voltado para o leste, fazendo com que os escavadores se lembrassem do que estavam perdendo no mundo real (ou será que *aquele* agora era o mundo real?).

Joachim Rudolph continuou a exibir seu conhecimento em eletrici-dade, aumentando a longa fileira de luzes e prendendo um motor e um guincho novo ao sistema de trilhos primitivos para aumentar a velocidade do carrinho de terra. Cabos de telefone foram alongados. Os escavadores brincaram, dizendo: "Esta agora é a única linha de telefone entre a Berlim Ocidental e a Oriental!". Ainda que tivessem que girar uma manivela para usar o telefone!

Uli Pfeifer, um dos poucos escavadores que mantinha um emprego está-vel no nível da rua, trabalhando como engenheiro civil, fazia turnos apenas nas noites de sexta e nos fins de semana. Ele se esforçava para ter tempo e para equilibrar a vida que levava fora da escavação e dentro dela. Mas ele ofereceu a casa da mãe em Charlottenburg para algumas das reuniões de sábado, quando uma dezena ou mais de escavadores se encontravam. Sua mãe logo soube desses encontros. A roupa do filho, suja de terra como nunca tinha sido antes, foi o que fez com que ela percebesse.

Havia um quarto no andar térreo da fábrica de mexedores de coquetel que tinha as janelas cobertas. Havia sapatos cheios de lama no chão perto de montes de roupas sujas para serem lavadas (ali e fora dali), cordas nas quais estavam penduradas dezenas de camisas e calças, limpas e sujas. A rotina diária para a maioria dos escavadores era assim: pegar uma carona com Wolf Schroedter até o local – ou ir a pé ou de ônibus. Chegar à fábrica com uma marmita ou lanche para o intervalo da refeição. (Apenas mais um operário na cidade.) Trocar as roupas limpas por outras sujas, e trabalhar por oito horas com duas ou três pessoas no mesmo turno. Se outro escavador estivesse trabalhando com você no descarte da terra, não era tão mal – pelo menos havia alguém com quem conversar. Tinham água corrente no porão e uma bacia grande para lavar as mãos e as roupas. E também um cano aberto do esgoto, com cerca de trinta centímetros de largura, onde era possível despejar a água suja, urinar (quando não usavam o monte de terra para isso) ou defecar. Em outro cômodo, havia um colchão ou dois onde os escavadores podiam tirar cochilos. Anderton, em suas visitas, às vezes entrava no túnel. Certa vez, enquanto estava com a esposa no histórico hotel Kempinski na Berlim Ocidental, saiu da cama no meio da noite para visitar o local. Ainda sem saber sobre a operação secreta, Birgitta acordou e viu Piers voltando para o quarto usando botas cheias de lama.

"Onde você estava?", perguntou ela, acendendo a luz.

"Ah, por aí em outra reportagem", disse ele, encerrando o interrogatório ali mesmo.

Quanto mais os dias se passavam, os engenheiros do túnel sabiam que precisavam ter a certeza de que estavam tomando o caminho certo. Era óbvio que o túnel serpenteava um pouco para a esquerda aqui, para a direita ali; era difícil ver um trecho reto deitado de costas e cavando. E às vezes eles tinham que dar a volta em uma rocha. Por fim, conseguiram permissão para pegar emprestados equipamentos de análise de um laboratório na Universidade Técnica. Ninguém tinha usado aquela área subterrânea ainda, e não havia pontos fixos nem marcados para servirem como guia. Quando concluíram a análise final, ficaram chocados e felizes ao verem que, de alguma forma, a "serpente" ainda apontava quase perfeitamente para seu alvo no lado oriental.

Mais uma tarefa precisava ser completada: conseguir mais armas de fogo para proteção nos meses seguintes. Mimmo Sesta soube de alguém em Hamburgo que poderia fornecer as armas ilegais. O controle de armas naquela cidade era bem menos rígido do que em Berlim, e era uma meca para os jovens. (Um novo grupo da Inglaterra chamado Beatles estava atraindo grandes plateias no Star-Club.) Mas, uma vez em Hamburgo, Mimmo descobriu que não podia confiar no traficante de armas, e acabou comprando apenas um rifle de caça barato.

COM o contrato assinado e o dinheiro entregue, a NBC finalmente estava pronta para começar a filmar. Em Nova York, Reuven Frank havia aprovado o acordo final, mas ainda se sentia preocupado, estava até mesmo em conflito. Sim, os escavadores eram voluntários, mas os riscos eram enormes, e talvez, como adulto experiente, ele estivesse errado em incentivar (subsidiar, na verdade) os jovens ingênuos. Ficou se perguntando se deveria ter agido mais como o capitão britânico interpretado por Errol Flynn no filme *Patrulha da madrugada*, que protestava contra permitir que seus homens pilotassem aviões antigos na Primeira Guerra Mundial – dizendo ao major (Basil Rathbone): "Você não pode mandar esses moleques para o céu nessas caixas!".

Frank havia estabelecido algumas regras. Piers Anderton não podia dar conselhos nem incentivo físico aos escavadores; não queria que a NBC fosse acusada de ajudar e incitar, ainda que o dinheiro já estivesse fazendo isso. O correspondente podia usar apenas dois técnicos no túnel, dois irmãos bávaros que prestavam muitos serviços à NBC; Peter Dehmel, de 28 anos, faria as fotos, e Klaus Dehmel, três anos mais jovem, cuidaria da iluminação. Só filme preto e branco seria usado. Mais ninguém no lado ocidental poderia saber sobre as imagens, exceto Gary Stindt, diretor-executivo da NBC em Berlim, e talvez um cinegrafista no térreo.

Para aumentar a segurança ainda mais, Frank nunca visitaria o túnel e só ficaria sabendo sua localização nos últimos dias. Anderton não deveria telefonar nem escrever para ele com relatórios de progresso. Quando necessário, eles se encontrariam em Paris ou Londres.

O grande dia seria 20 de junho. Como eles não se conheciam e não confiavam necessariamente nos irmãos Dehmel, os escavadores vendaram seus olhos a caminho da fábrica de mexedores de coquetel. Dentro dela foi bem fácil para os dois registrar escavadores no porão despejando terra, serrando madeira ou simplesmente relaxando, apesar do escuro e das condições primitivas. Mas como filmar dentro do túnel em si, onde eles não podiam fazer filmagens nem ajudar a iluminar adequadamente?

Os Dehmel improvisaram. Peter se deitou de costas na frente, com os pés para a frente, e virava a câmera (envolvida em plástico para não ficar úmida) no fosso enquanto Klaus se deitava de bruços e direcionava as lanternas à pilha atrás dele. Era uma posição bem ruim e desconfortável, e eles não conseguiam passar mais de dois minutos e meio filmando. Naquele espaço confinado, eles tinham que usar a menor câmera profissional, e seu rolo só permitia esse tempo de gravação.

DIFERENTEMENTE de seu maior concorrente, Daniel Schorr, da CBS, ainda não tinha encontrado um túnel. Desesperadamente à procura de um furo de reportagem para marcar o primeiro aniversário do Muro, no dia 13 de agosto, ele voltou a acionar seus contatos com o grupo Girrmann. Agora, os túneis viravam notícia com frequência. Por que ele não encontrava um? Talvez fosse por estar localizado em Bonn. Piers Anderton e a maioria dos jornalistas de mídia impressa trabalhavam fora de Berlim. A Dan só restava continuar tentando. Algo aconteceria em breve.

Enquanto isso, ele tinha muito a oferecer à CBS News. Seu relatório de 15 de junho começou assim: "A barricada ao redor do perímetro de 153 quilômetros da Berlim Ocidental, agora com 10 meses, está sendo muito reforçada". Estava se tornando o que os oficiais chamavam de fronteira nacional armada e fortalecida, com arame farpado novo, fendas para disparos no Muro e abrigos de concreto. "O motivo, obviamente", explicou Schorr, "não é medo de nenhum ataque do Ocidente, mas facilitar os tiros em fugitivos com relativa segurança longe do contra-ataque da polícia da Alemanha Ocidental." O prefeito Willy Brandt tinha se reunido com seus administradores naquele dia para pensar, no mínimo, no que fazer a respeito.

Três dias depois, ao relatar o tiroteio de Reinhold Huhn, o guarda da Alemanha Oriental, Schorr citou Brandt declarando em um protesto diante de 160 mil pessoas: "Cada um de nossos policiais e todo berlinense deveria saber que o prefeito está apoiando-o quando faz seu trabalho, quando se defende e quando dá toda a proteção possível a seus compatriotas perseguidos". Schorr fez seu próprio comentário: "A polícia da Berlim Ocidental está sob ordens dos Aliados para atirar só em caso de autodefesa. Os outros berlinenses criam suas próprias ordens. E, para muitos, o objetivo é salvar o máximo que puderem de trás do muro".

No dia 20 de junho, Schorr deu a assustadora notícia de que na noite da primeira visita do Secretário do Estado, Rusk, a polícia estava amontoando sacos de areia e colocando telas no lado ocidental para proteção em caso de conflitos. "Sabe-se que o prefeito Brandt dirá ao secretário Rusk amanhã", disse Schorr, "que as tensões continuarão enquanto o Muro continuar de pé, e que a Berlim Ocidental não concordaria com nenhuma política com base no reconhecimento dessa barreira". Apesar de Rusk temer incitar os russos a uma reação explosiva no Muro, Brandt enfatizava que como prefeito, "ele não podia dar ordem para que sua polícia ficasse parada enquanto fugitivos fossem abatidos a tiro sem um efeito catastrófico no moral da Berlim Ocidental".

NO FIM DAS CONTAS, Dean Rusk chegou um dia depois de a NBC começar a filmagem subterrânea. Rusk, 53 anos e nativo da Georgia, não tinha sido a primeira opção de JFK para essa posição. Kennedy queria o rígido senador do Arkansas J. William Fulbright, mas acabou sendo convencido de que essa escolha seria controversa (em primeiro lugar, Fulbright era um separatista). Rusk não tinha muitos apoiadores fortes, mas poucos se opunham a ele – ele não havia causado grande impressão como diretor da Rockefeller Foundation.

Desde que tomara o controle do Estado e de seus 6 mil oficiais de serviço estrangeiro, Rusk havia mantido sua fama de inteligente, cuidadoso e diplomático. Havia tomado uma posição neutra na decisão desastrosa de Kennedy em relação à Invasão da Baía dos Porcos e ainda não estava envolvido na ocupação americana no Vietnã. Ele era um forte anticomunista, sem dúvida, mas diferentemente de alguns de seus colegas, ele detestava "brinksmanship" – a estratégia de forçar uma situação altamente perigosa em busca de um objetivo mais vantajoso. Preferia as negociações com Khrushchev. Alguns aliados de JFK e forças Aliadas sentiam que Rusk era leniente demais em suas conversas com os soviéticos, disposto demais a ceder. A relutância de Rusk em tomar posições fortes ou originais irritou o presidente, e os dois não tinham uma relação calorosa. Alguns na Casa Branca o chamavam de "o Buda", por seu jeito inescrutável e pela cabeça careca. Rusk era irritantemente conservador na "Nova Fronteira", e às vezes usava terno no iate presidencial. Ele chegava a se referir a si mesmo como "quadrado". Rusk conversava com o presidente diretamente diversas vezes por semana, mas foi ficando insatisfeito ao saber que muitos telegramas contendo informação privilegiada enviados a ele, incluindo os da Alemanha, costumavam ser repassados a Kennedy.

Os conselheiros políticos para assuntos internacionais de JFK continuaram sendo seu irmão Robert Kennedy, o estrategista de segurança nacional, McGeorge Bundy, e o secretário de defesa Robert McNamara. Ninguém nesse círculo restrito era especialista em Berlim, por isso, no que tangia a esse assunto, Kennedy vinha, basicamente, atuando como seu próprio secretário de estado. Rusk, como de costume, não havia proposto nenhuma atitude radical em relação a Berlim. Na verdade, ele certa vez confessou que tentava não pensar em Berlim quando ia para a cama.

Considerava a divisão da cidade fundamentalmente irracional, impossível de consertar – ele ficaria bem feliz se as tensões não piorassem. Kennedy, por outro lado, ficava cada vez mais obcecado com Berlim. Pelo menos um aliado achava que ele estava "preso" a ela.

Ainda assim, em junho de 1962, foi Rusk, não Kennedy, quem visitou a cidade. Rusk alimentara sentimentos conflitantes a respeito da população alemã desde que visitara o país em sua época de estudante durante a era nazista (o que era normal acontecer). Mais tarde, ele serviu como oficial do Pentágono envolvido na ocupação da Alemanha. Ele não tinha certeza de que os berlinenses ocidentais pudessem sobreviver a outro bloqueio soviético – sentia que eles estavam "nervosos como gatos" e "roendo as unhas" depois da construção do Muro, como se fosse uma reação exagerada. Agora, em um comboio durante sua visita em junho, com multidões de até 15 mil pessoas o cumprimentando, Rusk perguntou a si mesmo em voz alta quantos tinham "cumprimentado" Hitler no passado.

Em cima de um palanque na Potsdamer Platz com o prefeito Brandt, Rusk declarou que o Muro "tem que ser visto para ser percebido. É uma afronta à dignidade humana. O Muro vai acabar sendo destruído. É a história da liberdade humana". Ele fez questão, em outras paradas em Berlim, incluindo a Bernauer Strasse – enquanto os escavadores colocavam terra em um carro quase diretamente embaixo deles – de prometer que o apoio americano continuava firme. "Nós, americanos, estamos lado a lado com vocês", disse Rusk, "pelo bem de nossa própria liberdade."

NA última visita de Siegfried Uhse à Casa do Futuro, Bodo Köhler informou a ele que o Grupo Girrmann estava mudando sua política. Mensageiros como Uhse agora seriam direcionados a um único grupo de berlinenses orientais planejando uma fuga em vez de grupos separados. Sua nova célula incluiria dois professores, dois alunos do ensino médio, uma jovem e sua mãe. Uhse recebeu a ordem de enviar mensagens datilografas e codificadas a eles. O método para colocar os bilhetes nos postos de fronteira? No cabo de um guarda-chuva "telescópico". Dois dias depois, Uhse pegou seu primeiro guarda-chuva carregado na Casa do Futuro. Antes de entregar o bilhete a um dissidente da Berlim Oriental, ele naturalmente o passou à Stasi. Um agente do MfS copiou o bilhete e fotografou o guarda-chuva usado, aberto e fechado. Quando Uhse devolveu o guarda-chuva naquele dia, Köhler agiu de modo indiferente e se recusou a falar com ele. Uhse se perguntou se Köhler podia estar tendo algum problema com ele. Mas a garota americana normalmente séria, Joan Glenn, agiu com simpatia quando eles conversaram na cozinha. Glenn era esguia e tinha cabelos castanhos e lisos, olhos grandes e rosto oval, além de uma voz suave. Ela se vestia bem, normalmente com calças, e falava alemão quase perfeitamente. Köhler havia conseguido uma bolsa para ela na Universidade Técnica, onde ela estudava filosofia, história e religiões. Alguns dias depois, Köhler disse a Uhse que ele não mais receberia suas tarefas pessoalmente na Casa do Futuro, mas pelo telefone ou em outro lugar. Joan Glenn seria agora seu principal contato. Quando Uhse perguntou o motivo, mandaram que ele "lesse os jornais". Foi quando ele ficou sabendo a respeito do último tiroteio fatal em um túnel. Surgiu de uma operação de três homens, com dois deles motivados ao máximo – eles estavam separados das esposas desde a construção do Muro. Um deles, Siegfried Noffke, não tinha visto seu filho recém-nascido direito, exceto por um momento sobre a cerca da barreira. Noffke, pedreiro que havia trabalhado como motorista desde sua chegada ao lado ocidental alguns anos antes, havia encontrado o ponto de partida para o túnel no apartamento subterrâneo de um ferreiro na Sebastian Strasse, do outro lado do distrito Mitte. O trabalho tinha transcorrido bem por várias semanas no trecho relativamente curto (30 metros). E então, o azar: Ernst-Jürgen Hennig, o cunhado de um dos escavadores de Noffke, por acaso era informante da Stasi na Berlim Ocidental. "Pankow", como Hennig era apelidado, aparentemente tinha alguns conflitos com o fato de envolver a própria irmã em algo que pudesse causar sua prisão. Graças a ele, a Stasi lançou uma missão que chamaram de *Maulwürfe* ("Fuinhas"), espionando mais de uma dúzia de futuros refugiados por três semanas, com planos de prendê-los e também os escavadores quando o projeto fosse finalizado. Hennig se infiltrou no grupo com facilidade. Ele até chegou a ajudar na escolha do ponto de saída. Chegando ao porão no lado oriental na tarde de 28 de junho, ele se uniu a Noffke para atravessar o muro.

Quando os escavadores entraram no porão no lado oriental, sem armas, os agentes da Stasi estavam esperando. O plano era prender os três escavadores, mas um agente do MfS se descontrolou e abriu fogo. Noffke foi gravemente ferido. Antes de ele morrer, a Stasi tentou tirar dele uma confissão. Outro escavador ficou gravemente ferido e foi preso. O terceiro escapou. A irmã de Hennig e a esposa de Noffke foram presas juntamente com os outros fugitivos. O informante receberia uma recompensa em dinheiro da Stasi.

Dois dias depois, os berlinenses ocidentais colocaram uma coroa de flores em uma rua próxima. Na faixa, estava escrito: "A nosso querido amigo Siegfried Noffke, como uma última despedida de seus amigos. Ele morreu vítima do Muro". Oficiais da Alemanha Oriental não expressaram remorso em seus relatos para a imprensa. A Stasi havia, mais uma vez, impedido a invasão de "incitantes", "terroristas" e "agentes armados" ao lado ocidental. Além disso, segundo os oficiais da RDA, eles sabiam de cerca de cinco outros túneis que logo teriam o mesmo destino.

6
Os vazamentos

JULHO DE 1962

A cada duas semanas, o cronograma de escavação do túnel da Bernauer era estabelecido na reunião do grupo aos sábados, com Gigi Spina tomando nota para afixar no porão da fábrica. O cronograma para uma semana no começo de julho listava três turnos de oito horas a cada dia, incluindo o fim de semana, com equipes de três ou às vezes quatro. Na terça, estava escrito: *Mimmo, Wolf, Kleiner, Jurgen / Rainer, Gunther II, Langer / Rudolf, Achim, Hasso.* De vez em quando, Piers Anderton entrava em contato com os três organizadores do túnel e combinava um horário para que os Dehmel passassem. Spina, Sesta e Schroedter cuidavam para que só eles estivessem trabalhando nesses turnos.

Os Dehmel tentavam captar todos os detalhes: o kit de primeiros socorros, a campainha que sinalizava que um carrinho cheio de terra estava pronto para ser retirado, as roupas sujas penduradas nos varais no andar de cima. Jovens, às vezes sem camisa, eram mostrados cavando, analisando mapas, fazendo ligações em telefones antigos do Exército, comendo sanduíches, tirando cochilos em colchões de ar e inserindo madeira nas laterais e no teto do túnel. A câmera mostrava um cartão escrito à mão em que se lia *Produção Stindt-Anderton – Especial Refugiados.* Os dois Dehmel estavam noivos, e tinham muito o que explicar a suas respectivas namoradas a respeito do motivo que os deixavam fora de casa até tarde da noite, num local secreto.

Para alguns dos escavadores, Anderton se via servindo como uma figura paterna meio exótica, com seus cabelos grisalhos e suas histórias de viagens como correspondente estrangeiro. Ele tinha que lembrar a si mesmo constantemente das ordens de Reuven Frank de não oferecer conselho nem ajuda. Quando possível, ele tentava mudar as discussões do ponto de vista prático para o político ou filosófico.

O fosso embaixo da Bernauer Strasse estava sempre úmido. Anderton sentia que havia ali um cheiro de musgo de centenas de anos, não perturbado até aquele momento. A água pingava da condensação na parede ou da umidade do solo acima deles. A equipe do túnel continuava colocando ripas de madeira em um dos lados da linha de escavação até o centro. Graças ao fornecedor de madeira, eles agora tinham ampla oferta: várias toneladas de pinheiro cortadas em tamanhos diferentes antes da entrega. Quando receberam a nota, descobriram que, conforme o prometido, não houve cobrança da madeira nem da entrega, apenas uma soma risível pela pesagem da carga: seis francos alemães. Um dólar e meio. Eles ainda teriam que lidar com o filho de seu benfeitor, que dificilmente se esqueceria da promessa de que ele deveria acompanhar os escavadores quando eles entrassem no porão da Berlim Oriental. Ele já os estava deixando nervosos. Em uma de suas visitas à fábrica, ele havia exibido uma metralhadora e um revólver calibre 38 Smith & Wesson.

Organizar os turnos de trabalho de modo que os Dehmel pudessem filmar apenas os três líderes do túnel logo se tornou difícil. Os organizadores decidiram contar a mais dois recrutas – Orlando Casola e Joachim Rudolph – a respeito do acordo. Mas só a Rudolph podiam oferecer dinheiro. Ele era privilegiado porque a NBC queria filmar o gênio técnico da elétrica sempre que possível. Ele receberia mil marcos alemães adiantados, com a promessa de mais mil depois da fuga. Ao saber do papel da NBC, Rudolph levantou preocupações em relação à segurança, mas os organizadores garantiram a ele que os visitantes da TV tinham jurado guardar segredo. A emissora tinha muito a perder (incluindo dinheiro) se a filmagem colocasse o projeto em risco.

Cinco escavadores agora sabiam a respeito do projeto da NBC. Outros 12 não sabiam, incluindo Hasso Herschel e os engenheiros Uli Pfeifer e Joachim Neumann. Mas quando o túnel se estendeu por 50 metros e para dentro do lado oriental, as preocupações com recrutas diminuíram. E os irmãos organizadores encararam sua primeira crise real.

Uma goteira persistente no teto do túnel perto da fronteira, embaixo da Bernauer, havia se transformado em um vazamento forte. A água empoçava no chão de terra com dois centímetros e meio de profundidade em alguns lugares. Por meio de contatos com o corpo de bombeiros de Berlim Ocidental – sempre prontos para ajudar nas tentativas de fuga, voltando aos dias de pegar saltadores de janelas em suas redes – os escavadores conseguiram uma bomba manual e 90 metros de mangueira para remover a água. Ela descia por um cano, seguindo para uma rede de esgoto que a levava (para a diversão deles) para o lado oriental. Por mais que bombeassem, evacuando cerca de 30 mil litros de água na primeira semana, não conseguiam dar conta do vazamento. Por isso, recorreram a uma bomba elétrica, que pegaram emprestada dos bombeiros, mas, ainda assim, a água subia.

Algumas partes das paredes e do teto encharcados caíram. Os escavadores descobriram, em primeira mão, um problema com a argila: sólida quando seca, ela se transforma depressa em lama com apenas um pouco de água. Em alguns lugares, a lama parecia manteiga; em outros, parecia sabão preto. As roupas, os sapatos e os equipamentos dos escavadores estavam cheios de terra, mais do que nunca. Os Dehmel capturavam tudo isso em seus filmes curtos. Quase dois meses de escavação exaustiva e perigosa tinham resultado nisto: abortar o projeto caso uma solução não fosse encontrada. Eles esperavam que as chuvas fortes, incomuns, pudessem ser a causa, mas quando a chuva parou, o vazamento piorou. O motivo só podia ser um cano estourado.

Essa conclusão, pelo menos, trouxe uma nova ideia: como o vazamento era embaixo de uma área ainda no lado ocidental, talvez eles pudessem fazer com que o departamento responsável pela água da cidade os ajudasse. Sesta e Spina visitaram um diretor do local com o pretexto de entrevistá-lo para um trabalho da escola. O diretor entendeu na hora o que estava acontecendo. Ele disse que ficaria feliz em ajudar, mas que primeiro eles teriam que resolver a questão com as agências de inteligência alemãs e americanas. Com o grupo Girrmann, Wolf Schroedter conseguiu o nome do homem que eles precisavam procurar.

Conhecido dos ativistas apenas pelo pseudônimo "Mertens", ele era um agente do Landesamt für Verfassungsschutz (Escritório de Proteção da Constituição) ou LfV. Essa era a agência de inteligência da Berlim Ocidental para segurança doméstica. Mertens era responsável por controlar todos os projetos de fuga locais. A LfV havia dado a ele a dupla tarefa de manter seu governo e, portanto, os americanos, informados a respeito de seu trabalho de resgate, também servindo como ponto de contato quando *fluchthelfer* precisassem de ajuda oficial ou de uma maneira de chegar aos outros colegas. Em troca, os organizadores de fuga concordaram em avisar Mertens sempre que os fugitivos a quem eles ajudassem chegassem ao lado ocidental, para que a LfV pudesse interrogá-los primeiro.

Isso exigia considerável confiança. A Stasi tinha penetrado nas agências do governo da Alemanha Ocidental e da Berlim Ocidental, e os organizadores dos túneis não tinham o hábito de confiar em alguém facilmente. Mertens, um homem robusto de cerca de 40 anos, que penteava os cabelos finos e castanhos para trás, podia falar demais; podia até ser da própria Stasi. Ainda assim, seu coração parecia enorme. No começo do ano, ele havia alertado os escavadores de que a Stasi sabia de um dos túneis de Heidelberger, que estava seguramente abandonado. E foi Mertens quem colocou Bodo Köhler em contato com Girrmann e Thieme. Ele até jogava baralho com Thieme com frequência. Por meses, ele havia garantido aos ajudantes de fuga que era um agente semi-independente, livre para esconder o que sabia de seus superiores desde que evitasse episódios que pudessem aumentar as tensões ao longo da fronteira. (O fato de ele ter que preencher relatórios regularmente para a CIA nunca veio à tona.)

Agora, em um escritório na Ernst-Reuter Platz, os organizadores contaram a ele sobre o projeto que tinham, mas não a localização precisa de sua base nem seu caminho. Ele os agradeceu, mas disse que, nesse caso, tinham que conversar diretamente com os americanos. Então, Spina e Sesta seguiram em direção ao que era conhecido na imprensa como "P9" – uma casa no número 9 da Podbielski Allee.

Grande parte da atividade de espionagem dos Estados Unidos em Berlim acontecia aqui, na parte residencial de Dahlem. No mesmo quarteirão da casa onde ficava o escritório da CIA, ficava a Rede das Forças Armadas de Berlim dos Estados Unidos (Armed Forces Network Berlin), além da estação de rádio e TV americana-alemã RIAS. Esta ostentava o maior transmissor da Europa. Outra casa servia como sede temporária para o embaixador norte-americano quando ele vinha de Bonn. Se os refugiados do lado oriental tivessem informações especialmente úteis ao chegarem a Marienfelde, tinham que ir à casa no número 9 da Podbielski.

Os agentes da inteligência norte-americana não estavam interessados em cortar as asas de ninguém, mas queriam saber das iniciativas de fuga para que pudessem: 1) não atrapalhar; 2) reagir caso algo desse muito errado; e 3) manter listas dos envolvidos para... qualquer motivo. A maioria dos facilitadores de fuga sentia que os americanos se opunham muito mais aos túneis do que os franceses e britânicos. Nesse dia em julho, no entanto, Spina e Sesta foram muito bem recebidos pelos americanos, mas tiveram que dar o nome, o endereço e a idade de todos que estivessem trabalhando no projeto. Como os americanos estavam, até onde eles sabiam, do seu lado, os italianos deram as informações de bom grado. Os americanos garantiram que não atrapalhariam seu projeto e podiam até oferecer apoio sem revelar exatamente como ou o quê.

Em pouco tempo, o departamento de água e esgoto da Berlim Ocidental estava fazendo reparos, que na Bernauer Strasse tinham que ser feitos de modo casual para evitar alarmar os guardas da Berlim Oriental de que aquilo era algo além de rotina. Quando alguns operários quebraram a calçada para inspecionar os canos, Harry Thoess, que havia trabalhado como cinegrafista da NBC na Alemanha por mais de uma década, filmou a atividade no nível da rua, na fábrica de mexedores de coquetel. Uli Pfeifer saiu para conversar com os operários. Ele viu que o cano de aço, provavelmente do século anterior, ficava a aproximadamente um metro abaixo da calçada. Pfeifer supôs que o teto do túnel de fuga deles tinha sido escavado um pouco alto demais, soltando o suporte do cano e causando uma rachadura. Ele riu quando os operários disseram nunca ter visto nada parecido: por que a terra diretamente embaixo do cano não estava mais lamacenta? Onde estava toda a água desse vazamento? Os operários não sabiam que ela tinha sido escoada para uma câmara secreta lá embaixo.

Os reparos, de qualquer modo, logo foram finalizados. Os escavadores se prepararam. O vazamento diminuiu e então parou. Podiam continuar. Mas não imediatamente. Havia tanta água no túnel que alguns pisos tinham se soltado e estavam flutuando. Demorariam dias para bombear a água e então teriam que esperar a lama secar. Pelo menos os escavadores podiam descansar e recuperar o fôlego. Hasso Herschel aproveitou a oportunidade para estudar para seu exame de motorista. Outros fizeram reparos nos sistemas de ar ou de iluminação. Mimmo Sesta conversou por muito tempo com Piers Anderton. Sesta disse que ele não tinha utilidade para governos e líderes de qualquer tipo, que as pessoas tinham que resolver os problemas sozinhas. "Eu vi e ouvi o que aconteceu depois que os comunistas fecharam a fronteira", disse ele enquanto Anderton fazia anotações. "Vi mulheres na Berlim Oriental chorando porque seus maridos estão no Ocidente, e elas viverão sem eles para sempre. Os governantes da Alemanha Oriental são porcos, não por serem comunistas, mas por manterem as pessoas vivendo com medo. As pessoas deveriam viver com felicidade, não contando com uma teoria idiota de futuro daqui a 100 anos.

"Devo ajudar meu amigo Peter e sua família. Amizade não é só se sentar e tomar café. É preciso ajudar os amigos e ajudar todo mundo cuja liberdade foi roubada. Não devemos dar descanso ao governo da Alemanha Oriental, não devemos dar paz a eles. Eles devem saber que há pessoas simples que querem fazer algo contra a falta de humanidade". As palavras de Sesta combinavam com aquelas de Heinrich Albertz, o líder do Senado da Berlim Ocidental, que recentemente havia comparado os jovens e "corajosos" ajudantes de fuga com os resistentes ao nazismo.

Anderton aproveitou a calmaria para filmar os três organizadores interpretando os primeiros dois meses do projeto, antes de a NBC entrar em cena. Eles dirigiram pela cidade em sua Kombi, explorando de novo os locais para seu projeto perto do Palácio do Reichstag e do Portão de Brandemburgo. Aproximando-se do Muro em vários pontos, eles observaram e então estudaram mapas e outros documentos em um apartamento, fumando cigarro e debatendo onde começar a escavar. Como sempre, nenhuma voz foi gravada.

Agora, a notícia de que uma equipe de túnel habilidosa e trabalhadora tinha um pouco de tempo livre do qual dispor já tinha se espalhado na comunidade *fluchthelfer*. Será que eles considerariam empregar suas mãos e músculos em outra escavação?

DAN SCHORR estava decepcionado e cada vez mais ansioso, ainda sem um túnel para cobrir, a pouco mais de um mês até o primeiro aniversário do Muro. Precisava de uma distração. Felizmente, encontrou: Shirley MacLaine. A jovem atriz americana, cuja carreira estava em ascensão depois de atuar em *Can Can* e em *Se meu apartamento falasse*, havia chegado a Berlim para o festival de filme anual. O público foi bem menor naquele ano devido à ausência dos cinéfilos da Berlim Oriental. Mas havia muitas celebridades, com a chegada de James Stewart, James Mason e Maximilian Schell, cujo irmão tinha um papel no filme *Tunnel 28*, da MGM. Tony Curtis se escondeu em um apartamento secreto com a nova paixão (a atriz com quem contracenava em *Tunnel 28*), Christine Kaufmann.

Schorr, solteiro, engraçou-se com MacLaine, que era casada, quando ele ensinou a ela a pronúncia de uma frase importante em alemão para um de seus discursos no festival, um simples *Ich liebe dich*. Ele acabou sendo seu acompanhante no baile do festival, onde foram fotografados juntos a uma mesa (ela também posou com Jimmy Stewart). Em outra noite, quando ele a buscou no Berlin Hilton para jantar, achou graça quando um bando de fãs a cercou na recepção do hotel, pedindo autógrafos. Isso nunca tinha acontecido com ele. Alguns fãs acompanharam o casal até o restaurante. Schorr perguntou se ela ficava brava com aquela situação. Ela respondeu: "Vai ser muito pior quando acabar".

Depois do jantar, os dois foram até o lindo lago Wannsee na Mercedes de Schorr. Dirigindo perto demais da água, eles perceberam que o carro afundava na areia molhada até as calotas. Demoraram meia hora caminhando para conseguir um táxi. MacLaine tinha que partir para Roma no dia seguinte e convidou Schorr para ir com ela. Ele respondeu que aquele era um dos melhores convites que já tinha recebido, pra dizer o mínimo, mas que não podia abandonar seu trabalho na CBS tão em cima da hora. Shirley reclamou que ele era – entre tantas palavras para escolher – muito "ligado às coisas da terra".

No festival, Franz Baake, que semanas antes tinha ajudado a colocar os organizadores da Bernauer em contato com a concorrente NBC, de Schorr, recebeu um prêmio Urso de Prata por seu perturbador documentário de 28 minutos sobre o Muro, *Test for the West*.

A ORDEM havia sido dada diretamente pelo presidente, por isso o agente do serviço secreto Robert Bouck não teve dúvidas de que se tratava de um assunto sério. Ele deveria instalar um sistema de gravação secreto na Sala Oval e no Gabinete. Três presidentes anteriores tinham instalado equipamentos de escuta, mas os tinham usado pouco. Franklin Roosevelt fez algumas gravações em 1940; Harry Truman e Dwight Eisenhower deixaram para trás menos de 12 horas de fitas, cada. O plano de Kennedy seria obter muito mais oportunidades do que isso.

JFK pretendia documentar conversas cara a cara com auxiliares e visitantes, para seu próprio uso e/para registro histórico. Sem contar a ninguém o motivo (fazendo jus ao *secreto* no serviço secreto), Bouck pediu gravadores de fita Tandberg de alta qualidade ao comando de informação e comunicação do Exército americano. Ele os colocou em uma sala de reunião no porão da Ala Oeste, onde o presidente dá expediente, e dos gravadores saíam fios para dois microfones na Sala Oval e mais dois no Gabinete. A pedido de Kennedy, ele instalou os microfones da Sala Oval embaixo da mesa do presidente e em uma mesa de canto. Kennedy podia ativá-los com um toque discreto de um botão em sua mesa. Os microfones no Gabinete ficavam escondidos atrás de cortinas e podiam ser ligados e desligados à cabeceira da mesa à qual JFK se sentava.

Kennedy ainda não tinha informado ninguém a respeito disso, exceto seu secretário particular e os agentes do Serviço Secreto. Ele também não tinha decidido a frequência com que ativaria o sistema – quais reuniões gravar e quais ignorar. Gravaria apenas os debates de política estrangeira durante uma crise, para o caso de questões serem levantadas mais tarde? (Ele havia dito ao agente Bouck que o principal motivo pelo qual estava instalando o sistema era por medo de um conflito envolvendo os soviéticos.) Mas e as discussões puramente políticas e de campanha? Poderiam mostrá-lo de forma negativa, um dia? E o que seus auxiliares e visitantes desavisados pensariam se um sistema de gravação secreto fosse exposto? Seu irmão Bobby havia dito recentemente, por brincadeira (mas com uma ponta de seriedade), em um bilhete ao diretor da CIA, John McCone, que o pai deles tinha instruído seus filhos a "Nunca anotar". Agora, JFK havia decidido, e não era a primeira vez, trair a vontade de Joseph P. Kennedy.

DE Berlim Oriental vieram as notícias de que Robert Mann, o estudante de Stanford e amigo de Joan Glenn, preso em janeiro, tinha sido julgado e condenado a 21 meses na prisão. Piers Anderton estava entre os poucos correspondentes americanos a participar do breve julgamento. O advogado de Mann, como era comum nesses casos, era Wolfgang Vogel. Conhecido por seus contatos com os advogados da Alemanha Ocidental, Vogel representava o Estado e/ou a Stasi em casos e em trocas de prisioneiros, como na "troca de espiões" ocorrida no começo daquele ano envolvendo o piloto do U-2 americano Francis Gary Powers e o agente soviético Rudolf Abel. Vogel havia planejado fugir para o lado ocidental em 1953, mas a Stasi descobriu e o forçou a se tornar um informante por muitos anos.

No começo daquele mês, a RDA havia feito o que o *New York Times* chamou de o primeiro julgamento-espetáculo desde a construção do Muro, claramente enviando um sinal aos *fluchthelfer*. Três homens do lado ocidental e dois do oriental tinham recebido penas rígidas de reclusão por auxiliarem fugitivos: cinco a 15 anos de trabalho forçado. Isso tornava a pena de Mann um pouco mais suportável.

O pai de Mann voou da Califórnia a Berlim e conseguiu falar com o jovem Robert por 20 minutos, vendo-o em condições de saúde relativamente boas. Posteriormente, ele disse a Joan Glenn que já havia se perguntado por que seu filho tinha corrido tantos riscos para ajudar estudantes alemães orientais que ele nem conhecia, mas depois de visitar a opressiva Berlim Oriental, ele entendeu.

HARRY SEIDEL havia praticamente acabado seu túnel sob a Kiefholz Strasse. Ele já estava embaixo do jardim de uma casa alugada por um casal de meia-idade de sobrenome Sendler, que havia propositalmente concordado em abrigar a fuga no lado oriental. Fritz Wagner havia viajado para a Bélgica para comprar duas metralhadoras para a missão, mas Dicke teve um problema: tinham resgatado tantos alemães orientais por meio do famoso Túnel Pentecost no mês anterior que ele estava tendo dificuldade para encontrar um número suficiente de pessoas prontas para partir. Os clientes de Wagner normalmente eram da classe operária, e muitos que já tinham escapado estavam descobrindo que não era nada fácil encontrar emprego no lado ocidental. Sabendo disso, alguns no lado oriental que desejavam fugir começaram a pensar melhor. Claro, a vida não era nada fácil no lado oriental, mas a maioria tinha um emprego e certas necessidades básicas oferecidas pelo Estado.

Profissionais e estudantes eram muito mais otimistas em relação ao sucesso que teriam no lado ocidental e também mais insistentes no que dizia respeito a suas liberdades pessoais. Eram essas pessoas que o Grupo Girrmann era especialista em libertar. Sabendo disso, Wagner entrou em contato com o escritório deles para oferecer fugitivos e mensageiros para a operação Kiefholz. Os líderes do Girrmann gostaram disso, trabalhando sempre com a lista atualizada de refugiados veteranos. O sempre impaciente Harry Seidel não queria esperar mais algumas semanas para a passagem, contudo. A mãe dele, ainda na prisão, não conseguiria se unir àquela leva de refugiados, de qualquer modo, e havia uma corrida de ciclismo para a qual ele queria treinar. Então, ele abandonou o projeto Kiefholz, concordando em prestar assessoria se e quando o ápice acontecesse. De repente, com um dos outros escavadores doente e outro saindo de férias, Fritz Wagner precisava de uma equipe totalmente nova.

É aqui que entra o agente de inteligência da LfV, Mertens, que soube de um atraso em um túnel inundado em algum lugar embaixo da Bernauer Strasse. Mertens contou a Dieter Thieme sobre o projeto Kiefholz parado. No dia 22 de julho, Thieme pediu que o amigo Wolf Schroedter marcasse uma reunião com sua equipe. Três dias depois, na Casa do Futuro, Schroedter, os dois italianos, Hasso Herschel, Joachim Rudolph e Manfred Krebs concordaram em terminar o túnel Kiefholz se ele passasse na inspeção deles. Para Herschel e os italianos, havia um incentivo extra: talvez eles conseguissem levar a namorada (irmã de Hasso) e os amigos (a família de Peter Schmidt) ao lado ocidental alguns meses antes.

No dia 27 de julho, Schroedter, Rudolph e Krebs atravessaram uma mata densa para chegar à entrada do túnel. Rudolph e Krebs ficaram chocados ao ver uma figura familiar cumprimentando-os. "É... o Harry Seidel!", Rudolph exclamou. Só então ele e Krebs descobriram o que o antigo amigo de ensino médio andava fazendo no último ano. Seidel ficou igualmente surpreso ao encontrá-los. Ele só sabia que "alguns estudantes" assumiriam seu projeto porque o túnel deles tinha dado em um cano furado.

Harry explicou que ele tinha escavado a maior parte da passagem, mas agora "Preciso de um tempo. Podem ficar com ele". Entregando lanternas, ele os levou para dentro do túnel. Por terem saído de sua escavação semi-profissional, eles ficaram chocados ao ver que aquele não tinha iluminação, canos de ar nem suportes. Raízes destruídas de árvores apareciam nos cantos, em alguns pontos. A terra caía do teto sempre que um caminhão passava pela Kiefholz Strasse. Não dava para se abaixar nem para engatinhar – os escavadores e fugitivos tinham que rastejar. O túnel era tão estreito que

Rudolph temia que causasse claustrofobia em alguns fugitivos. (Ele próprio estava sentindo um pouco de medo). Se acontecesse um pequeno colapso, não haveria bolsão de ar no qual respirar enquanto a pessoa tentasse afastar a terra. Era objetivamente um trabalho malfeito. Harry era corajoso e trabalhava muito, mas não era engenheiro. Aquele também era o primeiro túnel de bairro, e o mais comprido até então. Ele revelou que o ar fresco acabava no fim do túnel depois de apenas meia hora de escavação, por isso você tinha que cavar em períodos curtos e então chamar um substituto. Ele também reconheceu um leve cheiro de gás, talvez o vazamento de um cano – então, deveriam tomar cuidado ao riscar fósforos! Sem falar da falta de estrutura, já que não havia nem uma barraca perto da entrada onde descansar ou comer, não havia banheiro, não havia água corrente. Não havia carrinho para a retirada da terra, só aquelas grandes panelas de cozinheiro, *fleischersatten*, com alças presas a cordas. E havia preocupação em relação à segurança: a terra do túnel simplesmente tinha sido descartada em montes perto da entrada. Arbustos e árvores pareciam bloquear a vista do lado oriental, mas como ter certeza? Além disso, não se sabia se os Sendler já tinham confirmado que sua casa no lado oriental podia ser usada para a abertura.

Ainda assim, a equipe da Bernauer concordou em trabalhar com o grupo Girrmann, pegando as rédeas de Seidel. O fato de Harry ter começado aquele túnel acabava com as preocupações deles. Harry tinha arriscado a própria vida muitas vezes lutando contra o Muro; ele certamente não era delator da Stasi. O que os escavadores não percebiam era que eles estavam correndo risco apenas por estabelecer um elo temporário com o Grupo Girrmann – cujo centro tinha como infiltrado o intrépido agente da Stasi, Siegfried Uhse.

Em poucos dias, eles aumentaram o buraco significativamente. Agora, um homem ou uma mulher acima do peso podiam entrar ali, além de crianças, engatinhando no escuro com lanternas, sem se sentirem muito assustadas. Ficaria pronto para uma ação de fuga em poucos dias. Será que Piers Anderton gostaria de saber sobre ele e fazer algumas filmagens? Poderia ser uma ótima adição ao especial da NBC – e forneceria material de apoio no caso de o túnel da Bernauer sofrer outro vazamento ou colapso. Sabendo que a escavação estava em boas mãos, Bodo Köhler e Joan Glenn entraram em ação, chamando mensageiros. A lista deles de futuros fugitivos agora já preenchia várias páginas.

DEPOIS DE SEMANAS mantendo um relacionamento com Joan Glenn, a diligência de Siegfried Uhse estava compensando. Um tipo de grande operação de fuga estava pendente e Glenn o colocou no meio dela como mensageiro. Quando Glenn o mandou para a rua para caminhar e observar, obtendo informações, ele a viu "vestida com roupas novas e chiques", como Uhse contou mais tarde a seu guarda-costas. "Percebi, pela aparência dela e pelo modo como se comportava que ela gostou de mim". Ele podia melhorar o guarda-roupa, já que ainda estava trabalhando como cabeleireiro (mas não mais na base norte-americana) e como garçom aos fins de semana, além de estar ganhando ordenado da Stasi.

Uma semana depois, sexta-feira, 27 de julho, poucas horas depois de a equipe da Bernauer ter entrado no túnel de Harry Seidel – Glenn mandou que Uhse fosse depressa ao lado oriental para dizer ao seu principal contato entre os organizadores de fugitivos que "reunisse o grupo" para uma reunião no dia seguinte. E na noite de domingo, essa pessoa deveria estar pronta para receber um telefonema do lado ocidental "para receber as instruções essenciais para a fuga planejada", marcada para a terça-feira seguinte perto de Kiefholz Strasse – apesar de ninguém ter sido informado sobre o modo de fuga nem da localização exata. Glenn também pediu a ele que encontrasse alguns pontos ermos na RDA onde os caminhões poderiam estacionar discretamente e pegar cerca de 60 refugiados. Nesse ponto, Uhse não sabia sobre o túnel. Ele imaginava caminhões blindados levando as pessoas para o lado ocidental em um ponto distante ou talvez passando por uma parte de fraca vigilância no Muro. Glenn, no entanto, enfatizou que "essa fuga deveria acontecer sem o uso de violência".

No dia seguinte, a missão de Uhse foi novamente atualizada quando ele visitou Glenn no escritório dela (a proibição às visitas à Casa do Futuro aparentemente tinha sido retirada). Ele tinha que ir ao lado oriental e falar ao organizador a respeito de uma reunião final pré-fuga na noite seguinte. Uhse fez conforme foi orientado e voltou ao escritório do Girrmann. Ali, ele notou um desconhecido no escritório ao lado que falava com um sotaque suíço. Quando Glenn saiu de sua mesa por um momento, Uhse ouviu o visitante dizer que o uso de caminhões nessa operação "não era bom" por ser "perigoso". Glenn voltou e fechou a porta.

DEPOIS de um fim de semana em Massachusetts com sua família, em Hyannis Port, o presidente Kennedy voltou à Casa Branca e foi direto à Sala Oval. Não demorou muito para que ele inaugurasse o sistema de grampo secreto, ativando-o para uma reunião sobre uma crise política no Brasil com McGeorge Bundy. Logo depois do meio-dia, as discussões continuaram com Bundy, Dean Rusk e o subsecretário de estado George Ball, dessa vez sobre a Europa.

"Não temos mais nada a fazer em Berlim", disse Kennedy com ar de resignação. Alguns minutos depois, ele estava reclamando dos "novos recrutas" para as missões diplomáticas. "Só vejo um monte de caras que, eu acho... não parecem ter *cojones*."

Bundy: "É."

Naquela tarde, uma discussão de quase duas horas aconteceu sobre questões nucleares, envolvendo mais de uma dúzia de auxiliares e membros do Gabinete. Kennedy vinha tentando negociar um tratado complexo de proibição a testes com os soviéticos. Em teoria, ele deixaria mais lenta a corrida de armas atrapalhando o desenvolvimento de armas mais mortais. Os soviéticos tinham retrocedido recusando-se a autorizar inspeções no local para verificar qualquer proibição. O plano alternativo de JFK era para pelo menos proscrever as explosões nucleares na superfície (testes "atmosféricos"), para reduzir a difusão de partículas radioativas na atmosfera. Ao mesmo tempo, ele estava arquitetando um plano de 700 milhões para construir ou melhorar os abrigos contra radiação no país. O diretor da defesa civil, Steuart L. Pittman, havia declarado recentemente que 110 milhões de americanos provavelmente morreriam depois de um enorme lançamento de míssil soviético, mas outros 40 a 55 milhões poderiam ser salvos se protegidos por abrigos. "Pessoas em número suficiente poderiam viver para garantir a sobrevivência dos Estados Unidos como nação", Pittman disse, sem pudor. Mas ele admitiu que era difícil para o americano comum ver como "algo tão simples como um abrigo antinuclear pode aguentar algo tão grande quanto uma explosão atômica."

A última reunião de Kennedy com os conselheiros acabou com vários pontos de controvérsia e pouca coisa resolvida. Um fator complicador foi que, quatro dias antes, o *New York Times* havia publicado um artigo com base em um dos mais críticos vazamentos no mandato do presidente até então. A situação já tinha levado a uma tentativa quase sem precedentes de intimidação da imprensa, realizada enquanto a reunião na Casa Branca se desenrolava. JFK não era o único gravando conversas em segredo.

A matéria de capa do *Times*, do renomado correspondente militar Hanson Baldwin, havia revelado que os soviéticos estavam agora "fortalecendo" seus silos de mísseis com capas de concreto para proteger as armas nucleares no caso de um ataque americano. Oficiais americanos de alto escalão haviam escondido isso da imprensa e do público – apesar de a atitude soviética oferecer proteção apenas limitada, e de os Estados Unidos estarem fortalecendo seus próprios silos. Talvez mais do que isso, o que irritou a Casa

Branca e o Pentágono foi o fato de Baldwin ter revelado que câmeras espiãs dos Estados Unidos no céu podiam detectar tal aperfeiçoamento, citando o que ele chamava de nova ciência da "interpretação da imagem" com base em imagens em infravermelho e radar e "emanações" eletrônicas. Tal monitoramento podia reduzir a necessidade de inspeção local, algo muito bom, mas os soviéticos eram sensíveis a qualquer tipo de espionagem por parte dos americanos, e agora eles provavelmente tentariam esconder seus locais de mísseis da vista aérea. Baldwin também tinha revelado o número atual de mísseis nucleares Atlas, Titan e Polaris no arsenal americano, o que ele afirmava dar aos Estados Unidos uma clara vantagem sobre os soviéticos. Devido a sua longa atuação no *Times*, Baldwin tinha credibilidade para o que mais importava. Ele havia começado a trabalhar no jornal em 1929 e ganhou um Pulitzer pelas reportagens da Segunda Guerra Mundial no Pacífico. Suas visões podiam ser descritas como "linha-dura", e ele podia expressá-las com frequência em suas matérias.

A Casa Branca agiu depressa para descobrir quem estava por trás do vazamento, com o procurador geral Robert Kennedy mandando que o diretor do FBI, J. Edgar Hoover entrasse em ação. No dia 27 de julho, um dia depois de o furo de Baldwin ser publicado, agentes do FBI tinha grampeado o telefone de um secretário do escritório em Washington do *New York Times*. No dia seguinte, eles colocaram uma escuta no telefone da casa de Baldwin em Chappaqua, Nova York. Não foi só isso. Na noite de 30 de julho, agentes do FBI foram ao apartamento do secretário em D.C. e na casa de Chappaqua, do jornalista. Pressionado pelos agentes, o secretário, assustado, contou-lhes exatamente quando Baldwin tinha realizado entrevistas para a matéria, onde ele havia ficado e os compromissos que tinha marcado (com mais de uma dezena de oficiais do Pentágono, do Exército e da CIA).

Quando Baldwin abriu a porta de sua casa, naquela mesma hora, disse aos agentes que estava prestes a se sentar para jantar. Quando perguntaram se podiam conversar com ele após o jantar, Baldwin disse não, afirmando que não gostava "desse tipo de abordagem". Quando saíram, Baldwin recebeu um telefonema do colunista mais influente do país, seu colega James "Scotty" Reston – com a inteligência do FBI na escuta, claro.

Reston informou Baldwin a respeito da visita do FBI a seu secretário. Ele disse que aquilo era uma caça às bruxas, uma "ousadia e precisamos divulgar a coisa toda". Baldwin concordou e disse que nunca revelaria suas fontes. Sugeriu que eles entrassem em contato com o editor do *Times*, Orvil Dryfoos.

"Isso está indo longe demais nessa administração, o que acho extremamente perigoso", reclamou. Reston disse que havia uma sensação no Congresso de que "dossiês" estavam sendo feitos a respeito de certas pessoas. Baldwin concordou e disse que isso era novo.

No dia seguinte, J. Edgar Hoover notificou Robert Kennedy dizendo que devido "ao ressentimento e à arrogância" de Baldwin, não seriam feitas outras tentativas de entrevistá-lo. Mas quanto a suas possíveis fontes... a questão era outra. Baldwin encontrou-se com Dryfoos (com Reston no viva-voz) para considerarem expor o ataque da administração à imprensa livre. Eles decidiram como primeiro passo que Reston deveria ligar para McGeorge Bundy e pressioná-lo por detalhes a respeito do escopo dos interrogatórios do FBI e quem o havia iniciado. Naquela noite, Robert McNamara foi à casa de Reston para uma conversa amigável de duas horas. Ele se desculpou pela tática grosseira, mas também chamou o vazamento de "violação clara da lei". Não identificou a lei a que se referia.

NO último dia de julho de 1962, Daniel Schorr finalmente conseguiu seu túnel. Sua grande entrada não aconteceu por meio do Grupo Girrmann. Seu salvador foi James P. O'Donnell.

Jim O'Donnell, nascido em Boston, era conhecido em Berlim. Até havia conhecido Hitler quando este estudou na Alemanha, nos anos 1930. Quando ele se formou em Harvard e serviu na Europa durante a Segunda Guerra Mundial, a *Newsweek* o enviou para explorar o *bunker* onde Hitler morreu, onde (depois de subornar um soldado soviético), encontrou arquivos, cadernos e diários esquecidos por outros vasculhadores. Ele cobriu os Julgamentos de Nuremberg e o Bloqueio de Berlim como editor-executivo da revista. Durante a maior parte dos anos 1950, trabalhou como editor e redator, de novo frequentemente sobre a Alemanha, para o *Saturday Evening Post*. Amigo de longa data dos Kennedy, O'Donnell trabalhou na campanha de JFK de 1960 e enviou conselhos sobre Berlim ao candidato. No ano seguinte, ele foi convidado a liderar um novo "grupo psicológico de guerra" no Departamento de Estado que enviaria artigos com propaganda anti-Castro para a imprensa da América Latina.

Quando o Muro de Berlim surgiu, O'Donnell pediu que os Estados Unidos derrubassem a cerca de arame farpado, declarando: "Isso é maior do que a Baía dos Porcos!" A ideia não chegou a lugar nenhum. A Casa Branca decidiu enviar o vice-presidente Lyndon Johnson a Berlim para sinalizar uma decisão americana. O'Donnell desempenhou papel essencial em convencer Kennedy a também convidar o general aposentado Lucius Clay a fazer a viagem. (LBJ tinha reclamado: "Haverá muito tiroteio, e eu vou estar no meio. Por que eu?"). Quando o presidente mais tarde indicou Clay para supervisionar as operações norte-americanas em Berlim, O'Donnell serviu como ajudante do general.

Com Clay mandado de volta para a América na primavera de 1962, O'Donnell voltou a escrever, enquanto continuava como um dos mais proeminentes reparadores americanos em Berlim, e um homem sofisticado. Apesar de seu pavio curto e dos acessos de logorreia, ele continuou sendo fonte essencial para a missão norte-americana a respeito do que os jornalistas alemães e os cidadãos médios pensavam.

Agora, no fim de julho, recebeu o alerta de um novo projeto de fuga de Rainer Hildebrandt. Ele era amigo de Harry Seidel, e um incitador antico-munista bem conhecido. Hildebrandt disse a O'Donnell que um certo Fritz Wagner estava procurando levantar fundos para um túnel vendendo direitos de filmes. O'Donnell conhecia todos os jornalistas veteranos de mídia impressa e da TV, mas ele procurou Schorr, da CBS, primeiro – talvez porque Dan tivesse implorado para ele fazer isso se soubesse sobre esse projeto. O'Donnell perguntou se Schorr gostaria de participar de uma reunião no dia seguinte para discutir os termos de um acordo com ele mesmo, Wagner e Hildebrandt.

Schorr, depois de meses de busca infrutífera, concordou na hora. E se o túnel chegasse ao fim antes de 13 de agosto, ele ainda poderia conseguir sua reportagem especial bombástica para o primeiro aniversário do Muro.

7
Schorr e o secretário

A reunião entre Daniel Schorr e Fritz Wagner, intermediada por James O'Donnell, para combinar a venda dos direitos, para a TV, do túnel Kiefholz prosseguiu conforme o planejado no primeiro dia de agosto. A ausência notada foi a do criador do túnel, Harry Seidel, e da equipe da Bernauer, arriscando a vida naquele momento sem pagamento para completar o trabalho. Wagner dizia que pelo menos 45 fugitivos engatinhariam para a liberdade em poucos dias. Ele exigiu 100 mil marcos alemães (25 mil dólares) pelos direitos de filmar os últimos preparativos e a fuga. Schorr não gostou, oferecendo 5 mil marcos alemães. Em uma segunda reunião naquele dia, ele melhorou a oferta depois de Wagner lhe dizer que um dos fugitivos traria uma gravação exclusiva sobre o dia 13 de agosto do ano anterior, perfeita para o cenário do especial de primeiro aniversário do Muro. E então, Schorr foi conversar com seu cinegrafista alemão.

Se os diplomatas norte-americanos ainda não sabiam a respeito de uma fuga em massa pendente por um túnel na Kiefholz Strasse, isso acabou no dia 3 de agosto. Naquela manhã, Jim O'Donnell chegou à enorme estrutura em formato de L onde ficava a Missão norte-americana e os escritórios da Brigada de Berlim do Exército norte-americano. O complexo na Clay Allee (que recebeu esse nome por causa do General Lucius Clay, herói do Bloqueio de Berlim) havia servido como sede da Luftwaffe de Hitler. Apesar de as insígnias do nazismo terem sido retiradas de sua fachada, algumas das águias ornamentais continuavam ali.

Jim O'Donnell pediu ao membro da equipe Ralph A. Brown ajuda para obter informações sobre dois alemães que ele tinha conhecido alguns dias antes: Rainer Hildebrandt e o homem a quem ele chamava de "Warner" (obviamente Wagner). Ele descreveu o plano de fuga e as negociações que levaram Dan Schorr a pagar mais de 5 mil marcos alemães.

Jim O'Donnell escondeu pouco, e até contou qual era a localização do túnel, até onde ele sabia. Os escavadores, segundo ele, estavam a poucos metros do ponto de saída, com a fuga marcada para o domingo, dia 5 de agosto. E Schorr já tinha mandado o cinegrafista ao túnel pelo menos uma vez, no dia anterior.

Por que Jim O'Donnell, um jornalista, estava revelando tudo isso a um membro de equipe da Missão? Ele explicou que seu principal motivo era "cuidar para que a publicidade adequada seja dada a uma tentativa de fuga". Brown não tinha como saber se isso viria na forma de uma matéria exclusiva escrita por Jim O'Donnell. Estaria Jim O'Donnell apenas testando a receptividade da Missão a qualquer fuga em massa sensacional: contra ou a favor? Ou, ingenuamente, pensava que os diplomatas concordariam em promovê-la. Brown, um tanto perturbado pela visita, enviou um memorando aos seus superiores na Missão. Concluía:

> Expressei preocupação em relação a esses planos e recomendei a Jim O'Donnell que entregasse seus contatos ao grupo. Eu disse que a imprensa americana já tinha sido acusada de explorar fugas do lado oriental e que isso tinha um efeito adverso em nossas relações com a imprensa alemã e com a cidade de Berlim [oficiais]. Disse a ele que essa operação de túnel provavelmente foi entregue às autoridades do lado oriental e que provavelmente não seria levada a cabo de modo bem-sucedido.

Estranhamente, Brown não revelou por que achava que a saída do túnel tinha "provavelmente sido entregue". Quem ou o que foi a fonte dessa opinião? (Até mesmo Siegfried Uhse nesse momento conhecia poucos detalhes sobre a operação.) Brown enviou algo mais com o memorando: um rascunho, em papel pautado, provavelmente desenhado por Jim O'Donnell, da área onde o túnel se localizava. Ele traçava o caminho de um buraco no chão no lado ocidental, por baixo do Muro, para uma estrutura não identificada do outro lado da fronteira – tudo isso abaixo dos trilhos do S-Bahn e não longe da estação de Baumschulenweg, que era, estranhamente, uma ou duas estações a partir do local da fuga. Estaria Jim O'Donnell mal informado – ou estaria, de propósito, passando informação falsa para a Missão? (E nesse caso, por quê?).

O memorando de Brown chamou a atenção de Arthur Day, que atendia a recepção "política" da Missão. Ele mandou um telegrama a um colega na embaixada norte-americana em Bonn, incluindo boa parte da informação de Jim O'Donnell. "Schorr planeja filmar a fuga para usar em um documentário no dia 13 de agosto", Day alertou. Ele dizia:

Acreditamos que seria muito prejudicial aos interesses norte-americanos se a relação com Schorr e Jim O'Donnell se tornasse pública. Especialmente, os planos para o documentário parecem ter grande possibilidade de se tornarem públicos. Pretendemos tentar fazer com que Schorr e Jim O'Donnell se desassociem e não usem gravações de fuga de nenhuma maneira que indique qualquer associação. Se Schorr não concordar, podemos recomendar que a CBS nos Estados Unidos seja abordada por departamento. Diante da inabilidade de conversar ao telefone, e da urgência da situação, nós procederemos fazendo reunião com Schorr e O'Donnell hoje à tarde.

Seu colega respondeu que tinha discutido a situação com dois de seus superiores, incluindo o embaixador Walter Dowling. "Eles naturalmente aprovam sua tentativa de convencer Jim O'Donnell e Schorr a se ligarem à fuga", disse ele.

Brown, depois dessa permissão, passou o problema a Charles Hulick, o diretor da Missão. Ele entrou em contato com Schorr depressa, mas o correspondente intratável da CBS permaneceu determinado a gravar a fuga. Depois de um *briefing* de rotina na tarde seguinte, Hulick tocou no assunto com Schorr de novo. Hulick comentou sobre os riscos de que o "outro lado" soubesse da operação e que, se a CBS seguisse adiante com a filmagem, os comunistas podiam tomar aquela "prova documental" e até algumas das pessoas "dele". Mas apesar de diversas afirmações (sem fonte) de que o túnel tinha sido comprometido, ainda não havia indícios de que alguém na Missão Berlim tivesse avisado os escavadores ou membro do Girrmann a respeito desses riscos. Talvez eles acreditassem de verdade que a missão estava perdida, ou não se importassem se realmente estava. Mas eles tinham certeza de que não queriam cobertura da TV a respeito do caso, muito menos um documentário. Schorr respondeu que ele estava falando sério sobre o que disse a Hulick na noite anterior – ele pelo menos pensaria no caso.

Logo depois disso, Jim O'Donnell informou à Missão que a ação de fuga estava agora pronta para 7 de agosto às 18h, e que o número de possíveis fugitivos tinha aumentado para cerca de 90, facilmente o maior êxodo por um túnel num único dia. Ele disse que Schorr tinha decidido voltar a Bonn, mas que seu cinegrafista em Berlim poderia estar no local para a saída. Parecia que Schorr não tinha desistido da cobertura, apenas se protegido. Na verdade, Schorr ainda planejava estar em Berlim no dia da fuga.

Hulick enviou um telegrama com um relatório não apenas à embaixada de Bonn ("para o caso de a embaixada desejar abordar Schorr em Bonn amanhã"), mas também ao superior da Força-Tarefa de Berlim em Washington, que coordenava a política para o presidente. Isso sinalizou um novo nível de preocupação. Hulick respondeu à afirmação de que Schorr podia estar se afastando por observar a "instabilidade" de Jim O'Donnell. Deveria o presidente ser avisado?

LONGE DE TODO esse conflito, os escavadores na Kiefholz Strasse continuaram ampliando o túnel de Harry Seidel, apesar do pouco oxigênio em partes da passagem. Sem saber se Harry havia direcionado o túnel a seu alvo corretamente, um deles engatinhou até o fim e passou uma barra de metal pelo teto do túnel 30 centímetros, mais ou menos, acima da superfície. Um colega com binóculo esperou seu surgimento de um monte baixo no lado ocidental. Quando a haste de metal foi avistada, os escavadores souberam que estavam no jardim da frente dos Sendler, só um pouco fora do caminho. Felizmente, eles tiveram tempo para mudar o túnel ligeiramente para a esquerda. Em pouco tempo, eles conseguiriam sair. Os mensageiros e fugitivos estariam prontos?

Na Casa do Futuro, uma reunião à noite foi feita para que todos discutissem a operação de fuga. Presentes estavam os líderes ativistas Bodo Köhler e Detlef Girrmann; a coordenadora dos mensageiros, Joan Glenn; Hartmut Stachowitz, um veterinário que queria tirar a esposa e o filho do lado oriental; Rudi Thurow, um ex-guarda de fronteira da Alemanha Oriental, agora um parceiro ativo dos Girrmann; uma mulher de 20 anos da Alemanha Oriental que havia acabado de ser levada ao lado ocidental em, ou embaixo de, um automóvel; e uma estudante da Suíça que havia acabado de voltar do lado oriental depois de avisar algumas pessoas a respeito da operação que aconteceria. Só mais um dia de trabalho.

Conforme a reunião avançou, Köhler atendeu algumas chamadas. Depois de uma delas, ele informou ao grupo que achava que "alguém" de fora tinha monitorado aquela conversa. Provavelmente ele tinha ouvido um clique ou uma respiração pesada. Quando Stachowitz perguntou o que ele queria dizer com aquilo, Köhler sugeriu que um "departamento" americano no lado ocidental estava interceptando as ligações deles.

O PRESIDENTE Kennedy ligou seu próprio equipamento de escuta secreta ao se sentar com seu Conselho de Inteligência Estrangeira na Sala Oval. Presentes estavam o Dr. James Killian (ex-presidente do MIT), o famoso advogado Clark Clifford, General Maxwell Taylor, Robert Kennedy e Dr. Edwin H. Land, ligado à Polaroid (ele ajudou a criar o avião espião U2 e suas câmeras). O assunto: aquele vazamento recente no *New York Times*.

JFK havia aprovado o grampo do FBI e as escutas nos telefones de Hanson Baldwin e de uma secretária do *Times*, mas também convocou um grupo de alto nível. Killian, o diretor, logo declarou que "na opinião de nosso conselho hoje, essa é uma das revelações e um dos vazamentos não autorizados mais prejudiciais... uma falha séria e trágica da segurança". Mas a discussão logo mudou, e pararam de procurar os culpados para policiar a burocracia. Killian pediu "procedimentos drásticos e sem precedentes" à luz do fato de que os vazadores "não têm medo de nenhuma ação punitiva que possa ocorrer". Ele propôs uma nova política para o Departamento de Defesa e outras agências que lidavam com informação confidencial:

Depois de qualquer interação com a imprensa, um membro do grupo deve preencher um memorando a seu superior revelando com quem falou ou quando, e o que foi discutido. De acordo com Killian, isso tornaria o possível vazador "mais cuidadoso, mais reticente" e "deixaria o homem numa posição muito mais vulnerável à ação punitiva caso ela se faça necessária".

"Assim, o peso recairia sobre governo e não sobre o jornalista", Kennedy afirmou.

Killian disse, improvavelmente: "Não achamos que a imprensa pudesse ter uma reação adversa a isso, de jeito nenhum. Porque isso não é da conta dela... Vocês não estão interferindo no acesso deles aos funcionários". Além disso, ele sugeriu, um novo escritório deveria se dedicar a tal avaliação: "Um grupo especialista que estivesse disponível em todos os momentos para acompanhar vazamentos de segurança". Sua própria existência traria um "efeito impeditivo".

Clark Clifford, ex-procurador de JFK, apoiava a ideia com entusiasmo, e pediu para que eles fossem além, investigando após o fato. Eles deveriam seguir o padrão dos vazamentos, a ponto de acompanhar as atividades de certos jornalistas. "Pode ser feito em silêncio, sem obstrução", disse ele. Talvez esse nível de monitoramento da imprensa não tivesse sido exigido no passado, mas os vazamentos eram mais prejudiciais agora. "Há muitas coisas" acrescentou ele, "que um grupo tão sensibilizado poderia fazer que – eles poderiam acompanhar a imprensa e procurar prova de...".

O presidente interrompeu: "É uma ideia muito boa. Vamos fazer isso".

Clifford continuou:

"Vamos então começar a levantar um arquivo a respeito desses diferentes homens [jornalistas]... Até onde sei, não foi feito antes e já deveria ter sido feito há muito tempo."

Para o presidente, isso não era problema. A imprensa "é o grupo mais privilegiado... Eles veem qualquer ação nessa área como uma limitação em seus direitos civis", disse ele. "E não estão muito acostumados a isso."

JFK pediu um rascunho de uma carta de repúdio, com seu nome, a ser entregue pessoalmente naquela semana ao editor Dryfoos, do *New York Times*, escrita de modo que "demonstrasse que nossa administração não é exageradamente sensível". Todo mundo riu, como ele provavelmente pretendia, e a reunião terminou.

AO LONGO dos dias seguintes, a Casa Branca começou a receber mensagens urgentes do Departamento de Estado sobre uma crise da imprensa muito diferente: a cobertura sensacional de um novo túnel embaixo do Muro de Berlim era esperada por parte de um dos jornalistas "menos preferidos" do presidente, Dan Schorr. Telegramas de Berlim e de Bonn indicavam o potencial para um incidente internacional.

O projeto do túnel podia ser exposto pela Alemanha Oriental e pela CBS News. Era o tipo de assunto delicado que Dean Rusk sempre discutia com o presidente. Os superiores de Rusk sabiam que Pierre Salinger também desejaria ouvir a respeito desse assunto diretamente. Salinger, como representante de JFK, insistiu em se isentar de qualquer ação contra a imprensa. Ele tinha grande acesso a Kennedy, pois já tinha sido seu secretário de imprensa desde a campanha de 1960. De um jeito ou de outro – por Kennedy ou Salinger –, a aprovação de uma atitude de afastamento contra Schorr já estava quase garantida.

Rusk, assim como seu chefe, não era fã da imprensa. Frequentemente os jornalistas criticavam a política norte-americana apenas para causar agitação. Nesse sentido, eles não eram patriotas, e se recusavam a pensar na situação como um todo. Sim, o público tinha o "direito de saber", mas na visão de Rusk, isso deveria ser limitado pelo direito de os oficiais conduzirem os negócios de modo responsável, e em segredo. Ele não conseguia entender por que um repórter que extraísse um segredo do Departamento de Estado e o entregasse aos russos seria taxado, justamente, como traidor, mas se o revelasse em um jornal, esse jornalista poderia ganhar um Pulitzer. Por todos esses motivos, Rusk havia aprendido a beber uma ou duas doses de uísque para relaxar antes de suas coletivas de imprensa. Depois disso, ele podia até gostar de discutir com jornalistas, ainda que fosse apenas para dizer uma de suas frases preferidas: "Há momentos em que um secretário de Estado não deve dizer nada – por um período considerável".

Naquele momento, estava ansioso o suficiente para perguntar a James L. Greenfield a respeito do envolvimento de Schorr com um túnel em Berlim, enfatizando que a missão quase certamente fracassaria (ele não disse como sabia disso), de um jeito que seria "público demais" e "causaria tensões".

Vidas estavam "em risco". E como velho amigo de Jack Kennedy, Clark provavelmente os ouviria.

Eles também sabiam que Schorr não era amigo de JFK, e que o presidente abominava atitudes aventureiras da imprensa que ameaçassem a segurança nacional.

Greenfield, que já tinha sido um dos principais correspondentes estrangeiros do *Times*, considerava Rusk extraordinariamente sensível a respeito dos confrontos com os soviéticos em Berlim, por isso, essa atitude fazia sentido. Mas apesar de Greenfield ser amigo de Blair Clark (um colega de Harvard), ele sabia que era muito incomum para um diretor de telejornal receber uma visita de um membro do Departamento de Estado. Mas, em sua opinião, a reunião para discutir o projeto de Schorr transcorreu muito bem. Ele disse a Clark que vidas estavam "sendo envolvidas". Poucas horas antes de a operação de fuga começar, Clark disse que consideraria com seriedade pedir para Schorr abandonar seu túnel.

E MAIS PROBLEMAS aguardavam Schorr. Piers Anderton havia recebido informação sobre o plano dele de filmar uma fuga perto da Kiefholz Strasse depois de saber que outros jornalistas tinham encontrado embalagens de fita perto da entrada de um túnel no lado ocidental – um tipo particular que a CBS dava a seus cinegrafistas. O que fazer? Anderton desrespeitou a regra de Reuven Frank e tentou entrar em contato com o produtor, mas ele estava visitando familiares em Montreal. O diretor de notícias da NBC, Bill McAndrew, profundamente preocupado em ser passado para trás pelo concorrente da emissora, conseguiu falar com Frank. Pediu que ele pensasse em interromper suas férias e voltar para Berlim para saber mais sobre o que ele chamava de "o Túnel da CBS". Frank decidiu aguardar.

Anderton soube de um dos escavadores da Bernauer o horário e o lugar da fuga, e até mesmo a localização da casa na Kiefholz Strasse. Isso foi uma bênção. Anderton andara envolvido com o túnel na Bernauer Strasse havia mais de dois meses, com seu destino incerto, especialmente depois da grande inundação. Ainda que o resto do projeto desse certo, a CBS parecia focada naquele dia de agosto em diminuir o impacto do programa dele. Mas e se a NBC pudesse roubar a vantagem de seu concorrente – fazendo um furo do furo da CBS? De Bonn, Anderton logo conseguiu cobertura de filmagem do outro lado da fronteira na casa de Sendler, de uma janela em uma torre abandonada. Em sua agenda, na data de 7 de agosto, ele escreveu apenas "túnel". Em seguida, pegou um avião para Berlim.

SE o estudante da Universidade Livre Wolf-Dieter Sternheimer quisesse tirar a noiva, Renate, da Alemanha Oriental – e ele queria, e muito – teria que realizar algumas tarefas para o Grupo Girrmann. Quando a data da operação foi alterada para 7 de agosto, Detlef Girrmann mandou Sternheimer para o lado oriental três vezes para atualizar um certo dono de loja que queria fugir. Girrmann também pediu que ele encontrasse um caminhão e um motorista no lado oriental para levar os fugitivos, cujo número só aumentava.

E então, tudo ficou complicado. Renate contou a sua amiga Britta Bayer a respeito de seu plano de fuga, e ela pediu a seu noivo, Manfred Meier, para procurar Sternheimer na Berlim Ocidental. Sternheimer disse que Britta podia se unir ao grupo de fugitivos se Meier conseguisse um dos caminhões para ser usado naquele dia. Meier logo encontrou um berlinense oriental que prometeu pegar emprestado um caminhão para esse propósito – se ele também pudesse pegar o túnel para o lado ocidental!

Meier conhecia bem subterfúgios, já que tinha ajudado um grupo de freiras a libertar cerca de 10 alemães orientais (as irmãs trocaram de roupa com os fugitivos) no ano anterior. Agora, Girrmann pediu a ele para acompanhar a área de Kiefholz, entregando a esse desconhecido o endereço da casa de Sendler, que ficava atrás de "dois portões grandes". Girrmann não deu ordem de visitarem os Sendler para confirmar se eles consentiam. Meier achou tudo muito esquisito, até perturbador. Por que Girrmann – o homem responsável por organizar os refugiados – não sabia sobre o local da noite da fuga? Ele estava pedindo para Meier identificar a localização de coisas básicas, como os portões de entrada, o quintal e as portas da casa.

De qualquer modo, Meier chegou em segurança à propriedade de Sendler e de volta ao lado ocidental. Na Casa do Futuro, ele ajudou a fazer um mapa mostrando os caminhos e os portões no local de saída, bem como pontos ao longo de ruas próximas onde caminhões podiam deixar passageiros. Girrmann não parava de pedir a ele para localizar uma determinada árvore, talvez como um ponto, um sinal para os fugitivos. Meier pensou: *Uma árvore? Sério? Há dezenas de pessoas vindo para este lugar e ninguém até aqui se deu ao trabalho de conferir as redondezas e agora você está perguntando sobre uma árvore? Está maluco?* Tudo parecia surpreendentemente amador. Ele começou a se preocupar com o que poderia acontecer com sua noiva, Britta, no dia seguinte.

DEPOIS DE 6 de agosto, Siegfried Uhse poderia ser perdoado se mudasse seu apelido na Stasi de "Hardy" para "Lucky" ["Durão" e "Sortudo", respectivamente]. Tudo começou quando ele telefonou para Bodo Köhler no escritório dele naquela tarde, só para conferir. Köhler vinha desconfiando de Uhse havia muito tempo. Na semana anterior, Joan Glenn havia pedido para Uhse procurar alguns pontos "discretos" nos quais os fugitivos pudessem encontrar, em segurança, os caminhões que os levariam a um ponto de fuga. Ele propôs alguns lugares – passados a ele por seus contatos na Stasi –, mas Köhler não entendia por quê, quando interrogado, Uhse parecia não saber detalhes a respeito deles. Glenn garantiu-lhe que Uhse era confiável. Agora, ele pedia a Uhse para ir à Casa do Futuro o mais rápido possível.

Quando Uhse chegou, Köhler disse a ele que a fuga estava marcada para o dia seguinte. Girrmann dizia que os ocupantes da casa-alvo tinham concordado com a ação. Ainda assim, por ser um plano ousado e por se tratar de um grande número de fugitivos, Girrmann admitia que aquilo podia ser algo parecido com uma missão suicida. Köhler pediu para Uhse pegar um táxi para visitar o mensageiro Sternheimer, que lhe diria o que fazer. O tempo era curto e os mensageiros eram poucos, por isso quaisquer preocupações a respeito dos verdadeiros motivos de Uhse ficaram em segundo plano.

Sternheimer instruiu Uhse a visitar uma mulher que estava ajudando a conseguir um caminhão na Berlim Oriental. Uhse tinha que fazer essas perguntas a ela e reportá-las à Casa do Futuro: O motorista e seu caminhão estariam prontos para a fuga na tarde seguinte? O motorista tinha conseguido a lona para cobrir a parte de trás do caminhão? Onde os fugitivos podiam encontrar o caminhão e quais eram as senhas? A capacidade do caminhão havia mudado e era possível colocar mais fugitivos dentro dele?

Uhse agora tinha certeza de que a ação de fuga estava marcada para o dia seguinte. Não sabia exatamente onde os fugitivos encontrariam os caminhões, nem para onde os caminhões iriam, mas de repente estava no centro da operação – e pronto para encontrar Sternheimer de novo logo cedo. Depois de passar correndo por um posto de fronteira para o lado ocidental para encontrar a mulher, parou para visitar seus encarregados. A Stasi soube, quase no último minuto, que talvez eles conseguissem destruir a mais ambiciosa ação de fuga de Berlim até ali.

RUMORES começavam a se espalhar para possíveis fugitivos a respeito da fuga do dia seguinte. Uma das primeiras a saber disso foi a irmã mais nova de Hasso Herschel, Anita Moeller, que vivia em Dresden com a mãe e precisaria ir à Berlim Oriental para o grande acontecimento. Hasso havia lhe dito que a alertaria por meio de um telegrama codificado – com a frase *Você pode pegar seus ingressos para a ópera amanhã às 15h.* No dia 6 de agosto, a mensagem chegou. Não revelava qual seria o método de fuga, o que provavelmente foi bom, já que Anita se considerava meio claustrofóbica.

Quando Anita implorou a seu irmão para que ele a levasse consigo para o lado ocidental menos de um ano antes, ele havia insistido para que ela ficasse com sua mãe, prometendo: "Busco você depois". Anita trabalhava meio período com seu irmão arquiteto, mas sua vontade de ir só tinha aumentado. Ex-membro do Movimento dos Pioneiros, o principal grupo de jovens comunistas, havia muito ela percebera que só havia engolido mentiras, mais nada. Queria o tipo de vida que vira em suas visitas à família da mãe em Colônia, no lado ocidental. Agora, quando via fotos de soldados no Portão de Brandemburgo com armas apontadas para o lado oriental, não o ocidental, entendia a cena como um símbolo. O Muro era uma Linha Maginot, ao contrário.

Ela fugiria com o marido, Hans-Georg, e a filha de 16 meses, Astrid. Seu casamento estava desmoronando. O casal havia se casado somente depois de Anita engravidar e, desde então, passaram a maior parte vivendo separados. Quando o telegrama em código de Hasso chegou, o casal colocou algumas coisas na mala e partiu para Berlim, onde ficariam na casa de amigos que também pretendiam fugir. Ali, tão perto de um encontro com seu irmão, o nervosismo e a ansiedade tomaram conta, e uma noite envolvendo um pouco de vinho demais teve início.

NA NOITE DE 6 de agosto, depois de um dia quente de 32 °C em D.C., Dean Rusk estava tão preocupado a respeito de um possível fiasco no túnel em Berlim que ficou até muito tarde em seu escritório no sétimo andar. Às 22h10, ele conversou ao telefone com Charlie Hulick, da Missão Berlim, à procura de uma atualização sobre a fuga e, mais importante, a respeito dos planos de Dan Schorr para cobri-la, apesar dos vários alertas dos subalternos de Rusk.

Alguns minutos depois, Rusk confirmou com o secretário de imprensa do presidente, Pierre Salinger, garantindo que Kennedy estava sabendo da intervenção. Às 22h50, Rusk se reuniu com os dois principais homens de relações públicas do Departamento de Estado, Robert J. Manning e James Greenfield. Três homens da CIA se uniram a eles.

Finalmente, às 23h25, Blair Clark, o diretor de notícias da CBS, chegou a convite de Greenfield.

Nascido em 1917, Ledyard Blair Clark cresceu em Princeton e conheceu John F. Kennedy quando moraram na mesma casa em Harvard. Clark editou a *Harvard Crimson*, depois trabalhou em um jornal de St. Louis e ajudou JFK a revisar parte de seu livro *Why England Slept*. Quando saiu do

Exército, comprou um jornal em New Hampshire cujo repórter principal era Ben Bradlee. Depois que Clark vendeu esse jornal, entrou para o CBS News em 1953 como correspondente de Paris, produtor e âncora do rádio. Ele continuou amigo de Kennedy e até fez festa com Frank Sinatra e Jack em uma ocasião em Las Vegas.

Depois que JFK foi eleito presidente, ele pediu para Clark ser seu consultor para saber como explorar a imprensa televisiva. Isso comprometeria a posição de Clark como repórter supostamente apartidário, mas ele aceitou. Kennedy também ofereceu a ele a posição de embaixador no México, mas ele a recusou para continuar na CBS, onde foi promovido – alguns diziam que isso se deveu aos contatos que tinha na Casa Branca – a vice-presidente e gerente geral da divisão de notícias. Logo deixou sua marca, empregando vários correspondentes jovens (incluindo Dan Rather), mas foi a amizade de Clark com JFK que deu à CBS a oportunidade de produzir um de seus mais bem avaliados especiais já transmitidos na TV: O *tour* guiado de Jacqueline Kennedy pela Casa Branca em fevereiro de 1962. Foi outra troca de favores entre uma rede de TV e o presidente telegênico.

Agora, Dean Rusk pedia a Clark para mandar Dan Schorr deixar a história do túnel. O Departamento de Estado até forneceria uma linha de telefone segura para fazer a ligação para Berlim. Salinger e Rusk – e os especialistas da CIA – falavam de "prova" de que o túnel tinha sido comprometido e de que vidas estavam em risco. Com pouco tempo e sem condições de avaliar essas afirmações, Clark concordou em conversar com Schorr naquela noite.

QUANDO SCHORR recebeu um telefonema de madrugada em seu quarto de hotel em Berlim, ficou perplexo. Estava sendo chamado para se apresentar à Missão norte-americana. Quando chegou, recebido pela Guarda da Marinha dos Estados Unidos, ficou ainda mais assustado ao saber que falaria numa linha segura (indicando que o assunto era sigiloso), obtida pelo Exército norte-americano. Não foi muito surpreendente o fato de o homem do outro lado ser seu chefe, Blair Clark. Mas o que ele estava fazendo no escritório de Dean Rusk perto da meia-noite em Washington?

"O que são esses comentários a respeito de você estar planejando filmar uma fuga por um túnel em Berlim?", perguntou Clark.

"Contei ao nosso editor de assuntos estrangeiros sobre isso", Schorr respondeu.

"Bem, estou aqui no escritório do secretário de Estado", disse Clark. "Sim?"

"E ele me convenceu de que você não deve ir em frente com isso."

"Por que não?"

"Porque seria considerado uma provocação, poderia causar muitos problemas, e o Departamento de Estado não quer problemas desnecessários no Muro."

"Esse é o problema com o Departamento de Estado. É por isso que há um muro."

"Dan, sei que você não gosta de receber ordens", disse Clark, contemporizando, "mas é isto: quero que você deixe de lado todos os planos de fazer esse filme."

Schorr ficou perplexo.

"Está bem", disse ele, "mas faria diferença para vocês saber que quando isso acontecer e se não fizermos, eles [os escavadores] procurarão a NBC ou, Deus me livre, a ABC?"

"É uma ordem."

A ligação durou só seis minutos. Schorr voltou a seu hotel sentindo-se humilhado e irado. A ideia toda estava errada – a administração, qualquer administração, ditar a cobertura das notícias. Ele sabia que Blair Clark era um homem de Kennedy, e ele sabia que JFK tinha conversado com ele, possivelmente o tivesse até pressionado, o que deixou Dan ainda mais irado. Mas não havia nada que ele pudesse fazer a respeito. Nem Schorr, nem a Casa Branca, sabiam que outra equipe de TV americana logo estaria pronta para filmar a fuga.

Dean Rusk finalmente conseguiu chegar em casa depois de meia-noite, mas não antes de ditar um telegrama, marcado como "confidencial", que foi enviado a Hulick na Missão Berlim logo depois de uma da madrugada.

> Falei com Clark hoje e concordou tirar participação da CBS do projeto túnel. Mas há evidência de que esse assunto foi tratado entre Schorr e seu escritório nos últimos tempos. Estou incomodado por tantas pessoas saberem do projeto. Não posso abordar assunto completamente aqui e devo ser discreto. Mas é preciso dar atenção urgente a medidas para alertar alemães orientais envolvidos de que sigilo foi quebrado e caíram numa armadilha. Se possível, devemos analisar se é aconselhável acabar todo esforço. Também deveríamos considerar observação discreta da área para garantir que fotógrafos e outros não estejam posicionados na saída do túnel.

Uma cópia do telegrama seria enviada a Mac Bundy e a Pierre Salinger, que passaria o conteúdo ao presidente. Como sempre, nenhuma resposta da Casa Branca sinalizou aprovação.

8
Kiefholz Strasse

Siegfried Uhse foi de coadjuvante a personagem principal na última operação de resgate do Grupo Girrmann. Aqui estava ele, na Berlim Ocidental, às 7h30 da manhã do dia da fuga, encontrando o colega mensageiro Wolf-Dieter Sternheimer, na Moritz Platz, para saber o endereço da reunião final pré-missão. Sternheimer estava acordado desde as 4h30, quando Detlef Girrmann e Dieter Thieme apareceram no seu apartamento para entregar o mapa da área da casa de Sendler, criado no dia anterior. No alto da folha, Sternheimer rabiscou os sinais que os colegas de Girrmann dariam na rua para os refugiados, conforme estes chegassem a pé ou de caminhão, e tinha recebido ordens para compartilhá-los com mensageiros do lado oriental.

Mas no encontro com Uhse mais cedo, Sternheimer decidiu entregar-lhe o importante mapa, explicando que não queria ser pego com ele no posto de fronteira mais tarde naquele mesmo dia. Uhse, claro, era a pior pessoa do mundo a quem ele podia ter confiado tal presente. O mapa traçava a rota que os caminhões tomariam conforme fossem se aproximando de seu destino final naquela tarde, com os nomes das ruas, pontos de desembarque, a localização de dois portões nos fundos da casa de Sendler e um quadrado marcando o ponto de saída do túnel. "Se oriente um pouco," sugeriu Sternheimer.

Alguns minutos depois, Uhse, que tinha decidido registrar esse dia com algumas notas escritas à mão, escreveu: *Girrmann não sabe que eu tenho o rascunho de Sternheimer.*

Na reunião para os mensageiros e organizadores de Girrmann, o tímido e magro Uhse, que vestia uma jaqueta de náilon preta, estava sentado e passava totalmente despercebido. Ele soube que a fuga ocorreria entre quatro e sete horas daquele dia. Três caminhões traraiam alemães orientais ao local onde ficava o túnel. Um pegaria os passageiros fora do cemitério, na área de Lichtenberg e o outro, próximo a uma escola em Weissenseer Weg. O local do terceiro caminhão, sob comando de Mimmo Sesta, ainda não tinha sido determinado. Os refugiados deveriam aparecer em um horário combinado e identificar seu caminhão com um pedaço de fita branca no para-brisa, do lado do passageiro. Eles perguntariam ao motorista por uma rua inexistente, ao que ele responderia: "A rua deve ser aqui por perto". E então eles pediriam uma carona.

Assim que estivessem cheios, os caminhões seguiriam uma rota específica, passando por uma série de pontos de controle do grupo perto do local da fuga. Outros refugiados que viriam a pé alcançariam os mesmos pontos. Os colegas de Girrmann na rua dariam o sinal: *Pentear o cabelo* – continue a dirigir. *Assoar o nariz* – volte em 10 minutos. *Amarrar o cadarço* – perigo, vá embora agora. Se a fuga ainda estivesse de pé, os refugiados, a pé ou nos caminhões, passariam pelos dois portões e chegariam aos fundos da casa de Sendler, que era praticamente na fronteira. Alguém os levaria até a casa (nenhum endereço fora divulgado por questões de segurança), onde os escavadores os ajudariam no caminho para o lado ocidental.

Antes de o *briefing* terminar, a Uhse foi designada a tarefa de encontrar dois dos mensageiros – Sternheimer mais uma vez e um homem chamado Stachowitz – naquela tarde para avaliar os sinais e descobrir onde o terceiro caminhão estaria esperando, o que ele mais uma vez relataria à Casa do Futuro. Uhse atualizou suas anotações. Um dos participantes era um italiano baixinho (claramente Sesta), "cerca de 24 anos", de cabelo cacheado e que estava fazendo "muita coisa" com os caminhões. O segundo era um "baixinho gordo", que parecia influente, chamado *Dicke*. Ele deveria arrumar um caminhão e um motorista para o italiano. A suíça, que ele tinha visto na Casa do Futuro muitas vezes, e os três jovens (dois deles vestiam "jeans azul manchado").

Com as anotações, Uhse correu para encontrar com os chefes da Stasi. Graças ao mapa, eles saberiam onde ocorreria a saída, bem como os sinais e os pontos de controle do grupo. Do ponto de fuga, Uhse disse aos seus encarregados: "Dizem que há moradores na casa". Os habitantes estariam incluídos nesta trama? Não dava para saber. "Durante a reunião", contava ele, "disseram que a conexão deles com a casa tinha sido rompida e que não se sabia se a parede já tinha sido aberta ou se tudo acabaria bem".

O DIA da fuga amanheceu nublado, um pouco frio para agosto, ameaçando chover, e não tinha começado bem para a irmã de Hasso Herschel e família. Anita Moeller e o marido dormiram demais, depois de beber muito vinho com os amigos, e agora estavam preocupados com a possibilidade de perderem o caminhão que os levaria a cruzar a fronteira. Seus anfitriões sabiam onde ficavam os pontos de controle de Girrmann perto da casa da fuga e decidiram ir até lá a pé. Parecia mesmo muito mais seguro do que se esconder em um caminhão. Como Hasso havia sugerido, Anita deu parte de um calmante para que a filha ficasse quieta durante a aventura que estava por vir. Funcionou por algum tempo, mas ela acabou acordando e, engatinhando pelo chão, apagou algumas vezes, batendo com a cabeça.

Peter Schmidt, sua esposa, Eveline, e o bebê também estavam na lista de fuga, graças à equipe do túnel da Bernauer. (A partida deles resultaria num rompimento doloroso com os avós de Eveline, que a tinham criado quando sua mãe adoecera de tuberculose.) Os Schmidt tinham recebido instruções, dias atrás, para permanecerem perto de casa, pois o plano de fuga estava prestes a ser executado. Mas quando o mensageiro chegou na tarde de 7 de agosto, Eveline estava na rua. Ao voltar do alfaiate, Peter brigou com ela por atrasá-los. "Temos que ir!", gritou ele. "Temos que ir agora! Tem um túnel! É hoje!".

Depois de pegar roupas, documentos, uma muda de fralda e o bebê, despediram-se da casa e do local. Não havia tempo para chegar ao ponto de encontro do caminhão, por isso decidiram fazer a viagem de uma hora de S-Bahn, mais 20 minutos a pé até o endereço que tinham recebido para o primeiro ponto de controle Girrmann, na Puder Strasse.

Em algum outro lugar da Berlim Oriental, perto do maior lago da cidade, o Müggelsee, outra criança pequena se preparava para a fuga para o lado ocidental. Seus pais, Hartmut e Gerda Stachowitz, viveram separados por anos para acelerar os estudos na universidade – Hartmut na Universidade Livre de Berlim e Gerda em Dresden – mas permaneciam comprometidos um com o outro. Agora, presa atrás do Muro, ela não mais conseguia ver Hartmut no lado ocidental, embora ele a visitasse de vez em quando, graças ao seu passaporte alemão ocidental. Ele presumira que Gerda teria permissão para juntar-se a ele, mas todas as solicitações que fizera tinham sido negadas, incluindo apelos feitos à Cruz Vermelha alemã, aos bispos da Igreja, e pelo pai dela, um diretor premiado de um instituto de pesca da RDA. (A resposta da Stasi foi investigar o pai e o instituto.)

No começo de 1962, Hartmut colocou o nome de Gerda na lista de possíveis refugiados de Joan Glenn, e em julho ele se ofereceu para ser um mensageiro no dia da fuga. Sim, fugir por um túnel era perigoso, mas essa talvez fosse a última chance para a mulher e seu filho. Ele tinha apenas que encontrar com Sternheimer na tarde do dia 7 de agosto para aprender os sinais, a localização dos caminhões e sua função de mensageiro.

Quando Stachowitz se aproximou da estação S-Bahn na Berlim Oriental, às 13h, ele descobriu que o jovem quieto, de jaqueta preta, que tinha visto na Casa do Futuro na noite anterior também estava ali, mas não sabia seu nome (Uhse, é claro). Sternheimer informou a Stachowitz a localização de um dos caminhões de transporte e o endereço de um casal que precisava ser avisado no lado oriental, e foi embora para ver se o motorista do caminhão estava pronto. A operação estava preparada para começar por volta das 16h30. Stachowitz embarcou no S-Bahn para bem longe no lado oriental. Sem achar sinais do casal, ele continuou a jornada.

Ao localizar sua mulher na casa dos pais, Hartmut a ajudou a fazer as malas e a se preparar para correr até o caminhão. Ele acompanharia Gerda e o filho até lá para garantir que tudo desse certo. Suas únicas instruções a ela: *Se vir algum policial ou patrulha de fronteira durante a fuga, volte para casa imediatamente. Se sacarem armas, levante os braços e se entregue.* Eles, então, colocaram o filho no carrinho e disseram aos pais de Gerda que encontrariam uns amigos para um café.

MIMMO Sesta decidiu resolver ele mesmo o problema e conseguir um terceiro caminhão de transporte. Fritz Wagner indicou um açougueiro no mercado da Berlim Oriental. Mimmo cruzou a fronteira, mas não conseguiu encontrar o homem. (Siegfried Uhse ouviu a história assim: o caminhão apareceu, mas o motorista, talvez por reconhecer o perigo da missão, foi embora.) Conseguir um caminhão na Berlim Oriental foi muito difícil, principalmente um com lona para encobrir a carga humana, e não conseguir um não seria uma opção naquele dia específico. Por isso, Sesta caminhou furtivamente pelo mercado procurando por algum dos antigos amigos de Wagner. Felizmente, ele acabou encontrando alguém que conhecia o *Dicke* – e tinha acesso a um caminhão. Sesta descobriu que o homem queria ir embora do lado oriental, então ele disse: *Bem, acho que você pode guiar seu caminhão com destino à liberdade hoje mesmo!*

De volta ao lado ocidental, conforme o dia se estendia até o meio da tarde, Manfred Meier estava ficando nervoso. Ele esperava ter um ou mais mensageiros de volta no escritório de Girrmann *àquela altura*, com a promessa de que a operação estava indo tranquilamente, mas isso não aconteceu. Como sua noiva, Britta, deveria ir a pé até o ponto de encontro perto da casa de Sendler a qualquer momento, ele decidiu correr até o lado oriental e ver se os refugiados tinham chegado ao local – e se a polícia ou a Stasi os estavam aguardando.

GRAÇAS ao relatório de Siegfried Uhse e o mapa de Sternheimer, vários membros das forças de defesa da RDA – polícia, militares, a Stasi – partiram para o embate. Eles tinham noção de onde a casa de fuga estava localizada, mas não sabiam o ponto exato.

Às 15h20, o comandante dos militares da Primeira Brigada de Fronteira mandou uma tropa, um veículo blindado de transporte de pessoal, um caminhão e um canhão de água para a área de preparação em Treptower Park, a alguns quarteirões da casa de Sendler, onde eles deveriam "aguardar, disfarçados", conforme dizia no registro. Dois outros capitães receberam ordens para "iniciar todas as medidas para prevenção de rompimento da fronteira." De acordo com o registro, tais medidas incluiriam "maiores precauções" ao longo da fronteira, "monitoramento intensificado do território do inimigo" próximo ao local da obra onde provavelmente o túnel tinha começado e o uso de mais soldados. Quatro jipes americanos foram vistos do outro lado da fronteira, com três soldados armados com metralhadoras. Uma Mercedes preta (de propriedade de Fritz Wagner) também chegou.

A Stasi também estava se mobilizando, coordenada com os militares. Eles deveriam, de acordo com o registro da Stasi, "prevenir um suposto rompimento de fronteira planejado perto de Kiefholz esquina com Puder Strasse". Por volta das 16h, dois membros da Stasi abordaram o que eles consideraram um possível ponto de chegada para os refugiados: o quintal de Sendler. Ao avistá-los, Friedrich Sendler saiu e trancou o portão. Os homens da Stasi retornaram, porém, uma hora mais tarde, pois um comandante mandou que os agentes voltassem e resolvessem o problema.

Ao mesmo tempo, dois quarteirões ao norte da Puder Strasse, do outro lado do Treptower Park, três agentes da Stasi disfarçados estavam interagindo com cinco civis, próximo ao ponto onde o mapa de Uhse indicava que os caminhões deixariam os refugiados para a breve caminhada pela viela que levaria à casa de Sendler. Quando Manfred Meier chegou ao ponto do bonde perto da Puder Strasse, viu o que julgou serem agentes da Stasi à paisana, verificando os documentos de quem quer que entrasse e saísse das ruas transversais. Alguém, ele percebeu, devia ter vazado a informação.

Andando para cima e para baixo na rua, ele continuava prestando atenção à sua namorada. Quando a viu chegando a pé pela Puder Strasse e acompanhada da noiva de Sternheimer, caminhou em direção às duas, pela calçada. Ao passar por elas, sem reduzir o passo, ele sussurrou: "A operação foi descoberta, vão embora agora". As duas mulheres deram meia-volta e saíram da rua. Meier ficou aliviado, mas tinha medo de ser descoberto – e sabia que a Stasi questionaria o que qualquer alemão ocidental estaria fazendo naquele quarteirão naquele momento.

Como era esperado, ele foi detido quando tentava deixar aquela rua. A Stasi confiscou seu passaporte da Alemanha Ocidental, perguntando: "O que está fazendo aqui?".

Meier protestou, explicando estar ali para visitar um primo. "Quero falar com seu superior!", exigiu ele, sem sucesso. Ao salvar a namorada, sacrificara a si mesmo, conquistando o título de primeiro a ser preso pela Stasi no local da fuga naquela tarde.

Às 17h15, dois outros alemães ocidentais abordaram os agentes à paisana e, aparentemente confundindo-os com os homens do grupo de Girrmann, perguntaram se a operação ainda estava acontecendo, já que não tinham visto ninguém no local de coleta do caminhão. Eles tinham dois refugiados no carro – será que esses dois ajudantes da fuga (os agentes da Stasi) cuidariam deles? Tudo de muito boa vontade. Em vez de entregar seu disfarce nesse momento, a Stasi deixou um dos alemães ocidentais ir embora enquanto continuavam a conversar com o outro. O homem que ficou confirmou prontamente que o túnel para Kiefholz Strasse ficava dentro da casa de Sendler, o carpinteiro.

DO outro lado da fronteira, nas sombras do fim da tarde, depois do emaranhado de arbustos e árvores, a equipe de cruzamento de fronteira, com três homens, se apresentou para o serviço. Hasso Herschel, assim como Harry Seidel, era um atleta ousado e se voluntariou a liderar o grupo, sendo o primeiro a passar pelo buraco que levava à casa de Sendler. Como era de se esperar, ninguém se opôs. Hasso não tinha feito nenhuma escavação no túnel, mas estava motivado pela crença de que sua irmã estaria a caminho do local naquele exato momento. Joachim Rudolph e Uli Pfeifer não tinham amigos ou familiares entre os potenciais fugitivos, mas aceitaram o pedido de ajuda de Herschel. Hasso conhecia Uli havia anos e reconheceu que Joachim era um colega resiliente, com pouca probabilidade de entrar em pânico quando sob pressão. Mais tarde, vários membros da comitiva de Fritz Wagner se juntariam a eles, formando a fila no túnel e oferecendo iluminação (por lanternas) e vozes calmas enquanto os fugitivos se arrastassem pela terra.

Ao chegar ao local, os três foram surpreendidos ao encontrar um grupinho reunido, na seguinte configuração: alguns policiais, com metralhadoras; Fritz Wagner em sua Mercedes; Harry Seidel em seu carro menor; Dieter Thieme; os colegas do túnel Bernauer Wolf Schroedter (que considerava a passagem para o lado oriental como um simples "mato sem cachorro") e Joachim

Neumann (igualmente preocupado com o resultado); um observador não identificado (provavelmente um jornalista, um médico ou um observador da Missão dos EUA); e uma ambulância.

Em preparação para este momento, os três escavadores tinham trazido uma bolsa com um machado, uma serra grande, um martelo, várias lanternas, duas furadeiras à manivela, três armas, além de um *walkie-talkie* para comunicação com o lado ocidental. Eles sabiam como seria o fim do túnel dentro do lado oriental, mas não o que os aguardaria quando saíssem (conforme imaginavam) na sala dos Sendler. A habitação não tinha porão, nem concreto para quebrar. Apenas o chão de madeira. Por isso a furadeira e a serra. Eles tinham a confirmação de que os Sendler sabiam da sua chegada e estariam prontos para a fuga, mas não tinham ideia de quanto tempo demoraria para que os guardas da RDA, que estavam nos arredores, os notassem. Por isso as armas: uma pistola Smith & Wesson, uma metralhadora MG 42, da Segunda Guerra Mundial e uma escopeta de cano serrado. Talvez conseguissem espantar os guardas da Stasi sem disparar um tiro.

Rudolph estava ansioso para começar, mas também estava com medo. Essa seria a primeira vez que cruzaria a fronteira. Ele não conhecia os Sendler e não fazia ideia de como seria a casa deles por dentro. Além de ter pouca experiência com armas. A chegada de tantos refugiados de caminhão parecia altamente arriscada, e talvez demorasse duas ou três horas para fazer atravessar várias dezenas deles pelo túnel estreito, ou até mais, se alguém tivesse (o que não seria surpresa) um ataque de pânico. Tantos agora já sabiam da operação, com o total de refugiados aumentando a cada instante, que as chances de uma penetração da Stasi tinham se multiplicado. Mesmo o destemido Herschel temia a situação toda.

Ninguém queria ser mártir, mas a decisão a respeito da empreitada altamente perigosa já tinha sido tomada, o dia e a hora marcados e dezenas de companheiros alemães estavam a caminho. Eles seguiram adiante.

CHEGARAM notícias da fuga pelo túnel aos militares americanos em Berlim, levando um tenente-coronel a enviar um telegrama para o Departamento de Estado e outros órgãos, avisando já no título *Possível Torrente de Refugiados (S)*. O "S" teoricamente significava "subterrâneo." Uma "fonte confiável" revelara que a torrente contava com cerca de 90 fugitivos, em uma operação organizada por alunos e "açougueiros que dirigem caminhões entre as Berlins Oriental e Ocidental." O repórter da CBS Daniel "Shore", avisava o telegrama, tinha gravado dois rolos de filme no túnel, que transmitiria em 13 de agosto.

Às 18h, o chefe da Missão americana, Allen Lightner, mandou um telegrama para o secretário de Estado Rusk. Alguém na missão tinha falado com um agente da LfV – quase certamente Mertens –, que confirmou que a operação de fuga estava provavelmente a caminho, já que tinha sido marcada para acontecer entre 16h e 20h. Mertens revelou que a LfV já sabia do túnel há algum tempo, junto com as identidades dos organizadores e dos planos da CBS de filmá-los. A LfV tinha "recomendado com veemência" que os escavadores "desistissem da publicidade [ou seja, a CBS], mas o grupo recusou". Mesmo assim, Mertens tinha examinado o plano de fuga e achou que uma "intervenção para deter o projeto não tinha justificativa."

Por que não deter a operação, dada a insistência do Departamento de Estado de que os alemães orientais sabiam do túnel e estavam planejando prisões em massa? Mertens alegou não haver "indicações concretas" de que a segurança tivesse sido comprometida. Além disso: "Grupos envolvidos têm excelente registro de fugas bem-sucedidas". Essa resposta foi um pouco forçada, e a equipe de Bernauer não tinha nenhum registro. Ainda assim, Mertens afirmara que "não tinha intenção de detonar o projeto inteiro". Se Mertens era a pessoa que a Missão tinha pedido para avisar os escavadores do perigo, parece que ele não o fez; o único "aviso" dado referia-se à cobertura da CBS.

Lightner terminava a mensagem em um tom otimista. Ele descobrira que Rusk tinha convidado o chefe de notícias da CBS, Blair Clark, ao seu escritório para outra reunião, às nove horas daquela manhã, apenas algumas horas depois da reunião tarde da noite. O que quer que tenha sido dito, parece que espremer a CBS tinha funcionado: "Schorr mandou que o cinegrafista remanescente abortasse operação de filmagem e deixasse Berlim por uns dias", Lightner garantiu a Rusk. Mas seria verdade?

QUANDO Hartmut e Gerda Stachowitz saíram do S-Bahn e chegaram à rua perto do cemitério de Triftweg, imediatamente sentiram que algo estava errado. Meia dúzia de estranhos, provavelmente companheiros de fuga, vagava pela área, conforme o tempo passava. Após esperar por mais de uma hora, Hartmut e Gerda perderam a esperança e começaram a se apressar pela rua, empurrando o carrinho de bebê. Perceberam, porém, que sua passagem estava bloqueada por homens com olhar ameaçador e carros grandes. Dando meia-volta, viram mais homens de sobretudo, saindo de trás de árvores e arbustos. Estavam cercados. Em questão de segundos, eles se viram enfiados em veículos diferentes – Gerda foi com o bebê – e os carros foram embora. Tudo o que restou de seu sonho: um carrinho de bebê abandonado numa rua vazia.

As famílias Moeller e Schmidt, que também tinham perdido seus caminhões, faziam a última etapa de suas jornadas até a casa de Sendler a pé, com o bebê a tiracolo. Ao chegarem separadamente ao posto de controle do Girrmann na Puder Strasse, ficou claro que algo estava errado. Os sinais a serem mostrados por *fluchthelfer* não estavam lá, ou estavam errados, e parecia haver um número incomum de pessoas suspeitas pelos arredores, trajando sobretudos e chapéus naquele dia de agosto. Eles pareciam membros fundadores da Máfia do Chapéu, como os cautelosos alemães orientais apelidaram os agentes da Stasi.

Os Schmidt rapidamente saíram do local, mas Anita Moeller discutiu com o marido, dizendo que eles deveriam continuar. E se tivessem entendido os sinais errado? Anita foi voto vencido e os Moeller, tentando passar despercebidos, se juntaram aos locais na fila da banca de frutas e legumes. Tinham esperança de comprar as recém-chegadas bananas, um luxo no lado oriental. Depois de uma pausa para acalmar os nervos, os Moeller também fugiram sem alarde. Beber vinho até tarde e perder o caminhão pode ter salvado suas vidas.

Também fugindo do local estava o mensageiro Dieter Gengelbach. Ele tinha vindo do lado ocidental para ajudar a embarcar refugiados idosos em um dos caminhões próximos a Müggelsee. Em seguida, pegou um táxi para Puder Strasse. Depois de ver um sinal na oficina de Sendler, ele caminhou naquela direção para ver se alguém tinha cara de "Stasi". Claro que acabou vendo três elementos do tipo e bateu em retirada. Gengelbach pegou um táxi e rumou para o ponto de controle mais próximo, a oeste.

Enquanto isso, Mimmo Sesta acompanhava seu novo amigo motorista para encontrar um grupo de refugiados no local indicado. Depois de embarcá-los na caçamba, os dois foram ao posto de controle do Girrmann próximo à área do túnel. Mas eles também perceberam os sinais estranhos, deram meia-volta sem desembarcar os passageiros e foram para longe da área de perigo.

Os elementos suspeitos – aqueles agentes da Stasi à paisana, agora com outros três colegas – ainda permaneciam na área residencial da Puder Strasse, aguardando a chegada de mais refugiados. Cerca de 15 suspeitos já estavam ali parados ou transitando nervosamente, aguardando instruções. Os homens da Stasi tinham descoberto que o túnel da casa dos Sendler estava agora cercado pelo colega, Major Kretschmer, comandante da Stasi e sua equipe. Eles esperavam que um dos organizadores da fuga aparecesse na Puder Strasse a qualquer momento e chamasse os refugiados, mas às 18h30 – e os fugitivos pareciam prontos para desaparecer no lado oriental – eles decidiram finalmente prender todos. Um dos agentes da Stasi expressou um único remorso em seu diário: "Devido à confusão da situação (e do local), é possível que alguns dos que desejavam fugir para a Berlim Ocidental tenham fugido da nossa observação e não puderam ser presos". Talvez ele se referisse às famílias Schmidt e Moeller, que tiveram muita sorte.

Manfred Meier não foi tão sortudo. Depois de sua prisão, ele foi levado para uma antiga fábrica, a poucos metros dali. Um pátio industrial fechado, com cerca de madeira e um portão trancado. Neste posto de coleta da polícia, ele encontrou entre duas e três dúzias de outros presos, incluindo crianças e até bebês. Foi horrível. Muitos estavam chorando. *Que merda de situação*, Meier disse a si mesmo, grato por não ter ainda começado sua própria família. Depois de uma hora interminável, um ônibus sombrio, sem identificação, parou e eles foram todos embarcados para serem levados até a sede da polícia, na Alexander Platz.

HASSO Herschel não tinha ideia de que sua irmã Anita, e muitos outros, não chegariam à casa de Sendler. Ele e seus companheiros Uli Pfeifer e Joachim Rudolph tinham cavado até a superfície, dentro da casa de Sendler, um trabalho difícil, ainda mais complicado por terem precisado vencer uma camada de carvão triturado debaixo da casa (muito usado nas moradias sem porão de Berlim como forma de isolamento para o inverno). Agora eles estavam cobertos de pó de carvão. Mas tudo bem. Eles tinham que fazer um buraco enorme nas espessas tábuas do assoalho, de baixo para cima, mais largo que uma pessoa obesa, usando ferramentas simples, com pouca luz, com pó de carvão nos olhos e pouco ar para respirar.

Primeiro, marcaram um retângulo na parte de baixo das tábuas e fizeram furos em cada um dos cantos, com a furadeira à manivela. Com um pequeno serrote de ponta, Herschel e Rudolph se alternavam no corte de cada lado, enquanto Pfeifer segurava uma lanterna embaixo deles. Parecia que não ia acabar nunca, exigindo tanta força muscular que eles tinham que revezar praticamente de minuto em minuto. Agora eles tinham serragem nos olhos. E faziam um barulho considerável também. Imaginavam que os Sendler, aguardando lá em cima, já deviam tê-los ouvido.

Depois de cerca de 10 minutos e com apenas metade do serviço concluído, eles ouviram uma mulher dizer, de repente: "Vão embora! Saiam daqui!". Só podia ser Edith Sendler, mas por que ela dizia isso? Hasso, sob as tábuas de madeira, respondeu, gritando:

"Você pode vir com a gente, não se preocupe, está tudo bem!".

"Não queremos ir para o lado ocidental!", berrou a mulher com a voz esganiçada. "De jeito nenhum! Caiam fora!".

Hasso começou a oferecer dinheiro a ela, vários milhares de marcos, para que calasse a boca e fugisse do lado oriental como ela e o marido supostamente prometeram. Quando ela mais uma vez gritou *nein*, ele pediu que pelo menos deixasse a casa e ficasse em silêncio durante algumas horas, até o fim da operação de fuga. Ele não teve resposta. Será que ela estava de acordo? A casa estava quieta. Os três homens do túnel, agitados, com a adrenalina correndo pelo corpo, debateram o assunto rapidamente. Decidiram que não teriam escolha senão terminar o serviço. Os três caminhões com refugiados estariam chegando em breve.

NAQUELE momento, Friedrich Sendler conversava com dois homens da Stasi que voltaram para a cerca do quintal e não mais pediam e, sim, exigiam a entrada. Sendler disse-lhes que não gostava de estranhos "vagando" pelo seu quintal e que já estava nervoso com as pessoas do outro lado do Muro, que pareciam estudar sua propriedade. Os agentes da Stasi mandaram que ele abrisse logo o portão. E, então, foram olhar a frente da casa. Se Sendler tivesse permitido que sua casa fosse um ponto de fuga, ele agora sabia que essa ideia tinha ido pelos ares.

Os agentes da Stasi ainda conversavam com Herr Sendler quando sua mulher de repente saiu da casa. Talvez ela estivesse pensando em sair de carro ou a pé com o marido enquanto os escavadores usavam sua casa, como Hasso pedira. Mas agora isso, uma surpresa: a Stasi! Ela disse estar se sentindo adoentada, uma clara tentativa de enrolá-los. Os dois agentes não foram embora, e ficaram ainda mais animados, já que *Frau* Sendler parecia nervosa. Quando perguntaram novamente por que ela tinha saído da casa, ela agora respondeu, de acordo com o relatório da Stasi que "estava na sala e que tinham furos de furadeira no piso." Ela não disse nada, contudo, sobre sua conversa exaltada com Hasso, nem de seu pedido para que ela deixasse a casa por algumas horas.

Sem demora, os dois agentes da Stasi e Edith Sendler entraram na casa pelo lado direito, passaram com cuidado pelo vestíbulo, cruzaram o corredor estreito e "foram em silêncio para a sala mencionada", situada no andar no nível da rua, de acordo com os registros da Stasi. Lá, perto da janela da frente, confirmaram que as tábuas tinham sido, de fato, "penetradas" por uma furadeira em várias partes, e notaram as raspas de madeira no chão. Os três voltaram ao vestíbulo, atrás da porta da frente. Então, ainda com mais cuidado, eles voltaram para a sala. Desta vez, ouviram barulhos que indicavam que algumas pessoas sairiam pelas tábuas. Os agentes ouviram um deles dizer: "Achamos a casa certa." Outro parecia sussurrar em um rádio: "Minha pistola talvez não dispare, traga a metralhadora!". Momentos depois, ruídos vindos do chão indicavam que as armas estavam sendo carregadas.

Os homens da Stasi voltaram para o vestíbulo e esperavam pela chegada dos soldados trazendo as AK-47. O Major Kretschmer, agora dentro da casa, ordenou que ninguém entrasse e os prendesse até que todos os criminosos estivessem na sala. Ele tinha presenciado os soldados da Stasi abrindo fogo em Heinz Jercha em março, então ele não se encolheria se acontecesse algum tiroteio.

DO outro lado da cerca da fronteira, no alto do prédio abandonado da ferrovia, Piers Anderton e seu cinegrafista da NBC assistiam ao desenrolar do desastre. Da janela da torre, ele tinha uma vista clara do monte de arbustos que levava a uma cerca de madeira e várias linhas de arame farpado (que formavam o Muro ali) até a Kiefholz Strasse, uma calçada paralela à rua, e então o jardim da frente e a casa dos Sendler. Trilhos do trem elevado cruzavam o céu à esquerda. Um quarteirão à direita da casa, a Puder Strasse levava ao Treptower Park, a vários quarteirões dali. Às vezes, policiais ou guardas da RDA passavam pela calçada naquela tarde, com os bonés puxados para baixo e os sobretudos esvoaçando à brisa incomumente fria de agosto, além da casa dos Sendler.

Anderton tentava imaginar se a frequência daquelas patrulhas era comum. Ele não fazia ideia se Daniel Schorr e seu cinegrafista da CBS tinham chegado embaixo de onde ele estava.

Abrindo uma cortina por alguns instantes, a equipe da NBC filmou os guardas passando pela casa dos Sendler, frequentemente olhando uma ou duas vezes para a porta de entrada. Eles sabiam de alguma coisa que estava acontecendo ali?

Anderton direcionou a câmera a um homem de camisa branca passando pelos arbustos do lado ocidental da cerca. Organizador de túnel? Polícia? Jornalista? Ou cinegrafista da CBS?

Agora, no começo da noite, ele viu uma mulher de cabelos escuros, gorducha, sair da casa observada. Dois homens de sobretudo apareceram, aparentemente sem muita pressa, do quintal dos Sendler. A mulher, que talvez tivesse 50 anos, estava agora conversando com uma terceira visita na frente de sua casa. Um homem mais ou menos da mesma idade, possivelmente seu marido, estava perto. Os dois de sobretudo se aproximaram dos degraus que levavam à porta dos Sendler à direita e entraram na casa.

Agora, dois homens de uniforme, soldados ou guardas, liderados por um civil, sem dúvida da Stasi, chegaram, armados com rifles Kalashnikov. Alguém do lado de dentro deve ter dado a ordem para que eles entrassem discretamente para poderem flagrar os escavadores, já que os soldados cuidadosamente deixaram de lado suas armas pesadas por um momento e tiraram as botas, como crianças obedecendo à mãe em um dia de chuva, antes de entrar em casa. O que aconteceu em seguida foi escondido da câmera da NBC. Anderton pode ter sentido vontade de gritar um alerta aos três escavadores, mas nunca teria chegado a eles.

OS TRÊS ESCAVADORES, sem saber que a armadilha estava sendo preparada alguns metros acima, tiveram que se apressar. Serraram mais alguns centímetros dos pisos de madeira, e então, para terminar mais depressa, derrubaram o retângulo de madeira com um machado. Isso causou uma confusão – arriscado, já que eles estavam a poucos metros de uma rua patrulhada por guardas. Até mesmo os camaradas do outro lado da fronteira conseguiram ouvir. Alguém gritou de dentro do túnel: "Silêncio! Pare!".

Por fim, eles foram em frente. Hasso Herschel pegou um pequeno espelho e o levantou acima do chão. Ninguém à vista. Ele saiu. Joachim Rudolph saiu em seguida. Uli Pfeifer empurrou o kit para fora do buraco e se uniu aos colegas no nível da rua. Eles viram que seu buraco ficava a menos de 1,5 m da lateral da sala de estar na Kiefholz Strasse. Eles teriam assustado qualquer refugiado ou soldado: ainda estavam com o rosto coberto de fuligem preta. Joachim pegou sua pistola e caminhou para a lateral de uma sala grande e escura. Havia uma mesa no meio, algumas cadeiras, um sofá e uma televisão. No fundo, mais salas do outro lado do corredor. Mas ainda não havia sinal dos Sendler.

Cortinas cobriam as janelas, certamente algo bom. Rudolph puxou um pedaço de uma perto do buraco de fuga – e viu um homem andando pelo quintal. Ele não vestia uniforme nem levava uma arma, por isso Rudolph não sabia ao certo se ele era da Stasi, refugiado ou *fluchthelfer*.

Dentro da casa, os agentes da Stasi, acompanhados de dois soldados sem sapatos com rifles automáticos, continuaram reunidos na saleta. Devido ao grande número de agentes armados e de soldados na área, era uma força surpreendentemente pequena. Ao atravessarem o corredor, eles puderam espiar dentro da sala de estar por meio de uma porta parcialmente aberta. Perto das 18h45, eles viram um homem saindo do buraco, mas só conseguiram ver a parte da frente da sala. Talvez os agentes não tenham conseguido ver os outros dois escavadores, ou esperavam que vários outros saíssem fortemente armados. De qualquer modo, a Stasi e os soldados esperaram. "Às 19h, o trabalho [no buraco] tinha sido finalizado e vozes podiam ser ouvidas", registrou a Stasi.

Naquele momento, alertas do lado ocidental foram ouvidos pelos *walkie-talkies* dos escavadores: "Voltem, voltem! Há pessoas na propriedade!". Estava claro que eles não se referiam a fugitivos.

Do outro lado da fronteira, no Ocidente, Joachim Neumann, preocupado, ouviu os gritos da montanha atrás dele. "Stasi!". Fritz Wagner, dentro de sua Mercedes, intensificou o pedido desesperado, buzinando às vezes demorada, às vezes rapidamente, mas ninguém dentro da casa conseguia ouvir. A polícia de Berlim Ocidental na entrada do túnel preparou as armas. A ordem que eles tinham era de nunca atirar na fronteira, mas alguns gritos de alerta naquela direção podiam fazer os escavadores ganharem algum tempo.

Mas os três escavadores não fugiram imediatamente. Levavam armas, mas nunca tinham atirado e nem sabiam se elas funcionariam depois de muitos minutos em um túnel úmido. Ainda de pé na sala de estar, eles ouviram os gritos de alerta vindos do lado ocidental e pelo rádio aumentando. Depois de uma breve checagem, Hasso fez o alerta final: "Certo, paramos!". Rapidamente, eles encheram a bolsa, jogaram-na na passagem abaixo e engatinharam o mais rápido que conseguiram de volta ao lado ocidental.

Às 19h10, o registro da Stasi observou: "Silêncio completo tinha sido notado no túnel". Agentes da Stasi e soldados descalços finalmente entraram na sala de estar – e viram que sua presa tinha partido. Temendo um ataque "terrorista" com armas de fogo, a Stasi tinha esperado tempo demais pelo reforço militar, e então hesitou mais um pouco, contrariando sua fama de altamente organizados, competentes e ágeis.

Tudo o que podiam fazer agora era prender os Sendler e notar que dois cômodos da casa estavam suspeitamente "cheios" de produtos do mercado negro: manteiga, linguiças, farinha, vinho, conhaque, champanhe, papel higiênico, café e chocolate. Eles recuperaram um machado no andar da sala de estar e, no buraco, duas furadeiras.

QUANDO saíram da caverna escura no lado ocidental, os três escavadores não pararam para perguntar a ninguém o que havia acontecido, apesar de já estarem sendo assombrados pela pergunta: *Quando foi a última vez que alguém checou a missão com os Sendler?* Como Harry Seidel podia, mesmo que sem querer, tê-los levado para uma armadilha?

Sujos, ensanguentados, exaustos e sentindo-se sortudos por estarem vivos, eles entraram em uma viatura da polícia, que partiu a toda velocidade. Os policiais viram as armas na bolsa – todas ilegais na Berlim Ocidental – mas não fizeram nada.

Na entrada do túnel, a maioria de quem observava saiu dali com medo de que alemães orientais frustrados decidissem praticar tiro ao alvo do outro lado da fronteira. Seria bom se ninguém além daquele pequeno círculo soubesse que aquelas coisas tinham acontecido. Mas durante muitas horas, policiais e civis do Ocidente chegaram e se afastaram do local. Alguns deles analisavam a região da Kiefholz/Puder Strasse com binóculos. A Stasi os observava de volta, e até anotaram o número da placa de um carro da polícia de Berlim Ocidental. Fritz Wagner voltou em sua Mercedes preta para olhar de novo. O registro final do relatório da Stasi naquela noite foi: "À uma da madrugada, o túnel foi tomado por nossa força".

Assim terminou um confronto histórico. Pela primeira vez naquele ano, uma única operação havia unido em um lugar, com dezenas de metros de distância, quase um elenco todo de personagens envolvidos no drama de fuga em Berlim: escavadores, mensageiros e fugitivos; Stasi, guardas da RDA e soldados. Polícia de Berlim Ocidental e Exército norte-americano; e jornalistas de uma, se não de duas, redes de TV norte-americanas.

Apesar de uma operação mal abordada, os três escavadores, além dos três Schmidt, dos três Moeller e das noivas de Meier e de Sternheimer tiveram sorte, evitando por pouco a prisão ou coisa pior. Dezenas de outros não tiveram a mesma sorte. Mais de 40 fugitivos tinham sido presos. Alguns logo foram levados pelos interrogadores da Stasi a dar os nomes das pessoas que os ajudaram. Sternheimer, traído por Uhse naquele dia, foi preso no posto de fronteira Heinrich-Heine à noite ao tentar voltar para o lado ocidental. Levado para a delegacia, ele achou que conseguiria se livrar na conversa – dizendo que só estava no lado oriental como estudante e turista – até ficar sabendo que sua noiva Renate tinha sido presa em casa.

A Stasi não perdeu tempo com Friedrich Sendler, iniciando uma sessão de interrogatório enorme às 22h10 com "Quais crimes você cometeu contra a RDA?". Sendler disse que sabia de um, dizendo estar "irritado por ter sido envolvido em um assunto com o qual não tenho nada a ver. Sinto muito que um túnel subterrâneo tenha sido cavado em direção à minha propriedade, sobre o qual eu não tinha conhecimento até hoje, caso contrário, teria avisado à polícia da fronteira". Sendler disse que tinha permanecido na oficina de carpintaria o dia todo, supervisionando seis empregados, sem pisar em sua casa. "Por volta das 18h15, minha esposa, que estava na cozinha, ouviu barulhos vindos de debaixo da casa", disse ele, "e imediatamente foi à porta de entrada da varanda, onde as duas pessoas e eu estávamos, e disse ter ouvido sons vindos de dentro da terra". Isso omitia um detalhe essencial: que ela *não* tinha dado essa informação de cara, primeiro reclamando de estar se sentindo mal.

O interrogante não estava acreditando. "Seu relato é ilógico", disse ele a Sendler. "Como explica o fato de que o túnel, originado na Berlim Ocidental, termine justamente na *sua* casa?"

Sendler respondeu: "Nem agora nem no passado eu tive qualquer contato com pessoas que me pedissem tal coisa". E então, ele acrescentou de modo corajoso, ainda que tolo: "Apesar de eu não concordar totalmente com as ações e com as medidas da RDA e assistir à televisão da Alemanha Ocidental de vez em quando para ver visões opostas à minha, eu nunca me disporia a cometer um crime assim". Estava claro que ele não voltaria para casa tão cedo.

Edith Sendler também foi interrogada a noite toda. Ela dizia que, desde a construção do Muro, ela e seu marido não tinham recebido a visita de ninguém da Berlim Ocidental nem de nenhum "intermediário" do lado oriental. Ela ficou "extremamente chocada" ao ver a furadeira do invasor surgindo em sua sala de estar. Então, segundo ela, saiu correndo para fora e "imediatamente informou" os dois agentes da Stasi (mentira). E por fim: Ela não tinha explicação para todos aqueles produtos, os "itens de luxo" e o álcool descobertos na casa deles. "Sei que minhas palavras são tidas como mentiras", disse ela quando o interrogatório terminou, "mas não posso dizer mais nada a respeito".

Numa situação ainda pior que a dos Sendler, estavam Hartmut e Gerda Stachowitz. Eles tinham sido levados em carros separados para prisões separadas – a prisão feminina para ela, a brutal Hohenschönhausen para ele. Enquanto Gerda era interrogada, seu bebê foi colocado em uma mesa próxima, com a fralda de algodão encharcada. Perto da meia-noite, ele foi tirado da sala, sem que dissessem a ela para onde ele ia nem se o veria de novo.

9
Prisioneiros e manifestantes

A qualidade da inteligência norte-americana na operação Kiefholz deixou a desejar. Depois da mensagem enviada pelo chefe da Missão Berlim, Lightner, perto do meio-dia no dia da fuga, o secretário de Estado, Rusk, não soube de nada a respeito da fuga durante muitas horas. Às 23h15 daquela noite, Lightner finalmente enviou uma breve atualização: "Esforço de fuga não realizado hoje. Não claro neste momento se projeto abandonado ou postergado".

Rusk não recebeu mais nenhuma informação até a tarde seguinte, quando Lightner enviou outro telegrama. O êxodo aparentemente tinha sido "cancelado" depois de uma "contravigilância na Berlim Oriental observar pesada concentração de homens uniformizados" perto da casa de Sendler. A LfV, presumidamente através de Mertens, havia informado à Missão que 20 refugiados tinham sido presos. Várias dezenas de outros tinham escapado da captura depois de "uma mensagem de alerta" ter sido, supostamente, "enviada aos participantes". Um organizador não identificado havia dito à LfV que o túnel não voltaria a ser usado – certamente, a maior obviedade do mês.

O telegrama concluía:

> Os piores aspectos do que poderia ter sido politicamente muito vergonhoso parecem ter sido evitados. No entanto, com duas prisões conhecidas e possivelmente outras por acontecer, é possível que o regime SED venha a organizar julgamentos com declarações dos presos implicando participação da CBS na operação planejada. Também existe a possibilidade de os organizadores da Berlim Ocidental usarem envolvimento de Schorr, Jim O'Donnell para justificar o fracasso de sua operação, principalmente se 20 foram mesmo presos e forem levados a julgamento.

Um membro do Departamento de Estado repassou essa mensagem a Mac Bundy na Casa Branca, com a observação de que Rusk "achou que o presidente desejaria ver isso. Salinger está fora da cidade, por isso não viu".

Também no dia 8 de agosto, um membro desconhecido dos diplomatas americanos na Alemanha (possivelmente Lightner) escreveu um longo "Memorando para Registro" com o título de "Fuga do túnel comprometida". Havia um novo detalhe muito bizarro: O amigo de Harry Seidel, Rainer Hildebrandt "havia obtido e entregado a um dos participantes do lado ocidental um uniforme de VoPo que seria usado na Berlim Oriental para oferecer cobertura de segurança aos fugitivos quando caminhões transportando essas pessoas chegassem ao estacionamento do lado oriental". O memorando não tinha a afirmação de Mertens de que ele havia alertado as pessoas dos túneis de que o projeto tinha sido "comprometido", como ele havia feito nos projetos anteriores daquele ano.

A única pessoa que havia alertado sobre um perigo maior perto do túnel, de que se tinha conhecimento, era Daniel Schorr, e ele ainda não estava nada contente com aquele alerta.

Um membro da embaixada em Bonn pediu para Allen Lightner conversar de novo com o correspondente da CBS para ter certeza de que ele tinha conhecimento dos "resultados e das implicações" da tentativa fracassada de fuga. Eles tinham ouvido que a "linha" atual de Schorr era de que o Departamento de Estado parece não conseguir "agir" para ajudar aqueles que buscam liberdade em Berlim, "mas certamente consegue impedir que eles consigam o que querem". Dean Rusk aprovou a reunião de Schorr em um telegrama à Missão (mais uma vez com cópia para Salinger e a Bundy). Ele acrescentou:

> Oficiais americanos não se desculpam pela ação rápida tomada com CBS e Schorr; Schorr se envolveu em assunto muito além de suas responsabilidades pessoais e jornalísticas e agiu de modo amador em questão de alto risco para todos envolvidos. Como pensávamos, outro lado estava totalmente a par dos planos e fez emboscada que poderia ter resultado no massacre daqueles envolvidos. Não podemos deixar de nos assustar com grau de envolvimento que Schorr havia apresentado, aparentemente sem se preocupar com possíveis graves consequências.

Claro, o "outro lado" não estava "totalmente a par" do túnel antes da manhã da operação (via Uhse), por isso era difícil saber por que o Estado havia previsto isso com tanta certeza.

A STASI havia desperdiçado uma oportunidade de ouro de prender três dos maiores escavadores de túneis de Berlim dentro da casa dos Sendler, mas tiveram a chance, no dia seguinte, de estudar o trabalho dos criminosos. Mas não ousaram entrar muito na caverna estreita – parecia perigoso. Nem mesmo o cão farejador que eles tinham levado ao local ia muito além de 10 metros. Depois da inspeção no túnel, muitos dos soldados e dos agentes da Stasi se serviram dos bens de valor dos Sendler. O casal aparentemente cumpriria uma pena longa; não precisariam de cosméticos, peças finas de náilon, blusas de lã e casacos, sapatos de salto, joias caras e relógios. Os Sendler provavelmente os haviam obtido ilegalmente no lado ocidental, de qualquer modo, e tudo provavelmente seria confiscado pelo Estado. Por que os "protetores da fronteira" não poderiam dividir as recompensas?

Algumas horas depois, a Stasi terminou um relatório detalhado sobre a fuga no túnel. Eles enalteciam sua própria "proteção da paz" contra a "organização terrorista Girrmann da Berlim Ocidental" (ao mesmo tempo em que não admitiam ter estragado a prisão dos perpetradores). Eles davam crédito à informação que vinha diretamente de Siegfried Uhse e detalhavam os nomes e endereços dos presos – 43, até então. As prisões eram relacionadas por lugares: seis em cada um dos dois pontos onde os caminhões buscavam os refugiados, 19 perto do túnel na Puder Strasse, além do mensageiro Wolf-Dieter Sternheimer e outros 11 detidos "independentemente" em outros pontos, pela polícia da fronteira. Eram esperadas mais prisões conforme os interrogatórios continuavam.

O relatório detalhava o trabalho de Sternheimer com o Girrmann em relação aos planos de "rompimentos violentos da fronteira" que vinham ocorrendo há muitos meses. Ele era um dos poucos que sabiam onde a casa de fuga se localizava, como mostrado no mapa que ele havia entregado a Uhse. Também aparecia o "O Acusado Stachowitz, Hartmut". Desde julho, Stachowitz estivera em contato com a "estudante americana" no escritório do Girrmann – uma referência a Joan Glenn – a respeito do contrabando de sua esposa. A Stasi havia questionado mais de 30 outros presos até então. Um dos acusados não pôde ser interrogado "por causa de um ataque cardíaco e foi enviado ao hospital VP".

Manfred Meier, enquanto isso, achava que tinha chance de ser solto, apesar de os homens da Stasi em Hohenschönhausen não pararem de lhe dizer: "Sabemos de tudo". Meier continuava declarando sua inocência; estivera no bairro da fuga apenas para visitar um primo. E ele realmente tinha um primo na área.

Graças a seu alerta a respeito da Puder Strasse, sua namorada, Britta, havia evitado a prisão. Agora, com muito temor, Britta decidiu contar aos pais a respeito da fuga atrapalhada e da prisão de seu namorado. Ela se sentou à beira da cama do pai e disse: "Preciso contar uma coisa". Seu pai segurou sua mão e respondeu: "Olha, Britta, eu teria feito exatamente a mesma coisa. Não se culpe por nada". Algumas horas depois, após alguém preso revelar o nome dela à Stasi, ela também foi presa.

Além de arrancar os nomes dos organizadores ainda à solta, a Stasi esperava usar a prisão em massa em Kiefholz para descobrir a respeito de outros túneis que estivessem sendo abertos. (Aqueles envolvidos no túnel Bernauer reconheceram essa ameaça imediatamente.) Como era esperado, o interrogatório de um fugitivo, um pintor, mostrou uma pista vaga, mas problemática. Seu contato na operação de fuga de Kiefholz se chamava Gengelbach, disse ele. Gengelbach havia lhe dito que existiam dois grupos de túnel diferentes na Berlim Ocidental. Um deles era totalmente formado por alunos. Gengelbach não sabia quem estava financiando os estudantes, mas tinha certeza de que eles estavam "atuando em outro túnel que já tem 150 metros de comprimento e que deve ser terminado no fim de agosto ou começo de setembro".

Os detalhes eram duvidosos, mas a Stasi agora sabia que deveria ficar atenta a qualquer informação nova a respeito de um projeto tão grande.

DIFERENTEMENTE DO MfS, o Grupo Girrmann continuava perplexo a respeito do que tinha dado errado em Kiefholz. Na manhã seguinte, eles se reuniram com um grupo grande, incluindo Harry Seidel e Dieter Gengelbach. Estava claro que um informante havia passado informações à Stasi, mas após uma discussão acalorada, ninguém conseguiu identificar um possível suspeito.

Na noite seguinte, Siegfried Uhse foi chamado à Casa do Futuro para repassar os eventos trágicos. É de se imaginar que "Hardy" se sentisse um pouco nervoso no caminho. Àquela altura, sua identidade na Stasi poderia ter sido exposta de várias maneiras. Quando ele chegou, encontrou os três líderes: Girrmann, Thieme e Köhler. Não foi um bom sinal. Köhler o recebeu com "Outro cadáver está aqui". Sem dúvida, Uhse se assustou – até entender que isso só significava que ele ficaria preso na Berlim Ocidental para sempre, porque não seria seguro para ele voltar para o Leste, já que agora a Stasi deveria estar ciente dele.

Os três organizadores pediram a Uhse e aos outros mensageiros – os que não tinham sido presos – que repassassem o que tinham visto e feito no dia 7 de agosto, enquanto procuravam pistas a respeito de quem poderia ser o informante. Uhse se lembrava daquele dia em detalhes (deixando de fora a parte em que entregou o mapa à Stasi), incluindo sua reunião com Sternheimer e Stachowitz à uma da tarde. Mas como aqueles dois tinham sido presos, parecia improvável que fossem os delatores. Um membro do Girrmann disse a Uhse que ele deveria agradecer – era "sortudo" por não ter sido morto no Leste.

Outro visitante chegou ao escritório, um homem atarracado de quarenta e poucos anos, com cabelos começando a ficar grisalhos e óculos. Uhse soube que ele era um dos maiores financiadores do grupo. Thieme disse ao homem que o desastre de 7 de agosto era o maior contratempo desde que o Muro tinha sido erguido. O visitante tinha uma mensagem mais positiva. Havia acabado de voltar de Bonn, onde tinha encontrado importantes homens de negócios que se dispuseram a disponibilizar até 2 mil marcos para cada fugitivo que o Grupo Girrmann libertasse – e a quantia seria mais alta para estudantes ou trabalhadores habilidosos. O que convencera esses investidores? "Eu expliquei para eles como podiam deduzir isso de seus impostos", explicou o emissário, que provavelmente era oficial do governo. "Se eles podem deduzir algo de seus impostos, então eu os terei na palma de minha mão!". Para receber o dinheiro, tudo o que os participantes tinham que fazer era pedir a cada refugiado para fazer uma gravação a respeito de sua história; não precisava revelar como tinha se dado a chegada ao lado ocidental. O visitante de Bonn pediu ação rápida para que a grana pudesse começar a rolar.

O ruim, ele continuou, era que os oficiais em Bonn não mais ofere- ceriam ajuda ao Grupo Girrmann, porque eles sentiam que tal ajuda seria "comprometer o governo". Exigiam que Köhler abrisse mão de seu posto de administrador da Casa do Futuro, já que ele tinha sido respon- sabilizado por vários fracassos, principalmente o de Kiefholz. O visitante também revelou que outro grande túnel – "no norte" (e incluiria a região da Bernauer) – estava em progresso. Isso parecia ser um segredo revelado. Quem mais sabia?

Em seguida, ocorreu uma discussão a respeito do mensageiro desapa- recido, Manfred Meier. O sempre solícito Uhse se ofereceu para sair ime- diatamente e conversar com o irmão de Meier. Quando voltou, disse que o irmão parecia estar escondendo algo. Uhse estava tentando, com algum sucesso, concentrar a atenção no mensageiro desaparecido como o possível delator. (Ninguém no Ocidente sabia que Meier tinha sido preso). Uhse então atravessou a fronteira e contou tudo isso a seus encarregados na Stasi.

Eles notaram que Uhse se sentia confiante agora que tinha "conseguido ou consolidado a confiança" dos líderes do Girrmann. Então, a Stasi aumentou suas tarefas: tentar saber mais sobre as fugas por meio de carros; obter os nomes dos mensageiros restantes; descobrir mais a respeito daquele visitante que prometia dinheiro de homens de negócios; ajudar Köhler a "desmantelar" o escritório da Casa do Futuro e "tentar conseguir acesso ao material de lá", principalmente à lista dos alemães orientais que tinham se candidatado a ajudar na fuga. E "tentar descobrir a localização do novo túnel e descobrir quem constrói o túnel".

Na reunião seguinte, Uhse disse: "Fui informado de que o túnel tem cerca de 150 metros de comprimento. Nada se sabe sobre a entrada, e também não se sabe se estão cuidando dela". Seus encarregados pressionaram: *Onde fica o novo túnel? Assim que souber, envie a informação via telegrama.*

NA TARDE DE 10 DE AGOSTO, Daniel Schorr foi repreendido na embaixada dos Estados Unidos em Bonn. Agora sabia, se ainda não tivesse se dado conta, a respeito das muitas prisões na operação do túnel da Kiefholz, e que um julgamento podia trazer consequências a ele e a sua rede de contatos. Schorr ouviu seu envolvimento pessoal ser chamado de "incrível". Foi pressionado a admitir que tinha pagado mais de 5 mil marcos alemães aos organizadores dos túneis. Por quê? Algo tinha que ser feito para dramatizar o horror do Muro, respondeu ele, uma vez que o Departamento de Estado havia tomado uma "atitude negativa" em relação à comemoração do aniversário. Uma fuga em massa, com cobertura da imprensa, teria cumprido esse propósito. Schorr disse que seu chefe agora pretendia descobrir como o plano tinha sido comprometido, mas o oficial da embaixada deu ordens para que ele não discutisse sobre isso com ninguém, apenas com os oficiais na Missão.

Um resumo da conversa foi enviado por um oficial da embaixada para Rusk e Lightner, e então para Salinger e Bundy, na Casa Branca. Dizia que Schorr "parecia estar ressentido com o fato de um plano que seria sua maior conquista na TV ter fracassado". Mas ele "não passou a menor impressão de estar arrependido". Um breve trecho no sumário levantou mais perguntas do que respondeu. O oficial da embaixada tinha dito a Schorr que o plano do túnel teria resultado em perda de vidas humanas em larga escala se "uma ação efetiva não tivesse sido tomada para impedir sua realização". Qual "ação efetiva" (além da de Uhse) tinha sido tomada e por quem?

No dia seguinte, Schorr visitou Lightner na Missão em Berlim na Clay Allee. A conversa seguiu nas linhas da reunião em Bonn, mas Schorr acrescentou esta reclamação: ele havia ouvido dizer que Piers Anderton da NBC foi visto na cena da entrada do túnel no Ocidente e havia filmado a atividade policial e a batida na casa de Sendler. A NBC provavelmente usaria parte da gravação (que na verdade chegava a apenas dois minutos de gravação) em um noticiário, Schorr presumiu.

"Schorr temia que o concorrente tivesse feito o que a CBS por meio da intervenção do Departamento [de Estado] tinha sido impedida de fazer", Lightner contou a Rusk por telegrama – de novo com uma cópia para Salinger na Casa Branca. Ele acrescentou que "apesar de não estarmos em posição de ajudar no problema competitivo da CBS, estamos preocupados, pensando em como impedir acontecimentos similares no futuro, pela CBS ou pela NBC". Isso foi essencial, já que eles "não tinham certeza de que Schorr não tentaria filmar outra fuga", apesar de ele "poder evitar acordos de avanço perigosos diretamente com os organizadores". O Departamento de Estado pode querer considerar "intervenção de alto nível com a NBC nas linhas gerais tomadas com a CBS. Diante da atitude não cooperativa de Anderton, não iniciaremos ação alguma com ele, a menos que recebamos instruções para isso".

Bem, eles certamente tinham entendido Anderton corretamente. Mas Schorr e a CBS tinham acabado de começar a lutar – não mais *pelo* filme, mas *contra* o da NBC.

A INSATISFAÇÃO DE LONGA DATA DO PRESIDENTE Kennedy com a estratégia nuclear da OTAN na Europa atingiu seu ápice em agosto, quando ele reuniu seus principais conselheiros para uma reunião de quase 90 minutos na Sala Oval. Estava presente também Walter Dowling, embaixador da Alemanha Ocidental. Fazia 17 anos desde a última vez em que os Estados Unidos tinham usado uma arma nuclear, matando pelo menos 75 mil japoneses em Nagasaki.

A guerra nuclear continuava a pairar sobre toda discussão a respeito de Berlim. Quando iniciou seu mandato, Kennedy descobriu que seu antecessor havia estipulado que as reações dos Estados Unidos e da OTAN a um ataque soviético convencional na Alemanha seriam nada menos que "retaliação nuclear massiva". Ele também se preocupava com a possibilidade de uma guerra nuclear acidental causada por mal-entendidos e também com o fato de a linha de comando dar aos principais generais a autoridade de lançar mísseis. Quando ele perguntou a seus principais aliados militares: "Presumo que eu possa impedir o ataque estratégico a qualquer momento... estou correto?", a resposta costumava ser irritantemente vaga.

Alguns dos generais, ele sentia, falavam de um modo indiferente a respeito dos efeitos da guerra nuclear. Um importante general do Comando Aéreo Estratégico, informado a respeito dos efeitos genéticos a longo prazo da precipitação radioativa, dissera: "Ainda não me provaram que ter duas cabeças não é melhor do que uma". Diferentemente de muitos de seus consultores, Kennedy sentia que muita ênfase era dada a quem venceria uma guerra nuclear e muito pouca à sobrevivência da espécie humana.

De qualquer modo, o presidente havia afirmado que era política dos Estados Unidos iniciar o uso de armas nucleares se o Exército Soviético invadisse a Europa Ocidental. Uma lista de alvos dos norte-americanos, chamada "Estudo de Exigências de Armas Atômicas de 1959" e preparada pelo Comando Aéreo Estratégico, incluía não só milhares de locais dentro da União Soviética, mas também 91 dentro e perto da Berlim Oriental. Além de várias bases aéreas soviéticas nos bairros residenciais, dezenas de locais dentro da cidade estavam na lista como parte de sua "destruição sistemática": fábricas, estações de trem, estações de energia, transformadores de rádio e TV. Parecia haver pouca preocupação com o fato de que acertar ainda que um ou dois pontos na Berlim Oriental causaria conflitos armados e ataque radioativo na Berlim Ocidental. Um registro assustador, simples e despudoradamente anotado como "população", tinha os civis como alvo. O presidente Kennedy, ainda um jovem com dois filhos pequenos, costumava falar baixo do medo que sentia quando pensava em ataques nucleares. Quando seu irmão o encontrou na Casa Branca depois de se reunir com Khrushchev, Robert Kennedy notou lágrimas no rosto dele, a primeira vez que o vira chorando devido ao estresse político. "Bobby, se um conflito nuclear ocorrer", disse JFK, "nós não importamos... Mas pensar em mulheres e crianças sofrendo em um conflito nuclear, não consigo aceitar isso."

Henry Kissinger, um jovem e ambicioso professor de Harvard cuja família havia fugido da Baviera após Hitler chegar ao poder, estava entre os consultores que insistiam em um plano em camadas como resposta, principalmente em resposta a uma crise em Berlim. Kissinger era um fervoroso anticomunista, mas diferentemente de muitos outros, defendia certa nuance no confronto aos soviéticos. Ele havia incentivado Kennedy a pedir uma revisão completa das opções nucleares de primeiro ataque norte-americanas. A menos que os Estados Unidos desmantelassem todos os pontos de lançamento de míssil soviético – o que era improvável –, o inimigo lançaria todos os seus foguetes em resposta, e dezenas de milhões de americanos morreriam. Isso deixava ao presidente uma escolha entre o que analistas políticos internos gostavam de chamar de "rendição ou suicídio".

Agora Kennedy queria saber se havia uma maneira de fazer um ataque nuclear, mas limitar os alvos – e as mortes dos dois lados. Ele era a favor de uma "resposta flexível" a um ataque soviético na fronteira alemã e não a uma "retaliação massiva" automática. As páginas de papel geradas no Pentágono eram tão volumosas que a nova estratégia proposta se tornou internamente conhecida como "Horse Blanket". Quando diminuída, o nome dado passou a ser "Pony Blanket". Ainda mais reduzida, a algumas páginas apenas, o nome se tornou "Poodle Blanket", aprovado em outubro de 1961 como o documento NSAM 109. Ele projetava uma "sequência de respostas graduais às ações dos soviéticos/RDA", levando, com o tempo, a um ataque nuclear limitado e então (se preciso) a um ataque massivo. Podia ser uma represália a uma ação nuclear soviética – ou podia ser um primeiro ataque. Um importante auxiliar de Kennedy se referia a isso como "o momento da verdade termonuclear".

Alguns dias antes da atualização da política nuclear de 9 de agosto na Casa Branca, os soviéticos tinham retomado os testes nucleares fazendo barulho – um tiro de 40 megatons sobre uma ilha do Ártico, considerada a segunda maior explosão já feita. As esperanças de Kennedy por uma proibição nos testes desapareceram ainda mais. Além disso, o ministro de defesa da Alemanha Ocidental, Franz Josef Strauss, havia acabado de criticar publicamente os Estados Unidos por supostamente mirarem apenas em alvos militares com seus mísseis nucleares, deixando de lado os civis. (A administração foi rápida em garantir a ele que os Estados Unidos miravam em ambos.) Strauss também chamou a OTAN para armar suas forças de linha de frente com armas nucleares de "campo de batalha", afirmando que o uso delas não necessariamente provocaria uma reação soviética mortal. Os norte-americanos se opuseram a essa ideia totalmente.

Ainda assim, conforme a reunião de alto escalão na Casa Branca avançou, Kennedy admitiu com sinceridade que os soviéticos pegaram os norte-americanos em um dilema em Berlim. Se os soviéticos tomassem Berlim, isolada como estava, o Ocidente deveria recorrer a armas nucleares? Ou esperar que o inimigo cruzasse a fronteira para dentro da Alemanha Ocidental? Ou nem mesmo nesse caso? Em outras palavras, estariam os aliados apenas blefando quanto a reagir a qualquer dessas atitudes usando mísseis nucleares? Se eles os usassem, seu ataque seria limitado ou extensivo?

John Ausland, diretor substituto da Força-Tarefa de Berlim, conversou com JFK mais uma vez sobre o "Poodle Blanket". Dean Rusk comentou que o que preocupava os aliados dos Estados Unidos na OTAN era que se o Ocidente não usasse armas nucleares em um confronto, "os soviéticos tomarão uma considerável parte da Alemanha e vão querer negociar a partir desse ponto". Robert McNamara, no entanto, acreditava que os aliados norte-americanos estavam operando com o engano de que "sempre existe salvação em armas nucleares táticas", em parte com base em uma "falta de compreensão do uso das armas táticas nucleares e de seu resultado". Os efeitos mortais da radiação que corriam por toda a Europa foram de certo modo, mal considerados. McNamara poderia ter mencionado que as armas modernas eram muito mais destrutivas do que a bomba de Nagasaki, mas não disse nada.

Kennedy insistiu que a ameaça de primeiro ataque teria mais validade se "não houvesse o problema de Berlim". Por um lado, as forças norte-americanas dali estariam presas lutando na Alemanha Oriental atrás da linha nuclear. Além disso, no fim das contas, os aliados realmente dariam início a uma guerra nuclear sobre a já dividida Berlim? Bundy brilhantemente colocou o debate todo sobre um primeiro ataque com armas nucleares em termos bem simples: "Só é algo bom de fazer se você nunca fizer". Pouco mais poderia ser dito depois disso e, de fato, a reunião depressa terminou, sem nada resolvido.

NÃO era difícil para um jovem como Peter Fechter imaginar uma vida melhor para si além do Muro. Ele era o único filho numa família que se esforçava para sobreviver em uma economia destruída de pós-guerra na Berlim Oriental. Seu pai trabalhava como construtor de motores, e a mãe, como vendedora. O adolescente loiro e animado, que havia saído da escola aos 14 anos para se tornar aprendiz de pedreiro, gostava de visitar, antes do Muro, sua irmã Liselotte na Berlim Ocidental. Ela havia deixado o lado oriental em 1956 para se casar. Peter, que completaria 18 anos em 1962, sonhava em se unir a ela. Ter dinheiro suficiente para sair do apartamento de três quartos que ele dividia com os pais e com a irmã no distrito de Weissensee parecia algo impossível.

"Está dando tudo errado aqui", ele escreveu em uma carta para Liselotte, reclamando que "aqueles porcos" tinham aumentado de novo as cotas, o que exigia que ele trabalhasse mais tempo para receber a mesma miséria. Tinha sido ruim o suficiente o medo que sentira, meses antes, de ser forçado a ajudar a construir o Muro. "Hoje cedo, eu fui à Friedrich Strasse [perto de Checkpoint Charlie] com um amigo e vi as bandeiras norte-americanas... Tão próximas, mas ao mesmo tempo, tão distantes! Senti vontade de chorar. Divido meu tempo entre a obra e minha namorada... Nós nos damos bem, mas a mãe dela acha que deveríamos esperar dois anos para nos casarmos. Quem sabe o que vai acontecer conosco até lá". Ele vinha recebendo ótimas avaliações em seu local de trabalho, mas certamente no lado ocidental ele teria mais chance de seu trabalho árduo valer a pena.

Com seu amigo igualmente frustrado, Helmut Kulbeik, um pedreiro que trabalhava com ele na construção do antigo Palácio Kaiser Wilhelm na Unter den Linden, Peter começou a pensar em fugir. A obra onde trabalhavam não era muito distante do Muro.

Naquele verão, eles usaram o horário de almoço para encontrar lugares perto do Muro, perto e longe também, apesar de ainda precisarem criar um plano. Nenhum dos dois disse nada a respeito para as famílias. No começo de agosto, eles descobriram uma fábrica abandonada perto de Checkpoint Charlie que abrigava uma oficina de carpintaria bem perto da divisão. As janelas do fundo davam para a Zimmer Strasse, e a distância até o muro era pouca – para quem estivesse disposto a se arriscar.

CONFORME o primeiro aniversário do Muro se aproximava, líderes norte-americanos e alemães ficavam nervosos com o modo como a data seria comemorada nas ruas. Oficiais da Berlim Ocidental tinham anunciado planos para manter o reconhecimento calmo e limitado, marcando o dia com alguns minutos de silêncio ao meio-dia, quando todo o trabalho e a movimentação parariam. Um "sino de liberdade" tocaria e o prefeito Brandt diria algumas palavras na TV e no rádio. Os berlinenses ocidentais receberam a ordem de ficar em casa naquela noite e de escrever cartas a amigos e a familiares no lado oriental. Charles Hulick havia enviado um telegrama a Dean Rusk dizendo que o evento deveria ser discreto e "com o mínimo possível de oportunidade para atos que possam levar a incidentes. Precauções especiais devem ser tomadas dos dois lados do muro para impedir o desenvolvimento de ações de ampla escala".

Alguns legisladores e comentaristas da imprensa na Alemanha Ocidental classificaram o ato de passivo demais. Vários grupos planejaram protestar onde os berlinenses orientais tinham sido mortos tentando fugir. Um tabloide popular pediu para que sinos de igrejas tocassem, sirenes soassem e carros buzinassem, pois "precisamos gritar, temos que alertar o mundo". O bloco comunista havia intensificado sua campanha, dizendo que a Berlim Ocidental era um centro de espionagem e fonte de tensão. A CIA alertou, em seu relatório diário ao presidente, que o Exército da Alemanha Oriental parecia estar ensaiando – "mas não sabemos exatamente para quê". E Khrushchev podia estar planejando "um grande gesto".

Quando o dia 13 de agosto chegou, foi marcado nos Estados Unidos com um programa de 90 minutos nas principais emissoras de rádio. O general Lucius Clay falou, e o Sino da Liberdade na Filadélfia tocou pela liberdade. (Ainda assim, o general Clay reclamou bastante com o Departamento de Estado, alegando que estavam minimizando muito a data.)

Por algum motivo, a NBC decidiu não transmitir seu vídeo da recente batida policial de Kiefholz. Na Berlim Ocidental, tanto os acontecimentos oficiais quanto os não oficiais transcorreram como o esperado. A parada ao meio-dia e o silêncio foram amplamente respeitados e, conforme muitos sentiram, profundamente emocionantes. Em seguida, as buzinas soaram de modo ensurdecedor. Quando uma grande cruz com a faixa *Nós Acusamos* foi erguida ao longo do Muro perto da Wilhelm Strasse, a polícia de Berlim Oriental tentou derrubá-la com canhões de água. As polícias dos dois lados do Muro logo estavam trocando bombas de gás lacrimogênio.

Outra ação indicou que os protestos poderiam tomar uma direção mais militante. O Grupo Girrmann havia organizado uma dezena de equipes para entrar em trens elevados S-Bahn e puxar as cordas de emergência, parando-os entre as estações durante o momento de silêncio. Apesar de os trens circularem no lado ocidental, o S-Bahn ainda pertencia e era operado pelo lado oriental (em teoria, até os trilhos eram comunistas), então isso passaria uma mensagem para o outro lado do Muro. Dieter Thieme pediu para Wolf Schroedter participar do protesto, e Schroedter convidou Joachim Rudolph para ir com ele. A estação-alvo deles era a Moabit. Era um ato de desobediência civil – eles puxaram o cordão de emergência e ficaram ao lado dele, esperando a polícia ferroviária de Berlim Oriental (que, irritantemente, circulava no lado ocidental com suas viaturas) chegar. Pediram suas identidades, e os dois homens se recusaram. Foram levados à polícia de Berlim Ocidental e puderam escolher entre passar cinco dias na cadeia ou pagar uma multa de 28 marcos. Foi fácil escolher a multa, já que o escritório de Girrmann a pagou.

Até o fim da tarde, os manifestantes, como os oficiais temiam, estavam muito mais irritados. Anotações breves no registro do oficial da Brigada de Berlim nos Estados Unidos captavam o clima:

> **18:55:** Recebemos relatório do C/P Charlie de que o ônibus Sov. War Memorial na esquina da Koch como a Freid [...] motorista foi ferido por uma pedra lançada por alguém na multidão.

> **20:30:** Fila de 3,5 km de carros protestando em direção à ponte na 942182.

> **21:55:** Garten Platz – BSP (polícia da Berlim Oriental) lançando bombas de gás lacrimogênio – polícia de Berlim Ocidental devolvendo as bombas – 500 pessoas na região.

> **22:47:** 1.000 grevistas seguindo da Bernauer em direção à Kreuzberg.

> **22:53:** 2.000 manifestantes na Moritz Platz e na Prinzen Str. Intensa força policial de Berlim Ocidental afastando-os do "muro".

> **22:55:** Cerca de 20 carros passaram pela barreira no Portão de Brandemburgo e foram até a plataforma de observação britânica.

Meia-noite: Oberbaumbrücken, aprox. 100 pessoas tentaram atravessar a ponte para o lado oriental – a polícia de Berlim Ocidental colocou caminhões na entrada para fazer a ponte – acabaram usando cassetetes.

Registros da polícia de Berlim Ocidental registraram muitos outros atos de violência e o que chamaram de "quase revoltas". Os manifestantes tinham jogado pedras e garrafas de cerveja por cima do Muro nos guardas. Em um ponto, eles quebraram lâmpadas dos postes com pedras do lado ocidental para que pudessem jogar pedras no lado oriental encobertos pela escuridão. Uma multidão de 3 mil na Bernauer Strasse tentou atravessar o Muro – e então jogou pedras na polícia de Berlim Ocidental, que revidou. Quatro policiais foram feridos ali e outros 20 em outros pontos.

Naquela noite, houve uma cena caótica na frente da vazia, e agora infame (em certos lugares), casa dos Sendler. Uma grande força do Exército e da polícia de Berlim Oriental tinha sido colocada na área depois de quatro homens terem sido localizados a menos de 30 metros além da cerca-limite no lado ocidental, apontando uma câmera de vídeo para a casa dos Sendler, como uma gravação para a TV ou para um telejornal.

Alguém no lado ocidental havia dado um ou mais tiros nos guardas no lado oriental. Outros jogaram pedras. A polícia armada de Berlim Ocidental apareceu e analisou o lado oriental com binóculos. Então, manifestantes no lado ocidental começaram a atirar nas lâmpadas dos postes entre a Kiefholz Strasse e a Puder Strasse, local da maioria das prisões de 7 de agosto. Tiros e pedras direcionados aos guardas da RDA continuaram até depois da meia-noite.

"Devido às ações e ao comportamento do inimigo, espera-se que um rompimento de fronteira tenha sido preparado", estava escrito no relatório de cinco páginas do capitão da Alemanha Oriental, também citando a presença de câmeras. A área do outro lado do Muro na direção da casa dos Sendler passaria a ser observada "permanentemente". A polícia da Alemanha Ocidental perto do local deveria ser monitorada de perto, já que claramente eles pretendiam ajudar os "violadores da fronteira". Inspeção de porões, garagens e lojas no lado oriental, presumidamente em busca de mais túneis, seria realizada pelos esquadrões mais confiáveis do Exército.

No dia seguinte, alguém escreveu à mão na primeira página do relatório formal que o túnel de Kiefholz, de Harry Seidel, levando à propriedade dos Sendler, tinha sido "explodido pela polícia da fronteira".

Harry Seidel (esq.), o ciclista herói da Alemanha Oriental, atravessou para o Oeste algumas vezes antes de libertar dezenas de outras pessoas por meio de túneis e outras formas de transpor o Muro.

Foto oficial da Stasi do informante Siegfried Uhse, codinome "Hardy", cujas ações resultariam na prisão de dezenas de alemães orientais em 1962.

Dividida ao meio pelo Muro, a Heidelberger Strasse ficou conhecida como a "Rua das Lágrimas" – e como região de um grande número de túneis nos primeiros tempos do Muro.

Joachim Neumann, engenheiro, buscava uma maneira de trazer sua namorada do lado oriental para a Berlim Ocidental.

Os três organizadores do túnel de 1962 sob a Bernauer Strasse – objeto do documentário da rede norte-americana NBC, *The Tunnel* – nas ruas de Berlim: (a partir da esq.) Gigi Spina, Mimmo Sesta e Wolf Schroedter.

Joachim Rudolph serviu como eletricista-chefe no túnel da Bernauer e foi responsável por abrir algumas saídas no lado oriental.

Hasso Herschel prometeu não fazer a barba enquanto sua irmã, Anita, e sua filha não atravessassem seu túnel em segurança. Ele liderou duas escavações até consegui-lo.

Figuras-chave da NBC perto do local do túnel da Bernauer Strasse, com prédios de janelas lacradas ao fundo: (a partir da esq.) o chefe do escritório em Berlim, Gary Stindt; o produtor Reuven Frank; e o correspondente Piers Anderton. Por trás da câmera, provavelmente, está Harry Thoess.

O correspondente da NBC, Piers Anderton, na entrada do túnel da Bernauer, que se iniciou com uma armação triangular antes de passar à forma quadrada.

Um significativo vazamento de água no início do verão de 1962 levou a um hiato na abertura do túnel sob a Bernauer Strasse.

Daniel Schorr, do canal CBS, que encontrou um túnel muito depois de Piers Anderton, quase foi o primeiro a concluir a produção de um documentário – quando o Departamento de Estado, a Casa Branca e seu chefe intervieram.

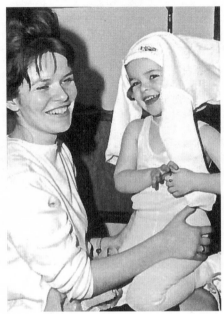

Resgatar a família Schmidt (Eveline Schmidt e sua filha, Annett, na foto) era o motivo original para a construção do túnel da Bernauer Strasse.

O secretário de Estado, Dean Rusk, com o apoio do presidente Kennedy, tentou impedir a cobertura televisiva dos túneis.

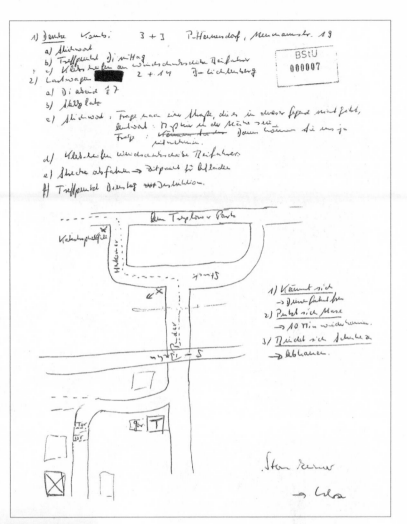

Esquema do entorno da casa de Friedrich e Edith Sendler, em cuja sala de estar o túnel da Kiefholz Strasse iria desembocar. Na manhã da fuga, um mensageiro entregou o papel, com indicações dos pontos de desembarque de fugitivos e com os sinais para os quais eles deveriam se atentar, para Siegfried Uhse.

7 de agosto de 1962: agentes da Stasi invadem a casa dos Sendler para prender os organizadores do túnel da Kiefholz.

17 de agosto de 1962: a foto icônica dos guardas de fronteira da Alemanha Oriental carregando o corpo de Peter Fechter, 18 anos, baleado e morto ao tentar escapar para o lado ocidental.

A vista da Schönholzer Strasse, do outro lado do Muro, a partir do apartamento alugado pela NBC. O número 7, onde o túnel da Bernauer desembocava, está no canto direito. Um lençol esticado na janela do apartamento sinalizaria aos mensageiros e fugitivos que a barra estava limpa.

14 de setembro de 1962: a mensageira Ellen Schau, filmada por Peter Dehmel, da NBC, chegando à estação do trem elevado S-Bahn para sua fatídica viagem ao lado oriental.

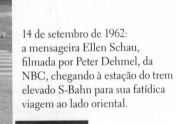

Eveline Schmidt, carregando sua bolsa, foi a primeira a sair do túnel.

Anita Moeller, a irmã de Hasso Herschel, em seu vestido de casamento Dior, rasgado após ela ter atravessado o túnel engatinhando.

O último túnel de Harry Seidel, completado em novembro de 1962, seguiu esse trajeto partindo do lado ocidental em direção a uma casa no lado oriental. A Stasi instalou explosivos entre as duas casas.

Quatro dos principais organizadores do túnel da Bernauer, quase meio século depois, em frente ao recém-reformado número 7 da Schönholzer Strasse: (a partir da esq.) Uli Pfeifer, Joachim Rudolph, Joachim Neumann e Hasso Herschel.

10
O intruso

15 a 17 DE AGOSTO DE 1962

Apesar da catástrofe quase consumada – mais próxima da captura do que do sucesso – Hasso Herschel, Uli Pfeifer e Joachim Rudolph voltaram à Bernauer Strasse ávidos para retomar o trabalho. Superando a experiência terrível, os três jovens confiavam que sua operação era muito mais segura que a situação à qual tinham sobrevivido por pouco; ignoravam o fato de que seu túnel ainda não havia avançado muito pelo Leste hostil, ou seja, tinham muitas semanas de escavação ainda pela frente. Podiam ser atingidos por outro vazamento gigantesco a qualquer momento, e, quanto à segurança, tantos escavadores e associados do Grupo Girrmann agora sabiam do projeto que era difícil não se preocupar.

Herschel, Rudolph e Pfeifer já pegavam de novo as pás para trabalhar, mas continuavam perplexos com o que havia acontecido na casa de Sendler. Rumores punham os Sendler – ou Wagner e Seidel – no centro do desastre, pois, de qualquer forma, os escavadores não tinham como saber que um delator da Stasi havia condenado o plano. Tiveram a garantia de Harry Seidel de que os Sendler apoiavam a fuga, mas então a equipe do túnel da Bernauer já havia ouvido histórias conflitantes. Uli Pfeifer disse a Joachim Neumann: "Nunca tentaremos nada assim com caras malucos como Fritz Wagner, especialmente para sair dentro de uma casa. Não sei se realmente acham que o casal permitiria a fuga ou se era uma piada de Wagner!". O episódio deixou Neumann ainda mais hesitante em levar sua namorada pelo túnel da Bernauer em algumas semanas.

Hasso Herschel, por sua vez, responsabilizou pessoalmente Seidel por não os alertar da incerteza dos Sendler. De volta ao trabalho, os escavadores montaram a sustentação do túnel com suportes de madeira, garantiram que as luzes e telefones ainda estavam em operação e fize-ram com que o sistema elétrico de cabos e roldanas voltasse a funcionar.

Piers Anderton e os irmãos Dehmel voltaram a acompanhar a operação reiniciada. Encontraram uma rocha imensa na lama ao fim do túnel, grande demais para ser removida, então os escavadores tiveram que fazer um desvio à esquerda e de volta à direita, depois pegaram emprestado os equipamentos de rastreio para garantir que ainda estavam no caminho certo. Em seguida, outro escavador descobriu as filmagens da NBC. Herschel havia suspeitado do cronograma arbitrário de turnos e, finalmente, confrontou Gigi e Mimmo, e os italianos disseram que estavam planejando mesmo contar sobre o acordo com a NBC. Anderton insistira que a NBC precisava filmar mais escavadores – ninguém acreditaria que aquela equipe pequenina havia cavado um túnel com aquele comprimento. Hasso exigiu dinheiro se fosse assumir o papel de protagonista diante da câmera. Vindo do Leste, depois de vários anos preso em um campo de trabalho, não tinha ideia de que os meios de comunicação pagariam alguma coisa por direitos de foto e filmagem, mas depois que soube, quis explorar esses direitos. Como haviam feito com Joachim Rudolph, os italianos lhe deram mil marcos de adiantamento, com a promessa de mais mil se e quando o projeto fosse concluído com sucesso. Enquanto isso, Sesta visitou Peter Schmidt de novo no Leste e garantiu-lhe, depois da catástrofe de Kiefholz, que a passagem de fuga original estava de volta à ativa. Herschel enviou a mesma mensagem à irmã. Embora as duas famílias tivessem acabado de escapar da prisão por um fio, estavam prontas para tentar de novo em algumas semanas, desesperadas para fugir. Depois de mais de um mês perdido com a inundação, a nova data limite para a saída na Rheinsberger Strasse foi definida para 1º de outubro.

ENQUANTO os protagonistas do filme recomeçaram as escavações, a NBC News enfrentava uma nova ameaça. Robert Manning, diretor de relações públicas do Departamento de Estado, perguntou a Bill McAndrew, o chefe de noticiários da emissora, se ele poderia se reunir com seu vice-diretor "para discutir a questão de Berlim que não deveria ser discutida por telefone". Sem dúvida, McAndrew imaginou sobre o que seria, pois era o executivo que assinara a aprovação sobre o túnel de Piers Anderton em junho. Também sabia que Anderton trabalhara com Pierre Salinger por vários anos no *San Francisco Chronicle* e que ainda eram amigos. Então, também havia o seguinte: Anderton e Bobby Kennedy, por uma coincidência maluca, haviam frequentado o mesmo internato católico em Portsmouth, Rhode Island, com uma diferença de poucos anos um do outro. Não era muito, mas McAndrew sabia que relacionamentos pessoais contavam nessa administração.

A reunião, que fora aprovada pela Casa Branca, aconteceu na Cidade de Nova York. O vice de Manning, James Greenfield, disse a McAndrew que o Estado persuadira a CBS a cancelar sua cobertura do túnel de Kiefholz depois de ter descoberto por meio de um "agente duplo" (sem mais detalhes) que a missão havia sido comprometida. Em seguida, o Estado soube que Anderton fora visto perto da cena da entrada do túnel, em 7 de agosto. McAndrew admitiu que Anderton estava lá, mas foi o único momento em que ele havia filmado alguma coisa relacionada ao projeto Kiefholz. Mesmo assim, estava cobrindo o fato puramente "como notícia". Na verdade, a NBC mostrou grande comedimento ao não transmitir nenhuma filmagem dramática. Podia ser, disse Greenfield, mas e o futuro? O secretário Rusk estava extremamente preocupado com o envolvimento de redes de televisão em *qualquer* túnel berlinense, temendo que isso exacerbasse as tensões entre EUA e os soviéticos.

O executivo da NBC decidiu não confessar que sua rede já havia rodado quase dois quilômetros ou três horas de filme exatamente em um túnel daqueles. Acreditava (embora não verbalizasse) que havia diferenças significativas entre os projetos da NBC e da CBS. O túnel de Kiefholz fora escavado em campo aberto, seu organizador era uma personagem desagradável, um tal de *Dicke*, supostamente nesse empreendimento para fazer um dinheiro. A segurança era terrível – o que chegou aos ouvidos do Departamento de Estado, dos alemães ocidentais e orientais e da NBC. Ao contrário do túnel da Bernauer, que era um esforço idealista e um modelo de engenharia especializada. Suas medidas de segurança haviam sido postas à prova por meses sem nenhum incidente.

McAndrew permaneceu mudo diante da oportunidade de dizer a verdade sobre o túnel da NBC. No entanto, admitiu que a NBC tinha uma fonte que alegava, ao contrário das garantias da CBS, que Schorr enviou um cinegrafista para a entrada do túnel no dia da fuga. Quando a reunião terminou, Greenfield achou que as coisas iam mal. O executivo da NBC parecia um adversário – muito diferente da atitude de Blair Clark, da CBS, colega de JFK. Por sua vez, McAndrew não tinha perdido nada e ganhou a confirmação de que o Departamento de Estado até então não tinha conhecimento do túnel da Bernauer.

ERA apenas outro turno da noite no túnel da Bernauer, agora já bem dentro da Berlim Oriental, sob a faixa da morte. Quatro jovens estavam fazendo escavação, depósito e a rotina de descarte, quando os montes de terra úmida aumentavam no canto do porão da fábrica. De repente, as luzes em uma área do túnel piscaram, e a manivela parou de trabalhar por um momento. Então, depois de uma pausa, aconteceu de novo, e ainda uma terceira vez.

Por acaso, Joachim Rudolph estava de plantão e foi até a ponta do túnel para investigar. Ele havia puxado a iluminação da caixa de fusíveis da fábrica, que ficava instalada perto da antiga porta de madeira que levava do porão até o local da obra. A porta em geral ficava fechada e "trancada" por um único tronco escorado nela. Quando Rudolph chegou, viu um braço se espremendo através do espaço estreito de um lado da porta, tentando alcançar a caixa de fusíveis.

Alarmado, Rudolph gritou na porta: que diabos estava acontecendo? "Abra essa porta, eu sei o que está acontecendo aí!", exclamou o intruso. Ele achava que estavam cavando um túnel, explicou que ele mesmo havia tentado alguns desses projetos que fracassaram, e queria desesperadamente levar a mulher e os dois filhos para fora da Berlim Oriental. Perguntou se podia se juntar a eles durante a escavação.

Era uma história maluca, mas Rudolph abriu a porta para dar uma olhada melhor no visitante, um jovem ansioso e mediano chamado (assim dizia) Claus Stürmer. Mais ou menos 30 estudantes trabalhavam em meio período no túnel, alguns não eram grandes conhecidos dos organizadores, mas sempre chegavam com um convite real e em um horário determinado. Aquela era a primeira falha real na segurança.

Stürmer observou que os escavadores pareciam ter visto um fantasma, estavam imundos e aparentemente desorganizados – o rapaz imaginou se *ele* poderia confiar *neles* –, enquanto debatiam se mandavam o jovem se mandar e esquecer sobre o túnel. Mas se fizessem isso, alguém saberia o que estavam fazendo e estaria em liberdade em Berlim, provavelmente ressentido e falando com sabe-se lá Deus quem. Seria melhor descobrir se aquele cara era quem dizia ser e tentar controlá-lo de algum jeito, ou ao menos ficar de olho nele. Rudolph instruiu que Stürmer voltasse na noite seguinte, quando os três organizadores do túnel estariam presentes. Quando Stürmer ouviu dois deles identificados como Hasso e Mimmo, ele pensou: *Quê? São nomes de cachorro.*

Ao chegar ao porão no horário combinado, Stürmer foi cercado pelos dois italianos, Wolf Schroedter, Hasso Herschel e Joachim Rudolph, que ordenou que ele se sentasse. Um deles mostrou uma pistola. Stürmer encolheu-se, sentindo um prego na cadeira cutucando sua bunda. Outro escavador, suspeitando que Stürmer fosse da Stasi, já havia contatado a LfV para começar uma verificação de segurança.

Stürmer, que dizia ter 26 anos, contou uma história e tanto: não era muito estranha em suas partes, mas difícil de engolir inteira. Açougueiro no Leste, tentara fugir no ano anterior com a esposa, Inge, e a filha de seis anos. Conseguira passar pela cerca quando os tiros foram disparados. A mulher ficou paralisada e foi capturada com a filha e enviada à prisão. Grávida à época, Inge foi liberada por misericórdia depois do nascimento do bebê, em março de 1962, e pôde ficar com a filha. Stürmer começou a cavar túneis para resgatá-las. O primeiro foi embaixo da Heidelberger Strasse, quase em paralelo ao túnel de Harry Seidel, mas desistiu depois que Heinz Jercha foi alvejado. (Quando Inge soube que um açougueiro com vinte e poucos anos havia sido morto, teve certeza de que era Claus.) Então, começou um ao longo da Bernauer Strasse, mas sua equipe de trabalho desistiu. Desesperado, começou a xeretar ao redor. E se, como aconteceu no da Heidelberger, outros estivessem escavando por perto?

Certamente, na noite anterior, ele ouvira sons emanando das regiões inferiores da fábrica de mexedores de coquetel. Quando se aproximou, viu a terra compactada nos degraus do pátio que levavam ao porão. Agora, só queria se juntar ao time e buscar sua mulher e as duas crianças, uma das quais ele nunca tinha visto. Ele até doaria seu carro, se necessário, e sairia do emprego para escavar em tempo integral. Longe de estarem convencidos, os escavadores perguntavam o tempo todo, em voz alta, se ele era da Stasi, exigindo provas de sinceridade. Um deles disse: "Você não acreditaria nessa história se fosse um de nós". Mimmo Sesta estava especialmente inquieto. Também queriam garantir que Stürmer não tinha nenhuma arma e, para descobrir, exigiram a chave de seu apartamento no distrito de Spandau. Stürmer disse-lhes com franqueza que sim, tinha uma pistola, e que podiam retirá-la de seu armário, mas Hasso e Gigi fizeram a busca e não encontraram a arma. Sobre o que mais Stürmer estava mentindo? Então, amarraram-lhe mãos e pés e o prenderam a uma cadeira. Mimmo ficou atrás dele, fazendo a mímica de empurrá-lo dentro de um buraco. Alguém gritou: "Se descobrirmos que você é da Stasi, não vai sair daqui!".

Stürmer forneceu detalhes exatos de onde a arma estava escondida no armário. Em uma segunda visita, encontraram a arma, uma pistola 9 mm que acrescentaram de bom grado ao pequeno arsenal. Mas também encontraram outra coisa – uma caixa de cartas de Inge, a suposta esposa no lado oriental, que também mencionava os dois filhos. Ao menos parte da história parecia verdadeira agora.

Ainda assim, as suspeitas sobre Stürmer continuaram, então, pouco antes da meia-noite, jogaram um cobertor sobre ele – ainda amarrado com cordas – e o arrastaram para uma Kombi. Enquanto era levado ao aeroporto de Tempelhof para encontrar os interrogadores da LfV, um dos escavadores alertou: "Se tentar fugir, vamos atirar!". Stürmer sentia-se em um filme hollywoodiano de gângsteres. Quando soube aonde estava indo, Stürmer pensou: *Uau, eles realmente têm ligações, talvez me levem de avião para fora de Berlim para que eu não os traia.* Sonhava com um voo assim, mas não nessas circunstâncias. Infelizmente, não iria a lugar nenhum além de Tempelhof. O pessoal da LfV o interrogou a noite toda. Um dos agentes da inteligência mostrou a Stürmer a caixa de cartas de seu apartamento. "Cartas de amor", explicou Stürmer. "Às vezes, duas por dia!". Não conseguiram arrancar o restante da história e, assim, naquela manhã, eles o liberaram, dizendo aos escavadores que, no fim das contas, talvez ele estivesse limpo.

Depois daquele pesadelo de experiência, Stürmer agradeceria por ainda estar vivo e procuraria outra maneira de libertar sua família? Nem pensar. Horas depois de sua liberação da LfV, apareceu de novo no túnel da Bernauer, apresentando-se para o trabalho. "Não guardo ressentimento", insistiu ele.

Os organizadores do túnel reuniram-se de novo. O que fazer? A única maneira de ficar de olho nele era oferecer o seguinte: assumir um turno de escavação todos os dias. Em troca, concederiam passagem para sua mulher e filhos, mas eles seriam os últimos refugiados a serem notificados na noite da fuga. Amigos e familiares de outros escavadores teriam de passar pelo túnel em segurança e, apenas então, Stürmer poderia entrar em contato com sua mulher. Se ela não estivesse em casa quando ele ligasse, azar. Os escavadores lembraram Stürmer que tinham armas e nenhum medo de usá-las. Ou que o aprisionariam em uma das salas do porão, parecidas com masmorras, até o final do projeto se surgissem novas informações suspeitas sobre ele. No caso de ele realmente ser da Stasi, juraram nunca lhe dizer, nem vagamente, onde ou quando planejavam sair no lado leste. Stürmer aceitou tudo isso com entusiasmo e logo pegou uma pá.

DIAS depois dessa proposta, o MfS concedeu a Medalha de Prata de Honra ao Mérito do Exército Nacional Popular a "Hardy", informante da Stasi em rápida ascensão. Siegfried Uhse também recebeu um prêmio em dinheiro de mil marcos (ou US$ 250) – o que não era pouco, considerando seu pagamento regular no MfS de cem marcos, mais ou menos duas vezes ao mês.

Tendo em vista o que Uhse havia feito com a batida policial no túnel de Kiefholz, era de se imaginar para que a Stasi reservava sua medalha de ouro. Seus supervisores escreveram um tributo de duas páginas:

Por meio de relatórios e informações do IM [informante], foi impedido um rompimento de fronteira de grande escala, organizado e contundente de uma organização terrorista de Berlim Ocidental, e as pessoas envolvidas foram presas. Bandidos armados planejavam penetrar no território estatal da RDA por meio de um túnel aberto a partir da Berlim Ocidental até a Berlim Democrática e garantir a segurança do rompimento da fronteira com armas [...] O rompimento forçado de fronteira devia ser exposto com destaque pela imprensa escrita, pelo rádio e pela televisão ocidentais [...].

O IM mostrou prontidão operacional, compromisso, fiabilidade, iniciativa autônoma/proativa e coragem. Pelo desempenho cuidadoso do IM, foi possível prender um total de 40 indivíduos, inclusive quatro membros da organização terrorista de Berlim Ocidental que participaram substancial-mente da organização e da execução das provocações na fronteira da Berlim Democrática.

O prêmio foi aprovado em uma anotação manuscrita na primeira página: *De acordo, Mielke*. O chefe dos chefes da Stasi, Erich Mielke.

A ESTA ALTURA, a Stasi havia concluído outro relatório interno sobre a batida policial em Kiefholz, relacionando até o momento 46 prisões. Seis dos prisioneiros deviam ser mantidos sob controle estrito do MfS, inclusive Wolf-Dieter Sternheimer, os Stachowitz e os Sendler. O relatório incluía uma seção incomum intitulada "Motivos para Sair Ilegalmente" da RDA com base nos interrogatórios, que trazia os seguintes resultados: 11 pessoas queriam se unir a namoradas ou namorados no Ocidente, com o mesmo número mencionando parentes ou amigos; cinco disseram que esperavam condições melhores de vida do outro lado da fronteira; dois desejavam evitar o alistamento militar; uma simplesmente desejava ir à escola no Ocidente.

Os mensageiros continuavam a passar por longos interrogatórios, dia e noite. Depois de algumas sessões, Sternheimer concluiu que uma fonte dentro do Grupo Girrmann devia ter delatado a fuga, e se assim fosse, o delator provavelmente era aquele jovem magro de jaqueta de náilon, Siegfried Uhse. Parecia estranho a Sternheimer que os interrogadores da Stasi perguntassem com frequência sobre seus camaradas mensageiros, como Hartmut Stachowitz e outros associados do Girrmann, mas nunca questionavam sobre Uhse. Também pareciam saber detalhes do apartamen-to de Sternheimer, e apenas Uhse, entre todos da equipe Girrmann, havia entrado lá. Infelizmente para o Grupo Girrmann, Sternheimer não tinha – e talvez nunca tivesse – como confirmar suas suspeitas, pois aqueles que eram encarcerados na prisão da Stasi deixavam de existir indefinidamente para o mundo exterior.

Manfred Meier certa vez acreditara que a Stasi não poderia retê-lo por muito tempo, pois, pelo que sabia, nem Britta, sua namorada, nem Sternheimer, seu colega conspirador, haviam sido presos. Então, descobriu que haviam pegado Sternheimer, e um interrogador lhe disse: "Britta Bayer manda lembranças".

O principal mensageiro de Fritz Wagner, Dieter Gengelbach, também passou por interrogatórios pesados. Desistente do oitavo ano escolar que fugira para o Ocidente em 1956, casado e empregado em açougues, foi preso oito dias depois do fiasco de Kiefholz. Apesar do perigo de um detido denunciá-lo (o que de fato aconteceu), foi imprudente e revisitou o lado oriental. Gengelbach admitiu rapidamente à Stasi: "Sou um membro de uma organização contrabandista".

Gengelbach foi direto também quando questionado sobre a gênese do túnel de Kiefholz, revelando que o famoso ciclista Harry Seidel havia descoberto o local no inverno anterior, achou o nível da água alto demais, mas voltou em junho, começando com "um minibunker cercado de arbustos" e mirando a casa de Sendler. Depois de cavar os primeiros dois terços da passagem, Harry informou ao homem da LfV, Mertens, que precisava de ajuda.

Mertens entrou em contato com outra equipe que havia terminado a escavação e as "preparações para o contrabando". Um homem chamado Hasso era responsável pelo "grupo de estudantes" que fazia a escavação final.

Quando questionado sobre outros túneis, Gengelbach revelou: "Também sei que o grupo de estudantes [liderado por Hasso] está construindo um túnel a partir de uma propriedade em algum lugar na Bernauer Strasse. Esse túnel supostamente teria 150 metros de comprimento, sete metros de profundidade, e o trabalho é difícil devido ao solo de argila dura. Também ouvi dizer que perto desse túnel há uma tubulação de água rompida no território da Berlim Oriental". Esta foi no mínimo a terceira dica que a Stasi recebera naquele mês sobre o túnel da NBC.

Friedrich Sendler também enfrentou repetidos interrogatórios e com o tempo mudou sua história. Primeiro admitiu conversar sobre um possível túnel com um visitante em fevereiro (mais ou menos à época em que Harry Seidel considerou por um momento abrir um túnel na área). Um supervisor da empresa de eletricidade observou que a casa dos Sendler estava situada próximo à fronteira, local perfeito para a abertura de um túnel. Ele sonhava em reencontrar a mãe na Berlim Ocidental – talvez isso pudesse ser arranjado com a ajuda de Sendler? Sendler comentou que ouviu suas observações meramente como "uma ideia aleatória".

Então, um dos Sendler, ou os dois, admitiram telefonemas misteriosos ou visitantes à sua casa nos dias anteriores da batida policial de Kiefholz. Ao que parecia, em 4 de agosto, três dias antes da tentativa de fuga, um certo Gengelbach telefonou para Friedrich Sendler para descobrir se ele estava contratando ajudantes para sua oficina. Supostamente, nada aconteceu aí. (Que coincidência: o mensageiro de Fritz Wagner telefonando sobre um trabalho inexistente.) Então, na noite da fuga, um estranho apareceu na porta de Sendler perguntando sobre um trabalho de carpintaria, mas apenas a mãe do *Herr* Sendler estava na casa. Esse homem, ou outro – talvez tentando desesperadamente confirmar se os Sendler participariam da fuga – chegou até a ligar no dia seguinte, com os refugiados prestes a partir para a obra, e perguntar se o "trabalho" inexistente ainda estava disponível.

Os Sendler negaram repetidamente o incentivo a ajudantes para a fuga, mas a Stasi ainda não estava engolindo aquela história. Um relatório do MfS concluiu que, quando Edith Sendler saiu de casa, em 7 de agosto, depois de notar a perfuração em sua sala de estar, ela e o marido "quiseram abandonar sua propriedade".

Quando a Stasi, na frente de sua casa, deixou claro que não permitiria, *Frau* Sendler "não conseguiu evitar" e revelou o que estava acontecendo sob seu assoalho.

O DIA 17 DE AGOSTO amanheceu cinza e chuvoso em Berlim. Peter Fechter e Helmut Kulbeik, jovens pedreiros, trabalharam duro grande parte da manhã no antigo Palácio do Imperador Guilherme, então encontraram dois camaradas operários para uma caneca de cerveja em um bar perto da zona restrita. Saindo para voltar ao trabalho sob o céu opaco da tarde, perceberam que era uma oportunidade de ouro para se separar do grupo e escapar. Talvez tivessem ficado emocionalmente envolvidos com os protestos que se alastravam por quatro dias desde o aniversário do Muro. Peter ainda estava chateado, pois a RDA negara seu pedido de visita à irmã no Ocidente.

Dizendo aos colegas que precisavam comprar um maço de cigarros, os dois jovens pegaram algo rápido para comer e seguiram para a fábrica que haviam explorado vários dias antes. Situada diretamente na faixa fronteiriça da Schützen Strasse, dois quarteirões ao sul do Checkpoint Charlie, estava à distância de uma corrida do Muro. Usando as roupas azuis de operários, uma espécie de disfarce, entraram no prédio pela rua e caminharam em silêncio, encontrando janelas muradas na parte dos fundos do primeiro andar. Exceto uma. Uma pequena abertura, cruzada com arame farpado, deixava entrar um pouco de luz. Perto do chão havia uma pilha enorme de aparas de madeira, onde decidiram se esconder e, assim esperavam, cochilar até aquela noite, quando a escuridão invasora daria um tanto de cobertura. O calor de agosto e, sem dúvida, a ansiedade não deixaram que dormissem. Mais de uma hora passou em silêncio.

Pouco antes das 14h, os dois ouviram vozes na fábrica. Alguém poderia tê-los visto entrando no prédio. Com medo de serem descobertos, assim que as vozes diminuíram, decidiram correr até o Muro, a cerca de 10 metros de distância, em plena luz do dia.

Arrancaram os pregos e grampos ao redor da janela e empurraram o arame farpado para baixo. Peter, alguns centímetros mais baixo que o amigo, espremeu-se pela janela assim que Kulbeik percebeu um carpinteiro entrando na sala. O operário os viu, mas, surpreso, não disse palavra e em seguida saiu, talvez para informar os outros. Kulbeik seguiu Fechter através da janela, caindo o mais perto possível da lateral do prédio para ficar no ponto cego dos guardas da RDA, a poucas dezenas de metros à direita. Em seguida, pularam dois obstáculos de arame farpado e, com Peter alguns passos à frente, partiram em disparada pela estreita faixa da morte até o Muro, apenas a pouco menos de cinco metros de distância.

Sem o alerta exigido pelas normas da RDA, ressoaram os tiros de dois fuzis Kalashnikov automáticos. Kulbeik pulou, ultrapassando Fechter, e conseguiu escalar o Muro de três metros e sessenta e cinco, em seguida abriu caminho pelo fio de arame nas forquilhas de metal em forma de Y do topo. Estava pronto para saltar com apenas alguns arranhões no peito quando viu Peter ainda parado, imóvel, aos pés do Muro, provavelmente assustado demais pelas rajadas dos fuzis para se mover.

"Rápido, vamos, pule!", Helmut gritou para Peter e pulou para o lado ocidental do Muro. Fechter pode ter pensado em escalar o Muro, mas, naquele impasse, sentiu que talvez fosse inútil. Sua única opção: arranjar cobertura atrás de um dos suportes de concreto que saíam do Muro a cada poucos metros enquanto decidia se tentaria escalar a barreira ou, talvez, se render. Mas os suportes, com poucos centímetros de largura, protegeram-no apenas dos tiros que vinham da direita. Nesse momento, o fogo pesado começou a vir da direção oposta também. (Alguns tiros atingiram o prédio à direita do Checkpoint Charlie, no lado ocidental, segundo o registro do oficial de plantão norte-americano, às 14h12.) Erich Schreiber e Rolf Friedrich, guardas de fronteira da Berlim Oriental, ambos recentemente alistados no serviço e com pouco treinamento, dispararam duas dúzias de tiros no indefeso Fechter a partir de sua estação. Uma bala de aço de 7,62 mm atingiu a pélvis de Peter e saiu do outro lado do corpo. Fechter caiu, sangrando muito e gritando de dor, a 45 centímetros do Muro.

Observando tudo isso estava Renate Haase, 17 anos, que esperava o namorado na frente de um escritório próximo.

Tendo concluído recentemente um curso na Cruz Vermelha, sentiu-se obrigada a ajudar, mas quando tentou correr até o jovem ferido, um guarda de fronteira a empurrou para trás, gritando: "Você não pode ir até lá! Vão atirar!".

Ela gritou para os guardas: "Seus porcos! Criminosos!" e exigiu que alguém tirasse fotos dos atiradores. Espectadores próximos puxaram-na para trás.

Enquanto isso, do outro lado do Muro, Kulbeik, zonzo, correu na direção do quartel-general do barão da imprensa, Axel Springer. Avistou dois soldados do Exército norte-americano e chamou por eles. Os soldados o levaram até um jipe e saíram com ele. Em seguida chegou um carro de patrulha da polícia da Berlim Ocidental. Aglomerados de pessoas haviam se reunido ali, em uma ampla faixa a céu aberto, de onde claramente conseguiam ouvir os gritos de Fechter de *"Helft mir doch, helft mir doch!"* (Me ajudem, me ajudem!). Um policial subiu no Muro e enfiou a cabeça pelo arame farpado, mas a polícia da Berlim Ocidental tinha instruções de não cruzar a linha demarcatória em nenhuma circunstância. Ele viu o jovem caído de costas do outro lado do Muro. Outro policial tentou falar com Fechter e jogou ataduras sobre o Muro, mas a vítima, fraca demais para alcançá-las, encolheu-se de lado em posição fetal.

Às 14h17, um jovem tenente norte-americano no Checkpoint Charlie discou para o general-de-divisão Albert Watson, comandante da guarnição norte-americana de Berlim, e pediu instruções. Watson disse: "Aguente firme. Estou enviando uma patrulha, mas fique do nosso lado!". Quando seis policiais militares chegaram à cena, uma multidão de aproximadamente 250 berlinenses ocidentais estava gritando para o Leste: "Criminosos! Assassinos!". Ultrapassando a hierarquia normal de comando, o general Watson ligou para seu comandante-em-chefe diretamente na Casa Branca, pedindo ordens a Kennedy sobre o que fazer. JFK estava visitando o Colorado, mas seu adido militar superior, general Chester V. Clifton, transmitiu a situação para ele. "Sr. presidente", disse ele, "um fugitivo está sangrando e morrerá no Muro de Berlim."

Às 14h40, meia hora depois dos primeiros tiros, um intérprete alemão das forças militares norte-americanas relatou que um jovem estava "ferido e recostado contra o Muro no lado oriental. Ele consegue se comunicar com o pessoal do lado ocidental do Muro".

Os norte-americanos ficaram de olho para registrar qualquer movimento das tropas orientais na direção da cena do tiroteio. A polícia da Berlim Ocidental solicitou uma ambulância norte-americana.

Uma das pessoas que ouviu os gritos de Fechter foi Margit Hosseini, uma aprendiz de livreira que estava visitando amigos perto do Muro, no lado oriental. Eles ouviram algo acontecendo no Muro e saíram para olhar de uma janela no quarto andar. Ela observou um corpo de homem caído, em forma de S, e ouviu a vítima gritar ou pedir ajuda antes de sua voz ficar cada vez mais fraca e parar, o que a deixou se sentindo inútil, traumatizada.

Um jovem fotógrafo jornalístico da Berlim Ocidental, Wolfgang Bera, também ouviu os tiros e correu para a cena. No início, pensou que não havia nada para se ver, mas então percebeu uma senhora em uma janela de um prédio na frente do Muro. Ela apontou para o Muro perto dele e em seguida fechou a cortina. Ele entendeu imediatamente. Bera encontrou uma escada, subiu no Muro e viu o jovem sangrando bem abaixo dele. Enfiando a pequena Leica pelo arame farpado, fotografou Fechter de lado, o braço direito estendido e a mão aberta. O sangue estava pingando na palma da mão, enchendo-a. Bera desceu e, percebendo que a paralisia da polícia dos dois lados era um sinal de que apenas os norte-americanos estavam em condições de assumir o controle, correu até o Checkpoint Charlie e pediu ajuda. Os soldados pareciam indiferentes. Um deles disse: "Não é problema nosso". Essas quatro palavras logo se tornariam infames.

Na vizinhança também estava o jornalista *freelancer* Herbert Ernst, que em geral procurava eventos interessantes para filmar na Berlim Ocidental, dirigindo com frequência seu Fusca por centenas de quilômetros ao longo das fronteiras de setor. Quando ouviu os tiros, tinha acabado de parar para comprar novas lentes em uma loja na Friedrich Strasse. Logo estava entre a multidão de berlinenses ocidentais que se reuniam, com soldados correndo para lá e para cá, enquanto um helicóptero norte-americano circulava no céu. Subiu em uma das plataformas de observação espalhadas ao longo do Muro no Ocidente e logo começou a filmar tudo, embora não soubesse ainda o que estava acontecendo. Enquanto a notícia se espalhava, chegaram mais repórteres e fotógrafos de jornal. Os guardas da Alemanha Oriental reagiram lançando bombas de gás lacrimogêneo na direção deles, tentando tolher a cobertura danosa da imprensa. Também dispararam gás lacrimogêneo próximo a Fechter, talvez para esconder o corpo das câmeras e dos curiosos ou possibilitar que o removessem sob a cobertura de fumaça.

Voltando ao Muro, Bera encaixou uma teleobjetiva em sua Leica, subiu em um pedestal baixo preso ao chão e, erguendo a câmera sobre a cabeça, capturou o que se tornaria uma das fotografias icônicas do período da Guerra Fria: quatro guardas de fronteira da Alemanha Oriental finalmente carregando o corpo inerte de Fechter, 50 minutos depois de ter sido alvejado. Outra imagem surpreendente: um daqueles guardas carregando Fechter nos braços na direção de uma viatura policial para transportá-lo a um hospital.

Subindo em uma pequena plataforma, Ernst gravou os mesmos momentos em filme. Sua câmera registrou um VoPo erguendo Fechter, segurando-o por baixo dos braços, e outro pegando-o pelos pés – *como um saco molhado,* assim pareceu a Ernst – enquanto se apressavam pela Charlotten Strasse (essa sequência, que dura apenas 44 segundos, é a primeira gravação do corpo de um fugitivo sendo removido do Muro.) Enquanto o levavam, passaram por Renate Haase e seu namorado, que xingaram os VoPos em voz alta. O jovem casal, que planejava anunciar seu noivado no dia seguinte, foi preso imediatamente e levado para uma delegacia próxima.

O general Watson ligou de novo para os oficiais da Casa Branca – que não haviam enviado nenhuma ordem – e informou: "A questão resolveu-se sozinha".

NO FIM da tarde, centenas de berlinenses ocidentais furiosos haviam se reunido perto do Checkpoint Charlie. Às 17h, a Primeira Brigada de Fronteira na Berlim Oriental foi informada de que "o ferido havia falecido". Quase duas horas depois, dois jovens da Berlim Oriental segurando uma pequena placa apareceram em uma janela no quarto andar de um edifício próximo ao Checkpoint Charlie. Um intérprete norte-americano do outro lado do Muro conseguiu sinalizar para que usassem uma placa maior, o que fizeram; nela se lia: *Ele está morto.*

Quando a noite caiu, no Ocidente os manifestantes já eram milhares, muitos gritavam "Assassinos!" sobre o Muro para os três guardas orientais, que encaravam, impassíveis, pistolas automáticas a postos. Outros VoPos lançavam granadas de gás lacrimogêneo sobre o Muro, a polícia do Ocidente retaliava com suas bombas.

Então, o tumulto começou. A multidão começou a arremessar pedras, garrafas e pedaços de barras de ferro nos guardas de fronteira da Alemanha Oriental, os VoPos reagiram com bombas de fumaça e gás lacrimogêneo. Autoridades da Berlim Ocidental enviaram a polícia para dispersar a multidão, mas esta se voltou contra elas. Quando a polícia militar aliada chegou em jipes, a multidão, inflamada porque os norte-americanos não tentaram ajudar Fechter, gritaram: "Ianques covardes! Traidores! Ianques voltem para casa!". Nesse turbilhão, um ônibus que levava sentinelas soviéticas para vigiar seu memorial de guerra no setor britânico tentou fazer seu caminho normal, e a multidão jogou pedras e quebrou as janelas do veículo; era possível ver soldados russos encolhidos lá dentro, protegendo o rosto com os braços, mas o ônibus não diminuiu a velocidade. Quando voltou, precisou de uma escolta da polícia militar britânica para conduzi-los ao lado Leste.

A essa altura, as imagens dramáticas de Wolfgang Bera já estavam sendo preparadas para publicação no *Bild Zeitung*, enquanto a gravação de Herbert Ernst foi comprada por uma das principais emissoras de TV da Alemanha Ocidental por 100 marcos (mais duas garrafas de uísque de uma agência de fotos que adquiriu fotogramas do filme).

Na Berlim Oriental, um jovem fotógrafo chamado Dieter Breitenborn, que trabalhava na revista *Neue Zeit*, na Zimmer Strasse, estava prestes a revelar suas imagens. Havia capturado outra perspectiva da tragédia daquela tarde de uma janela em seu escritório bem acima do Muro: o corpo de um garoto na base do Muro, os helicópteros circulando, as bombas de fumaça, em seguida a remoção atrasada da vítima sem vida (capturada em uma sequência de imagens perturbadoras). Quando Breitenborn começou seu trabalho na câmara escura, ouviu baterem à porta. Um colega, suspeito de ser informante da Stasi havia tempo, exigiu: "Me dê o filme!". Breitenborn sentiu-se incapaz de resistir.

Mais tarde naquela noite, outros agentes da Stasi chegaram ao apartamento da família Fechter, em Weissensee.

Exigiram saber onde estava Peter Fechter e revistaram o apartamento inteiro em busca de armas ou de literatura política suspeita, mas saíram de mãos vazias. Por fim, insinuaram aos Fechter, mas se recusaram a declarar diretamente, que o irmão e filho talvez tivesse sido alvejado no Muro naquela tarde.

11
O mártir

O assassinato de Peter Fechter atingiu os alemães ocidentais como uma punhalada no coração. A primeira página do maior jornal do país, o *Bild Zeitung*, trazia uma versão enorme da fotografia de Wolfgang Bera, retratando quatro guardas arrastando Fechter, enquanto a manchete declarava: "VoPos deixam rapaz de 18 anos sangrar até a morte, enquanto os norte-americanos assistem". O jornal *Morgenpost* publicou a mesma foto com as súplicas de Fechter em letras garrafais, *"Helft mir doch, helft mir doch!" [Me ajudem, me ajudem!].*

A história também se espalhou até reinos distantes. O *Guardian*, em Londres, observou que a polícia havia carregado Fechter "como um saco de batatas". O *New York Times* publicou em sua primeira página outra foto de Bera – dois guardas carregando a vítima sem vida e sem nome para um carro – sob a seguinte manchete: "Comunistas alemães atiram em jovem fugitivo e deixam-no morrer no Muro". Por outro lado, o *Neues Deutschland*, da Alemanha Oriental, relatou que dois "criminosos fugitivos", apoiados pelas forças policiais de Berlim Ocidental, haviam tentado escapar. Como não reagiram aos "repetidos pedidos e alertas" (uma alegação falsa), a patrulha de fronteira foi forçada a recorrer ao "uso de armas de fogo". Uma autópsia oficial na manhã seguinte, não divulgada publicamente, revelou que apenas uma bala das quase três dezenas disparadas atravessara o quadril de Fechter. Teriam alguns dos guardas da Alemanha Oriental tentado errar o alvo?

Manifestações violentas irromperam perto do local do assassinato, na frente do complexo militar norte-americano e no Checkpoint Charlie, onde os manifestantes seguravam uma faixa direcionada aos Estados Unidos na qual se lia: *Poder Protetor = Ajudante de Assassino.*

O ônibus diário que transportava soldados soviéticos até o memorial da guerra no lado ocidental foi apedrejado novamente e uma janela se quebrou. Oficiais norte-americanos em Berlim admitiram que a "indignação" nas ruas era compreensível e prometeram buscar maneiras de reagir à brutalidade no Muro. Um oficial militar dos EUA disse a Arthur Day, chefe de assuntos políticos na Missão Berlim: "Isso terá repercussões sérias".

Uma grande cruz de madeira e uma coroa de flores foram colocadas no trecho ocidental, a poucos metros de onde Fechter caiu, e, do outro lado do Muro, a polícia da Alemanha Oriental monitorava de forma obsessiva esse memorial. Às 8h40 daquela manhã, contaram 15 pessoas deixando flores ali; às 10h25, outras 100. Ao meio-dia, mais de 500 manifestantes haviam se reunido. A irmã de Fechter, Liselotte, chegou com o marido para depositar outra coroa de flores. Um guarda de fronteira da RDA que espreitava sobre o Muro anotou a seguinte inscrição: *Em memória silenciosa, sua irmã, Lilo, seu cunhado, Horst. Você quis liberdade e teve de morrer.*

Naquele mesmo dia, por mais improvável que fosse, uma adolescente rastejou sob fogo pesado por baixo do arame farpado no distrito de Spandau, mas escapou para o Ocidente; mesmo sem ferimentos, entrou em choque e foi hospitalizada.

Os jovens que escavavam a partir da Bernauer Strasse embaixo da faixa da morte também ficaram furiosos com a morte de Fechter, que havia ocorrido a pouco menos de cinco quilômetros ao sul. Fechter, como muitos no ano anterior, estava determinado a escapar da RDA, embora sua tentativa tivesse sido especialmente arriscada e falha. Alguns dos escavadores que haviam conseguido uma arma letal disseram que seria mais provável usá-la agora, se necessário, em uma ação de fuga; outros confessaram que queriam sair naquele momento mesmo e matar um VoPo a tiros como vingança. Um dos organizadores do túnel recortou fotos de Fechter dos jornais, sangrando no Muro ou sendo carregado morto, e as pregou no local de escavação para servir de inspiração. Joachim Neumann refletiu sobre o fato: *Assim é o regime da Alemanha Oriental – não apenas se alveja um garoto, mas também se recusa a ajudá-lo.*

Quando os músculos ou o moral arrefeciam, imagens de Fechter – o herói, o mártir – fortaleciam o espírito.

O relatório oficial da RDA sobre o fuzilamento de Fechter rapidamente concluiu que as ações dos guardas foram "corretas, efetivas e determinadas. O uso de armas foi justificado". Dois dos atiradores e dois oficiais na cena receberam condecorações. Daniel Schorr, enviado da CBS para cobrir uma história efervescente no Chipre (e talvez para tirá-lo da linha de fogo do Departamento de Estado), ficou furioso por estar tão longe do drama mais recente e solicitou um rápido retorno.

HARTMUT e Gerda Stachowitz ainda não sabiam do paradeiro um do outro, nem de seu filho pequeno, Jörg, tirado deles depois que foram pegos na batida policial de Kiefholz. Gerda permaneceu na prisão feminina da Barnim Strasse (onde a ativista marxista Rosa Luxemburgo havia morado) sem data de julgamento prevista. Hartmut, na temida prisão de Hohenschönhausen, preparava-se para o que ele sabia ser um julgamento público midiático, no fim de agosto. Os dois eram interrogados com violência, dia e noite. O veterinário Hartmut foi acusado de desperdiçar a sofisticada educação que o Estado comunista lhe dera.

Diferente de muitos outros presos, se recusava a fornecer à Stasi novos nomes ou detalhes sobre a operação clandestina, frequentemente respondendo às perguntas com "Eu não sei". (O encarregado-chefe de Siegfried Uhse, Sr. Lehmann, foi responsável por alguns dos interrogatórios.) Ele se fazia de tonto quando pediam para que identificasse Sternheimer, embora tivesse dado o nome de Joan Glenn, sabendo que ela estava em segurança no Ocidente. Quando falava sobre como conheceu Uhse, simplesmente o chamava de "o homem de jaqueta de náilon", acrescentando que parecia estar em boa conta com o Grupo Girrmann.

Sempre que Gerda perguntava do filho, um interrogador da Stasi a repreendia: "Você não está em condições de criar um filho em uma sociedade socialista" ou "Talvez você o veja de novo se nos contar tudo que sabe". Hartmut arrependeu-se por nunca ter tido uma conversa com a mulher sobre o que dizer nessas circunstâncias, pelas quais nenhum dos dois jamais sonharia passar.

Os dois aprenderam logo que, embora fosse inteligente revelar ao menos alguns detalhes verdadeiros quando interrogados, era imperativo não dizer nada entre a população carcerária geral. A Stasi, da mesma forma que no mundo lá fora, tinha um sistema de delatores ali dentro, e se a pessoa reclamasse sobre o tratamento ou as condições na prisão, provavelmente ganharia outra acusação além das que já enfrentava – *Staatshetze*, ou perturbação da ordem.

Uma mudança nos acontecimentos talvez os tenha confortado. Gerda viu Jörg pela última vez adormecido sobre uma mesa, com as fraldas encharcadas, em uma sala de interrogatório na noite de sua prisão. No dia seguinte, sem que ela soubesse de nada, ele fora entregue a uma família de Berlim Oriental, que prontamente o inscreveu em uma creche. Mais tarde, naquela semana, uma funcionária de lá reconheceu o sobrenome: o nome de casada da filha de uma mulher que ela conhecera era Stachowitz. No fim das contas, essa mulher era a avó de Jörg, que não via o menino desde que Gerda saíra com o marido para aquele "café com amigos", em 7 de agosto. Então, a funcionária entregou o garoto à avó, um reencontro emocionante se esquecermos que seus pais estavam encarcerados em uma prisão da polícia estatal por tempo indeterminado.

MANFRED Meier, também preso em Hohenschönhausen, continuou a ser interrogado pela Stasi, às vezes por horas a fio, pois queriam muito que ele admitisse que os comandos da Alemanha Ocidental haviam planejado o tiroteio na Kiefholz Strasse no dia da fuga. Ele dizia não saber nada daquilo. No entanto, estava prestes a se tornar uma estrela da televisão. Um dia, um agente da Stasi informou para ele: "Trago boas notícias! Você está aqui por engano e terá uma chance de se defender!". A Stasi planejou colocá-lo na TV estatal, onde poderia "contar toda a história", mas ela não deixava nada ao acaso.

Em 20 de agosto, um dia antes da transmissão, um funcionário da Stasi no Departamento de Agitação/Propaganda, um nome maravilhoso, compôs um cenário detalhado – na verdade, um roteiro parcial – para o espetáculo. "O objetivo do programa de TV deve ser provar" que, em 7 de agosto, uma "provocação de fronteira violenta" foi impedida somente pela "intervenção dos órgãos de segurança da RDA", exigia o roteiro.

O programa abriria com um comentarista da Alemanha Oriental declarando que o Grupo Girrmann estava por trás daquele túnel e usou táticas "armadas e terroristas", que inevitavelmente preferiam. O âncora do programa deveria mostrar mapas e fotos da cena do crime. Então, Meier, um dos "organizadores" do túnel, seria entrevistado sobre as reuniões com Sternheimer para discutir a operação e seu "reconhecimento" da propriedade de Sendler. Meier não seria questionado sobre armas, pois provavelmente negaria, a última coisa que a Stasi queria que acontecesse.

O roteiro continuava com o que Edith Sendler deveria dizer para explicar o que houve no dia da fuga. Deveria expressar "indignação" sobre a invasão de sua casa, e depois o comentarista exibiria fotos do buraco aberto no assoalho da sala de estar e saudaria os agentes da Stasi por impedir os invasores, sem mencionar que em seguida deixaram todos escapar. Depois disso, no roteiro, dois alemães ocidentais que supostamente haviam trabalhado com o Grupo Girrmann deveriam atestar a compra de metralhadoras norte-americanas e o possível uso de explosivos.

Na manhã seguinte, Meier recebeu de volta as roupas civis. Três agentes da Stasi o vendaram e marcharam com ele até uma limusine com janelas escurecidas para o trajeto até a emissora de TV. (Antes de cobrir os olhos de Meier, um dos homens da Stasi ergueu o casaco e exibiu uma pistola, dizendo: "Nem pense em ter nenhuma ideia estúpida".) Quando chegaram ao estúdio, Meier recusou uma xícara de café, temendo que pudesse ser drogado ou envenenado. "Pode tomar o café", um agente tranquilizou-o. "Apenas grãos cubanos verdadeiros!".

Então, foi entrevistado pelo chefe de imprensa da RDA e também famoso propagandista de rádio, Karl-Eduard von Schnitzler. Era uma gravação a ser transmitida naquele dia, mais tarde, pois a Stasi nunca se permitiria a incerteza de uma transmissão ao vivo. Meier admitiu que participara do auxílio aos refugiados (não poderia fazer o contrário), mas aquilo não foi suficiente. O âncora do programa tentou o tempo todo fazer Meier admitir que os homens que ajudaram na fuga estavam fortemente armados em 7 agosto e haviam planejado provocar um banho de sangue.

Ele negou, dizendo que nunca faria parte de uma ação violenta e que não tinha visto nenhuma arma naquele dia. Quando a entrevista terminou, Meier refletiu que, como a sessão era gravada, sem dúvida seria editada para torcer as respostas, o que realmente aconteceu.

Seu temor por um banho de sangue foi editado para sugerir que o medo existia porque ele sabia dos planos sangrentos dos "ultras" e "gângsteres" da Alemanha Ocidental. No dia seguinte, o jornal de Berlim Oriental *Neues Deutschland* cobriu a entrevista com uma grande foto de Meier ("membro do Grupo Girrmann, notório grupo terrorista"), usando óculos de aros pretos, no estúdio. A manchete declarava: "Agitadores em Bonn e nos EUA preparavam ações sangrentas e assassinato".

AS REVOLTAS em Berlim Ocidental pelo escândalo Fechter (contra os soviéticos, os norte-americanos, a polícia de Berlim Ocidental, talvez contra a condição humana como um todo) continuaram sem sinal de que iam terminar logo. Outro ônibus soviético foi atacado e mais janelas quebradas, uma multidão com vários milhares de pessoas, na maioria jovens, rompeu os cordões de isolamento, jogou pedras sobre o Muro e tentou atear fogo em dois carros. Alguns erguiam cartazes sobre o Muro para os guardas verem, alertando os *assassinos* de que o *Dia do Acerto de Contas* estava chegando. Ao menos, a perspectiva antissoviética não desagradava a Missão norte-americana. Seu chefe político, Arthur Day, explicou em um memorando a um superior que "nós, da Missão, e o general Watson" concordavam que "deveríamos manter a iniciativa com os soviéticos", que resultou do incidente com Fechter. No entanto, o comandante soviético em Berlim já havia rejeitado a nota oficial dos EUA que repudiava a morte e exigia moderação no futuro.

Mais problemáticas para o Departamento de Estado eram as insinuações antiamericanas dos protestos. O comentário do soldado norte-americano na cena do assassinato de Fechter, em geral relatado como "Não é problema nosso", havia provocado amplo ressentimento. "Não quero exagerar quanto a esse sentimento", escreveu Day, "mas ele existe e é difícil dizer no momento se vai desaparecer ou aumentar."

Essa desconfiança levou um irritado Dean Rusk a enviar um telegrama para a Missão Berlim, ordenando que eles não "se abstivessem do uso das forças norte-americanas se houvesse necessidade de manter a lei e a ordem... caso a polícia da Alemanha Ocidental se mostrasse inadequada".

Os berlinenses ocidentais não podiam abraçar os dois mundos: "Não podem ter nossa proteção com base nos direitos de ocupação e, por outro lado, ignorar nossas diretrizes". O que ele temia era um movimento soviético em Berlim Ocidental para sufocar a desordem civil. A polícia da Berlim Ocidental, talvez em resposta ao alerta de Rusk, por fim usou cassetetes e apontou canhões de água para as multidões até o líquido terminar. Os manifestantes lançavam pedras e bombas de potência pequena na polícia, entoando *Mauer muss weg* ("O Muro precisa sumir"). Sete policiais e 12 civis ficaram feridos no que a Associated Press chamou de a pior noite dos protestos desde que o Muro foi erguido. Daniel Schorr, de volta a Berlim, relatou: "O corpo de Peter Fechter tornou-se um símbolo do conflito entre Oriente e Ocidente, como o corpo de John Brown simbolizou o conflito entre Norte e Sul", antes da Guerra Civil nos Estados Unidos.

Em 20 de agosto, o general Clifton, adido militar de Kennedy, enviou um memorando bastante coloquial aos oficiais diplomáticos e militares: "O presidente queria saber dos fatos sobre o homem que foi morto e deixado lá, caído. Que regras foram seguidas para que a gente não tocasse no cara?". O presidente, acrescentou ele, "gostaria de saber o que está rolando". O prefeito Willy Brandt propôs que os Aliados tivessem sempre uma ambulância de plantão perto do Checkpoint Charlie e exigiu a entrada no lado Leste para tratar qualquer um que fosse alvejado no Muro. Quando a ambulância recebeu a permissão dos Aliados, Charles Hulick, na Missão Berlim, enviou um telegrama a Rusk, informando que os comandantes esperavam que talvez isso fizesse com que os alemães orientais agissem para resolver eles mesmos os problemas.

A ESCAVAÇÃO apoiada pela NBC, em sua segunda semana desde que o trabalho recomeçara, corria bem. Claus Stürmer havia aumentado seus esforços ao assumir turnos duplos, muitas noites dormindo na obra em um sofá surrado. Stürmer sentia-se mais bem adequado para aquele trabalho que seus camaradas; estava acostumado ao trabalho braçal, diferentemente da maioria dos estudantes.

Também esperava que sua presença contínua aliviasse as suspeitas sobre suas relações com a Stasi. (Stürmer continuava surpreso por ele ter encontrado aquele túnel, enquanto a Stasi, apesar de todos os informantes e recursos, aparentemente não conseguir.) A maioria dos outros trabalhadores ainda se recusava a falar com ele, e sentia que talvez alguns ficariam felizes se ele sofresse um acidente de trabalho. O silêncio era mais difícil de suportar do que a carga física diária. Também era assombrado por um novo temor: mesmo depois de todo o seu trabalho, *"E se não avisassem minha mulher sobre a fuga?"*.

Os trabalhadores ficaram apavorados quando Wolf Schroedter, que havia um tempo sofria com dores internas misteriosas, quase desmaiou um dia e foi levado às pressas ao hospital. O diagnóstico: pedras nos rins. Ele se recuperaria logo com o feliz auxílio da cerveja para ajudar a dissolver as pedras, mas qualquer esforço exagerado (ou seja, cavar a argila) estava fora de cogitação no momento. No entanto, algumas dezenas de colegas estavam prontas para assumir o posto.

Aquele tempo de licença permitiu que Schroedter ponderasse algo que o incomodava já havia um tempo: o acordo com a NBC. Não lhe parecia mais correto por parte do grupo principal que mantivesse as filmagens em segredo das dezenas de outras pessoas envolvidas. Ao trazer para a obra os funcionários da NBC, os organizadores aumentaram o número de pessoas que sabiam sobre o túnel, pondo em risco todos os escavadores. Então, havia a questão do dinheiro da rede de televisão, cuja parte Schroedter havia embolsado também. Claro que a maior parte dele estava sendo despendida com equipamentos e suprimentos do dia a dia, mas os criadores do túnel acabariam lucrando um pouco com a empresa depois que dividissem os 5 mil marcos extras da NBC na conclusão, além da venda de fotos. Não parecia correto, embora pudesse ser (e foi) facilmente justificado: eles haviam trabalhado duro por mais tempo e, portanto, assumiram riscos maiores do que qualquer outro escavador, sem mencionar o sacrifício de seus estudos universitários.

Ainda assim, o acordo doía em Wolf quase tanto quanto as pedras nos rins. As pedras passariam, mas não o sentimento de culpa crescente…

EXCETO pelos próprios escavadores, ninguém estava mais feliz com o avanço rápido que Piers Anderton. A NBC esperava que o projeto já estivesse concluído naquele momento, mas ao menos havia recomeçado, o que também servia para recuperar sua reputação. Depois que seu advogado ameaçou com um processo de calúnia, a *Variety* tomou a decisão rara de publicar uma retratação parcial de sua matéria de capa de abril sobre o discurso de

Anderton para o clube de senhoras, na Alemanha. O novo artigo, sob o título brando "Esclarecendo o discurso de Piers Anderton", reconheceu que o correspondente não havia acusado a NBC de "amordaçá-lo". E sua observação de que a NBC queria pôr um "muro" ao redor dele foi "divertida" e "mal interpretada". Outro erro: ele estava "em situação difícil" com seus chefes à época.

E as correções continuaram. Anderton não havia dito que o público norte-americano não se importava com Berlim. Na verdade, dissera que os norte-americanos pareciam mais interessados em Berlim que qualquer outro, inclusive que os alemães ocidentais. E Anderton nunca sugerira que os Estados Unidos não permaneceriam firmes na defesa de Berlim. De fato, havia divulgado o que o presidente Kennedy lhe disse, que os Estados Unidos iniciariam uma guerra nuclear por Berlim, se necessário fosse.

Anderton acreditava que a reportagem original havia sido orquestrada por um funcionário do Departamento de Estado, em uma tentativa de fazer com que a NBC o demitisse ou transferisse. Por ora, ao menos, seu cargo permanecia a salvo. Confiante no túnel e em sua capacidade de cobri-lo, Anderton quis compartilhar o otimismo renovado com Reuven Frank. Seu único encontro até então havia sido em Londres, para onde Anderton e seu diretor executivo, Gary Stindt, foram depois da grande inundação para discutir novos temores sobre o projeto. Lá, no meio de um jantar longo e abundante no Savoy Grill, Frank decidiu levar o plano adiante.

Agora, Anderton alertou seu chefe de que era necessária outra reunião exótica fora da cidade, e dessa vez o trio se reuniria no famoso restaurante Maxim's, em Paris, o mais longe possível do confinamento úmido do túnel, onde rapidamente os sanduíches estragavam (não havia refrigerador).

Anderton revelou que já enxergavam o término do túnel, e eles conversaram sobre como ficaria o filme no final. Nenhuma das gravações até o momento havia saído de Berlim, então Frank estava às cegas. Eles imaginaram que o especial da NBC exploraria todos os métodos de fuga experimentados durante o ano, desde esgotos até os primeiros túneis. Anderton tinha filmagens que cobriam tudo isso. O túnel da Bernauer Strasse seria o elemento principal e o clímax, mas, até ser terminado, com sucesso ou não, não havia maneira de saber que impacto traria ao programa. Se o projeto fosse um fracasso retumbante, talvez não incluíssem tudo, especialmente se o Departamento de Estado o descobrisse.

Frank, que não havia visitado Berlim desde o início do túnel, disse a Anderton que não o faria até o término do túnel ser iminente. "Quando você me quer lá?", perguntou ele. Anderton garantiu que dessa vez os atrasos seriam mínimos.

TODOS os telegramas sobre a mais recente crise em Berlim não satisfizeram o único homem que realmente precisava ficar satisfeito: o presidente Kennedy. Em 21 de agosto, retornando a Washington depois de uma longa viagem pelo Oeste, JFK enviou um memorando a Rusk, secretário de Estado: "Embora eu reconheça as dificuldades que os comandantes estão enfrentando em Berlim, eu agradeceria se recebesse um relatório detalhado sobre o incidente com o refugiado da última sexta-feira. Gostaria de saber quanto tempo levou para o comandante ser informado sobre o que estava acontecendo e que atitude tomou". Também perguntou o que estava sendo feito para prevenir mais apedrejamentos das tropas russas.

O presidente não estava disposto a esperar a resposta por escrito, então telefonou para Rusk e perguntou se havia algum plano de contingência para o "tipo de incidente" criado por "esse refugiado [Fechter]". Afinal, já tinha havido "tantos outros muito parecidos com esse".

> **Rusk:** Bem, temos alguns para episódios maiores...
>
> **Kennedy:** E o que me diz sobre episódios únicos, como esse?
>
> **Rusk:** Cada caso é um caso. E os rios são... por exemplo, nosso pessoal não os tira dos rios. Quem cuida disso é o lado oriental. Acho que talvez o erro cometido no local foi não ter oferecido nenhum cuidado médico [a Fechter].
>
> **Kennedy:** É... Claro, os [manifestantes] da Berlim Ocidental não são muito generosos, mas... tudo bem. Acho que teremos que superar essa situação.

Mais tarde, naquele dia, Kennedy reuniu-se com seu embaixador das Nações Unidas, Adlai Stevenson, que havia acabado de voltar de um encontro com líderes europeus. Stevenson relatou que, em particular, quase todos se opuseram à reunificação da Alemanha, pois as lembranças da era nazista ainda eram muito recentes. Kennedy se perguntou por que nenhum dos líderes jamais se declarou contra a Alemanha reunificada em público, depois analisou o desejo de Nikita Khrushchev de unificar Berlim, removendo os Aliados, refletindo: "Não o culpo por querer nos tirar de Berlim... eles têm o Muro, têm aquele país que sempre foi perturbado desde que Berlim existe". Mas havia um porém: "O problema é que nossa saída de Berlim seria desastrosa para nós".

A COBERTURA do túnel da CBS podia ter sido destruída, mas um escândalo midiático diferente continuava a chamar a atenção do presidente, o vazamento explorado por Hanson Baldwin no *New York Times*, e eles precisavam encontrar uma maneira de desencorajar outros como ele. Kennedy havia remetido seu plano do grupo de inteligência para monitorar jornalistas ao diretor da CIA, McCone, e outros, e esperava uma ação para "proteger nossa inteligência e nossas fontes e métodos de inteligência da divulgação não autorizada". Enquanto isso, o grampo no telefone de Baldwin continuava ativo, mas a Casa Branca não fizera nenhuma ameaça explícita contra Baldwin ou o *Times*, então o editor do jornal decidiu abrir mão de uma reportagem maior sobre a investigação do FBI.

A pedido da Casa Branca, um funcionário do FBI se encontrou com o principal assistente de Kennedy, Kenneth O'Donnell, para discutir o que a agência havia encontrado até então em sua investigação (com mais de 125 entrevistas) do vazamento de Baldwin.

O FBI estava fornecendo excertos dos grampos telefônicos a O'Donnell, que eram repassados ao presidente. Foi O'Donnell quem finalmente levou algo de interessante ao FBI: "O presidente e eu descobrimos que a suspeita parece apontar para um homem". Kennedy queria que o suspeito fosse entrevistado novamente pelo FBI, pois o homem havia se negado antes. O presidente aconselhou: "Não diga a ele que foi *minha* a ideia de continuar a investigá-lo".

O suspeito? Ninguém menos que o vice-secretário de Defesa, Roswell L. Gilpatric. Número dois no Pentágono, ele sabia o bastante para fornecer as informações importantes que Baldwin publicou, e ele encontrara o repórter em Washington, no dia 17 de julho. Deve ter sido difícil para Kennedy expô-lo, pois, diferente de outros do alto escalão em seu governo, Ros Gilpatric, nascido em 1906, havia sido escolhido a dedo pelo presidente. Ex-advogado corporativo, Gilpatric serviu como subsecretário das Forças Aéreas no início dos anos de 1950. Agora, o FBI teria de falar de novo com Gilpatric.

Na noite de 22 de agosto, o presidente Kennedy se reuniu na Casa Branca com McCone, diretor da CIA, e o general Maxwell Taylor. A reunião teve início com uma atualização sobre o novo escritório da CIA criado pelo grupo de inteligência de JFK para controlar vazamentos. Por recomendação de JFK, os funcionários de alto escalão que tivessem acesso a material sigiloso teriam agora de escrever um memorando a cada contato com a imprensa e apresentá-lo a seus superiores. O novo escritório ia de encontro a um dispositivo do estatuto da CIA, segundo a Lei de Segurança Nacional de 1947, que proibia estritamente qualquer atividade da inteligência dentro das fronteiras dos EUA. Kennedy previu que isso teria um "efeito bastante inibidor" sobre oficiais que conversavam com repórteres xeretas, ao saberem que precisariam escrever um memorando em seguida. McCone observou que essa ação poderia ser organizada de forma a não parecer que houve "envolvimento" do presidente.

Em seguida, a discussão voltou-se a outro *front* da Guerra Fria: Cuba. No início daquela semana, aviões de espionagem tinham fotografado um grande número de navios mercantes soviéticos no Atlântico, o que trazia à tona um debate deixado em banho-maria por muito tempo naquela gestão. Mais de um ano depois do fiasco da Baía dos Porcos, o presidente continuava a apoiar vários esforços secretos – de propaganda à sabotagem – para derrubar Castro, mas seus principais assessores estavam divididos sobre quanto os soviéticos estavam comprometidos em apoiar o ditador.

Alguns consideravam Cuba um ralo econômico para os soviéticos; outros que era apenas um espetáculo secundário diante do verdadeiro barril de pólvora: Berlim. Outros ainda enfatizavam que mesmo se as duas hipóteses fossem verdadeiras, Cuba poderia ser um peão importante para os soviéticos, uma pressão a ser feita até JFK considerar uma negociação importante: *soviéticos fora de Cuba, EUA fora de Berlim*.

John McCone defendia uma espécie de "ação dinâmica" dos Estados Unidos quando os soviéticos intensificassem seus carregamentos militares. Mas e se os soviéticos enviassem mísseis com ogivas nucleares? Seria garantia de uma crise muito pior. Robert Kennedy alegava que era inevitável. Agora, McCone revelou que havia se reunido com Rusk e McNamara no dia anterior para informar-lhes que a "situação em curso" dentro de Cuba parecia "mais alarmante". Fotos mostravam os soviéticos transportando equipamentos eletrônicos e grandes caixas que podiam conter partes de aviões de guerra ou peças de mísseis para Cuba. Muitos dos navios "foram descarregados de forma muito misteriosa, à noite, em áreas com todos os cubanos evacuados". Milhares de soviéticos, militares e civis, haviam desembarcado de navios de passageiros em locais remotos. Uma "atmosfera de sigilo cercava toda a operação".

McCone pessoalmente acreditava que os soviéticos já estavam construindo bases para mísseis, mas JFK era cauteloso: "Temos de esperar para ver". No dia seguinte, para ajudar a "ver", ele ordenou sobrevoos de U-2, além de um planejamento de contingência abrangente em caso de mísseis soviéticos chegarem a Cuba, "inclusive bloqueio, invasão ou outra ação". Kennedy também solicitou um estudo dos mísseis norte-americanos perto da fronteira soviética, na Turquia. Estavam obsoletos? Talvez já estivesse ponderando uma oferta possível caso a situação ruim ficasse ainda pior – trocá-los pela remoção de mísseis soviéticos em Cuba.

KENNEDY dissera a Rusk que tinham simplesmente que "superar" as consequências do assassinato de Fechter, mas continuou curioso com o episódio.

Atuando no lugar de McGeorge Bundy, que estava em férias, George Ball enviou um relatório ao presidente em 24 de agosto que cobria em grande parte os apedrejamentos dos soviéticos e dedicava poucas palavras à falta de ajuda ao pobre Fechter: "O comandante norte-americano foi informado do tiroteio aproximadamente 23 minutos depois do ocorrido. Embora ele estivesse no processo de determinar qual ação autorizada poderia tomar, o corpo do refugiado foi removido." Fim da história.

Enquanto isso, houve uma nova vítima de tiros no Muro – um guarda de fronteira da RDA, Hans-Dieter Wesa, 19 anos. Ele havia sido lotado em uma "estação fantasma" (onde os trens de superfície S-Bahn passavam, mas não paravam mais), próximo à fronteira, embaixo de uma ponte. Wesa odiara a transferência para a polícia de fronteira, pois era contra a ideia de atirar em pessoas. Além disso, tinha uma irmã no Ocidente. Na noite de 23 de agosto, disse ao seu parceiro, que havia se tornado um amigo, que estava indo ligar algumas luzes nos trilhos, mas não voltou.

Seu colega foi atrás de Wesa e o avistou poucos metros depois do lado ocidental de uma cerca da zona de fronteira, que aparentemente havia escalado. Quando Wesa se virou para fugir, o colega disparou seis vezes e, depois que ele caiu no chão, desferiu um tiro no rosto e no corpo à queima roupa, deixando um cadáver a poucos metros dentro do setor francês. O prefeito Brandt, temendo novos tumultos, visitou o Muro naquela noite e expressou indignação, embora pedisse calma. Talvez exaustos pelas manifestações do primeiro aniversário e depois pelo episódio de Fechter, os manifestantes ficaram em casa.

ENTRE aqueles que ficaram perturbados pela morte de Peter Fechter estava um dos guardas da RDA que atiraram e, talvez, o tivesse matado. O soldado Erich Schreiber, 20 anos, escreveu uma carta à sua namorada, endereçada à "Minha querida Erika".

> *Você escreveu para saber por que eu havia sido promovido. Essa é uma questão mais séria que não acontece a uma pessoa todos os dias. Eu atirei e matei um violador de fronteira que quis cruzar a fronteira do Oriente para o Ocidente.*
>
> *Se isso deixá-la transtornada e você não quiser mais nada com um "assassino", por favor, não fale sobre isso com ninguém.*

A carta foi interceptada pelo censor militar e nunca foi entregue.

Dez dias depois daquele assassinato, a vítima finalmente pôde descansar; no entanto, a família de Fechter não teve paz. Os agentes da Stasi assediaram toda a família durante a semana depois da morte. A mãe de Peter, Margarete, enviou um telegrama a sua amada filha Liselotte, no Ocidente, informando que "seu irmão será enterrado na segunda-feira, às 12h". Liselotte disse à imprensa: "Não poderei participar do enterro do meu irmão, pois fugi da Berlim Oriental seis anos atrás e eles me prenderiam se eu voltasse".

Na noite do funeral, o raivoso comentarista de rádio da Alemanha Oriental, Karl-Eduard von Schnitzler, berrou que quando elementos criminosos são "feridos diretamente na fronteira e não removidos imediatamente [...] forma-se uma confusão imensa", elogiou "nossos bravos jovens de uniforme" e disse com escárnio que "quem brinca com fogo, acaba se queimando".

A polícia tentou manter o funeral em sigilo, ordenando que a família não fizesse nenhum tipo de obituário, mas a notícia vazou: 300 cidadãos, que de alguma forma souberam do funeral no cemitério próximo à casa de Fechter, no distrito de Weissensee, participaram da cerimônia. Alguns conheceram a vítima no trabalho, mas a maioria era de desconhecidos. A família de Fechter queria uma cerimônia religiosa, mas os oficiais do Estado proibiram, contratando em vez disso um orador da Comissão Funerária Municipal do Estado, que disse às pessoas reunidas que Fechter havia tomado uma "decisão impensada" e "tola". Sim, todos desejam tentar caminhos diferentes, apregoou ele, mas o Estado sabiamente promove e monitora quais caminhos todos deveriam seguir. Cidadãos da Alemanha Oriental precisam respeitar isso, "mas Peter não respeitou". Sem dizer palavra, a namorada e a mãe de Peter choraram. Esta última gastara todas as economias em um caixão de mogno e em coroas de flores para o funeral e teve de pegar dinheiro emprestado para a lápide com a inscrição *Inesquecível para todos*. Depois que a multidão foi embora do cemitério, agentes da Stasi removeram todas as flores que os participantes haviam deixado no túmulo.

Cinco jornalistas do Ocidente (três norte-americanos e dois britânicos) foram detidos depois de tentar cobrir a cerimônia, seus carros parados assim que saíram do local. Entre aqueles que foram levados à delegacia de polícia na Alexander Platz estavam repórteres ou fotógrafos da revista *Life*, do *Daily Mail*, de Londres, e da BBC, bem como o diretor executivo da Associated Press de Berlim. A polícia confiscou o filme de dois fotógrafos. Um policial bronqueou: "A imprensa ocidental, com suas atividades, está perturbando a paz dos cidadãos da Berlim Ocidental, mas não pode perturbar a paz dos cidadãos da Berlim Oriental". A Missão Norte-Americana descreveu o fato dessa forma em um telegrama a Washington: "Os repórteres foram acusados de cometer um ato inamistoso contra o regime da RDA ao cobrir o funeral". Os jornalistas estrangeiros foram liberados três horas depois, mas um fotógrafo da Alemanha Ocidental foi mantido na cadeia, acusado do crime grave de "transmissão de informações".

Nos Estados Unidos, a *Life* publicou um artigo de sete páginas sobre o assassinato de Fechter, intitulado "O garoto que morreu no Muro". Sua revista irmã, de propriedade de Henry Luce, a *Time*, foi mais longe, com uma capa ilustrada impressionante: um braço estendido embaixo do arame farpado sobre uma barreira de concreto na qual pendia uma coroa de flores para a última vítima, com o simples título "O Muro". A matéria de capa, "Muro da Vergonha", descrevia os berlinenses ocidentais normalmente como convencidos que "zombavam dos problemas", embora dificilmente passassem uma noite "sem o matraquear das metralhadoras e os sons da morte do outro lado". Mas depois do mais recente tiroteio público, passaram por uma "curva emocional [...] de repente, todas as frustrações acumuladas explodiram" em "uma orgia de manifestações", dirigidas tanto a alemães quanto a norte-americanos. Pela primeira vez gritos de *"Americans go home"* [Americanos, vão para casa] foram ouvidos. "A voz da multidão ecoou em cada grande capital do mundo, forçando a União Soviética e o Ocidente a entrarem em outro daqueles confrontos pesadelescos de Berlim", continuou o jornalista. "Isso enfatizou novamente que, enquanto o Muro continuar em pé, uma ameaça perpétua à paz mundial existirá no coração da Europa."

Poucos berlinenses acreditavam que o Muro cairia enquanto estivessem vivos, relatou a *Time*, e a reunificação continuava sendo apenas uma "perspectiva remota". Um oficial da Alemanha Ocidental, embora amistoso com os Estados Unidos, reclamava que a "ameaça de guerra nuclear paralisou o Ocidente". Mas o artigo concluiu que, em algum momento – em uma década ou uma geração –, o Muro "deve cair" e "se não for derrubado pela razão, algum dia provocará os homens a demolirem-no à força".

O PRESIDENTE Kennedy parecia determinado a dobrar a aposta na abordagem que recentemente havia abalado a situação dos EUA em Berlim: concentrar-se totalmente no Ocidente e considerar que a Berlim Oriental, como o soldado norte-americano disse no dia do assassinato de Fechter,

"Não é problema nosso". Mike Mansfield, o líder da maioria no Senado dos EUA, havia acabado de enviar um memorando a JFK, sugerindo uma ação norte-americana mais proativa. Kennedy respondeu: "Acredito que a verdade seja que Berlim Oriental não é uma questão de guerra e paz para nós e, portanto, não devemos adotar nenhuma das alternativas mais drásticas propostas em seu memorando. O tempo de uma luta por um papel eficaz do Ocidente na Berlim Oriental passou, se é que existiu, muito anos atrás... A questão crucial continua sendo a da Berlim Ocidental".

Em 29 de agosto, além de anunciar a nomeação de Arthur Goldberg para a Suprema Corte dos EUA, Kennedy reuniu-se com Rusk, Bundy e outros para falar sobre Berlim pela primeira vez em três semanas. Concordaram que os Estados Unidos deviam continuar a restringir a entrada soviética na Berlim Ocidental, mesmo que isso custasse o acesso dos norte-americanos ao Leste. Bundy disse, sem rodeios: "Não resta nada que nos interesse na Berlim Oriental".

Mais tarde, na mesma discussão, Kennedy afirmou: "Bem, não ligamos para Berlim Oriental, já sabemos disso. Então, os direitos [de acesso][...] simplesmente não estamos interessados neles".

E quanto à atmosfera no setor com que o governo norte-americano se importava, a Berlim Ocidental? Que "semana estranha e assustadora", declarou Sydney Gruson, correspondente em Berlim para o *New York Times*, em um comentário revelador. Os berlinenses ocidentais tinham ficado com os nervos à flor da pele e "as ansiedades e tristezas aguçadas".

Com o assassinato de Fechter, "algo se rompeu dentro dos berlinenses ocidentais [...] foi como se um pedaço de corda tivesse sido esticado demais, por tempo demais", levando a cenas quase inacreditáveis de cidadãos da Berlim Ocidental provocando a própria polícia e dizendo aos americanos para voltarem para casa. Gruson, amigo próximo de Daniel Schorr (e marido da correspondente estrangeira Flora Lewis), sentiu que as emoções sobrepujaram a razão, ainda que também tenha chegado uma certa clareza com o trauma. Ele observou:

> Mais que um único evento desde que o Muro foi construído, a morte brutal e solitária de Fechter trouxe aos berlinenses ocidentais uma sensação de impotência frente à intrusão assustadora que é trabalhada de forma tão sutil pelos comunistas. A cidade parece solitária e extirpada, não tanto pelos aproximados 160 quilômetros de território controlados pelos comunistas entre ela e a Alemanha Ocidental, mas pela inação forçada sobre as pessoas quando querem fazer algo, quase qualquer coisa, contundente para reagir às medidas comunistas.

Mesmo que pessoas mais velhas possam alertar que as coisas poderiam piorar muito se os comunistas fossem punidos, os mais jovens estão "dispostos a agir", segundo Gruson. Depois da morte de Fechter e dos protestos, "há menos esperança que nunca de que os berlinenses ocidentais se resignarão com o Muro. Enquanto o Muro estiver lá, alguns entre aqueles que estão presos atrás dele provavelmente tentarão escapar. Enquanto fizerem isso, provavelmente haverá assassinatos pelos guardas da Alemanha Oriental e, enquanto houver assassinatos, as sementes da explosão continuarão na Berlim Ocidental".

Quando o artigo foi publicado, três desses berlinenses ocidentais mais jovens que estavam "dispostos a agir" estavam se preparando para ir a julgamento na Berlim Oriental, sabendo que enfrentariam condenações certas e longas sentenças de prisão.

12
Flagra

O julgamento-espetáculo dos três mensageiros do Grupo Girrmann, capturados em 7 de agosto, foi planejado para dois dias de depoimentos, após os quais uma turma de juízes anunciaria o destino predeterminado dos prisioneiros no prédio da Suprema Corte, em Berlim Oriental. Os acusados Wolf-Dieter Sternheimer, Hartmut Stachowitz e Dieter Gengelbach suportaram interrogatórios infinitos e admitiram ao menos alguns aspectos de seus supostos crimes. Agora fora confiada a seus advogados, nomeados pelo Estado, a tarefa de garantir que os prisioneiros memorizassem suas falas, confessando que se afiliaram ao *Terrorgruppe* [grupo terrorista] Girrmann e seduziram alemães orientais a deixar sua nação ilegalmente. Além disso, precisavam confirmar que o Girrmann foi fundado e dirigido pelo governo da Alemanha Ocidental, pelo Senado da Berlim Ocidental, pelas agências de inteligência alemã e norte-americana, com auxílio e cooperação de alguém com sobrenome Mertens. Esses órgãos influentes haviam promovido um "embate armado" com a possibilidade de assassinar guardas da Alemanha Oriental a sangue frio para "trazer sofrimento indizível ao povo da Europa e, principalmente, ao povo alemão", de acordo com os promotores públicos.

Cidadãos comuns puderam entrar no tribunal, mas se limitaram a apoiadores comunistas de áreas diversas que pudessem levar os resultados e a mensagem do julgamento a seus colaboradores.

Pelo mesmo motivo, também estavam presentes em grande número jornalistas da Alemanha Oriental e de outros países do bloco comunista. O presidente da Suprema Corte da RDA, Dr. Heinrich Toeplitz, conduziu a sessão. Entre as provas anexadas ao processo estavam uma pistola e cartuchos, supostamente ligados à operação do túnel, e uma foto do buraco retangular aberto no assoalho da sala de estar dos Sendler.

Era fácil distinguir os três mensageiros no banco dos réus: Sternheimer era loiro e tinha o rosto fino, Gengelbach era moreno e pançudo, e Stachowitz tinha uma calvície pronunciada que o fazia aparentar mais idade que seus 26 anos. Entre as testemunhas estava um caminhoneiro que havia sido abordado para fazer parte do plano; uma berlinense oriental que alegava ter recebido repetidas visitas de mensageiros, pedindo para que ela escapasse com seus dois filhos. Talvez fosse possível especular, embora não naquele tribunal, que ela talvez tenha expressado interesse na ideia à época, mas naquele momento dizia ter rejeitado o convite. Quando um dos mensageiros perguntou diretamente a seu filho, que então tinha 15 anos, se ele gostaria de fugir, ela ficou "tão chocada" que "expulsou o intruso". Manfred Meier, que seria julgado separadamente, repetiu sua confissão televisiva, embora tivesse novamente se recusado a declarar que seu colega *fluchthelfer* [ajudante de fuga] havia planejado alvejar os heroicos guardas da RDA na Kiefholz Strasse.

Edith Sendler disse ao tribunal que, no dia da fuga, ela ficou assustada quando ouviu a comoção sob seu assoalho. Prestou falso testemunho, dizendo que o marido estava em casa na hora e ficou tão contrariado que teve um ataque de asma. (Entretanto, os arquivos da Stasi continuavam a descrever os Sendler como "programados para contrabando", sua expressão para *querendo escapar*.) Para Sternheimer, presente no tribunal, *Frau* Sendler parecia profundamente aflita, e achou que ela, como os outros, havia sido interrogada por muito tempo. Havia concordado em matizar seu testemunho em troca de leniência por si e pelo marido? Talvez a Stasi tivesse sentido que era mais importante retratar o túnel como uma invasão indesejada, e não desejada, para tornar os réus ainda mais maléficos – "sequestradores" e "abdutores" na linguagem da RDA.

No dia dois do julgamento, Stachowitz lembrou-se das reuniões na Casa do Futuro. "Uma mulher no grupo me disse que existe uma relação próxima com a inteligência norte-americana", disse Stachowitz, suas falas bem memorizadas. Divulgou que a polícia da Berlim Ocidental prometera abrir "fogo de cobertura" se os escavadores ou mensageiros se metessem em encrenca. Gengelbach testemunhou que havia encontrado Mertens, notório operador da LfV, para pedir dinheiro e armas, embora não tivesse ficado claro se ele recebera alguma dessas coisas. O nome do *Fluchthelfer* celebridade Harry Seidel também estava ligado a Mertens. Gengelbach alegou que o *Bild Zeitung* lhe dera mil marcos alemães, e uma rede de televisão norte-americana (sem dúvida a CBS), 800 marcos alemães para narrar sua parte na fuga. O promotor declarou que Gengelbach visitara o lado oriental várias vezes, desde julho de 1962, "para estabelecer contatos por meio de outras pessoas com o dono da carpintaria onde o túnel deveria terminar. Esses esforços não foram bem-sucedidos".

Depois de três dias, os vereditos esperados dos juízes foram anunciados: todos culpados de todas as acusações. O *Neues Deutschland* trouxe a declaração dos juízes de que esse "julgamento correto" foi "proferido em nome do povo" e "deveria servir de alerta a todos que pensam que podem tocar na segurança e na soberania da RDA". Gengelbach foi condenado a 12 anos de prisão, e Sternheimer a oito. Stachowitz, que ainda não sabia onde estavam sua mulher e filho, esperava mais que sua sentença de seis anos. Quando *saísse* da prisão, seu filho ainda não haveria completado 10 anos. Era algo a que se apegar.

COM A CONCLUSÃO do julgamento-espetáculo, Edith e Friedrich Sendler finalmente foram liberados da custódia. O testemunho de Edith (verdadeiro ou não) quase não era necessário para condenar os três mensageiros do túnel de Kiefholz. Talvez *Herr* Sendler tivesse oferecido, por garantia, a certos oficiais, alguns produtos de luxo do mercado negro que tinha facilidade para obter – e/ou se oferecido para atuar como informante da Stasi, pois seu trabalho de comerciante permitia que tivesse muitos contatos pela sociedade da RDA. Na noite em que foram soltos, os Sendler seguiram acompanhados até sua casa por um tenente da Stasi, que devolveu alguns itens saqueados de sua casa por soldados e técnicos do MfS.

Os Sendler devem ter ficado chocados ao descobrir que muitas coisas, inclusive joias caras, ainda faltavam, mas começaram a se organizar, até vir uma virada surpreendente de eventos. Pouco depois das 18h, tiros foram disparados do lado ocidental pelas cercas da casa. O funcionário da Stasi contou 11 tiros naquela rajada inicial, e todas as vezes que puxava a cortina para olhar, outra saraivada era disparada. No fim das contas, nenhum dano foi constatado, então foi difícil dizer se eram tiros de alerta ou fatais mesmo, mas indicaram à Stasi que a casa estava sob observação, esperando aquele exato momento. Por quanto tempo? Quase um mês havia passado desde a fuga fracassada. Alguém no lado ocidental teve informações privilegiadas sobre o momento exato em que os Sendler voltariam à casa?

O relatório da Stasi sobre o incidente observou que: "Durante o período, um homem moveu-se por trás das instalações de fronteira [no lado ocidental]. Nenhum detalhe pôde ser identificado, porque ele se manteve atrás de uma cerca de madeira e estava escuro". O casal exigiu sua remoção da casa e saíram pouco depois das 19h, levados por um funcionário da Stasi até a casa da mãe de Friedrich Sendler, que vivia próximo dali. Segundo o relatório, "Quando saíram da casa, nenhum tiro foi disparado". Às 8h da manhã seguinte, um oficial acompanhou os Sendler de volta a sua casa e os deixou lá para se defenderem sozinhos.

O FUTURO parecia lúgubre para Gerda Stachowitz, que não tinha ouvido nada sobre o julgamento do marido, nem onde seu filho, Jörg, estava vivendo. Ainda assim, tentou manter o moral elevado e também o de amigos e familiares. Enquanto se aprontava para o próprio julgamento, tentou repassar clandestinamente pequenas mensagens (conhecidas na linguagem da Stasi como "duras") para fora da prisão, que, claro, foram interceptadas pelas autoridades.

A primeira revelou que ela ainda estava na prisão. "Faça tudo por nós, vá ao promotor público. Fique atento. Paredes têm ouvidos. Gerda."

A segunda: "Onde está Jörg? Situação muito séria. Fique bem de saúde. Você é minha esperança. Cuide de tudo. Gerda." Outra: "Por favor, ligue para XXXXX – pergunte pela srta. [removido]. Li nossa carta 2x. Muito, muito obrigada. Escreva a Ma ou busque a carta!". A Stasi verificou o número de telefone e descobriu que ficava em Berlin-Friedrichshagen. Gerda por fim conseguiu enviar uma nota mais longa para fora da prisão, mas ela também foi apreendida pela Stasi. E foi de cortar o coração:

> *Meus amores!*
>
> *Hoje é aniversário de [removido]. Não se desesperem. Pode levar um bom tempo até que tudo esteja bem de novo. Nós nos metemos em um problemão. Não pensem nisso, mas sigam em frente para que possamos com certeza nos reencontrar com saúde.*
>
> *Não fiquem bravos com a gente. Especialmente minha mamãe querida.*
>
> *A sentença [de prisão] não precisa ser a mesma que a quantidade efetiva de punição. Vocês não vão conseguir fazer muita coisa mais nesse momento. Antes do julgamento, encontrem o procurador-geral que conduz o julgamento – boa reputação/boa conduta talvez sejam úteis. Talvez mais tarde poderemos conseguir trabalhar em nossas antigas profissões.*
>
> *Espero tanto que um dia eu possa ser feliz de novo com Hambi [seu marido]. Não trabalhamos para ninguém, apenas tínhamos contatos para que eu pudesse fugir. Consigam um bom advogado de defesa que tenha familiaridade com os problemas.*

Queremos aumentar a coragem e o moral um do outro. A coisa mais
importante é que ainda estamos todos por perto. Meus pensamentos
estão sempre com vocês [todos] e com meu amado marido.

Com amor, para sempre sua,
Gerda.

Nesse ínterim, aqueles que interrogavam Manfred Meier estavam ficando cada vez mais furiosos com ele. Suas sessões agora levavam quatro horas ou mais antes do próprio julgamento de Meier. O interrogatório em geral começava com o oficial da Stasi abrindo uma janela para deixar que o ar fresco e o pipilar dos passarinhos entrassem. "Meier", ele dizia, afável, "você é um cara bacana, inteligente, não dificulte as coisas, é inútil. Apenas diga o que sabe."

Tudo o que o MfS queria era que Meier admitisse que seus ajudantes de fuga bem armados haviam planejado um ataque sangrento no Leste. Como Meier negava repetidamente, a janela era fechada com força. O homem da Stasi punha-se diante de Meier e gritava, perdigotos voavam, enquanto batia com o punho na mesa. "Você acha mesmo que somos todos idiotas aqui? Caramba, diga a verdade sobre as armas!".

Depois de mais ameaças e intimidações, a janela era reaberta, e o ciclo recomeçava por horas.

ÀS 14h55 de 4 de setembro, foi feito um registro no diário da inteligência da Brigada do Exército dos EUA em Berlim: "Na Berg Strasse, esquina com a Bernauer Strasse, 5 m para dentro do cemitério, civil da Alem. Or. alvejado, aparentemente fatal. Removido com padiola por VoPos". A vítima era Ernst Mundt, ex-trabalhador da construção civil de 40 anos, aposentado por invalidez. Desde o início reclamou sobre o Muro que o separou de seus familiares no lado ocidental. Por fim, decidira fazer alguma coisa sobre isso.

Naquela tarde, Mundt foi de bicicleta de seu apartamento em Prenzlauer Berg até o altamente restrito Cemitério Sophien, que beirava o Muro logo após a Bernauer Strasse. Usando uma boina preta na cabeça, subiu no muro do cemitério, perpendicular à barreira da fronteira. Para desencorajar esse tipo de atitude, ele era coberto com vidro afiado. Em seguida, correu na direção do Muro, ignorando as súplicas dos espectadores. "Eu *não* vou cair", gritou ele. Quando estava prestes a chegar ao Muro, onde um bom salto o levaria para o outro lado, dois oficiais de transporte da Alemanha Oriental a cerca de 100 metros de distância o perceberam. Um deles deu um tiro de alerta e, em seguida, fez a mira fatal: uma bala cravou-se na cabeça de Mundt, e ele tombou a poucos metros da liberdade. Sua boina voou por sobre o Muro. Berlinenses ocidentais a encontraram com um buraco de bala, e rapidamente Mundt ficou conhecido como "O homem da boina".

No dia seguinte, o policial que acertou Mundt recebeu uma bonificação e uma Medalha por Serviço Exemplar na Fronteira. Ele "manejou a arma de forma admirável e a pôs em uso com maestria". O líder de tropa na área foi elogiado por remover o criminoso morto antes que a polícia da Berlim Ocidental, a imprensa e os cinegrafistas pudessem chegar. Isso aconteceu na esteira das novas ordens, depois do incidente de Fechter, de que os corpos deviam ser removidos imediatamente para evitar protestos e cobertura da imprensa no lado ocidental. No entanto, centenas de berlinenses ocidentais raivosos descarregaram sua fúria do outro lado da fronteira naquela noite, erguendo uma cruz decorada com flores perto de onde a boina de Mundt havia caído.

Alguns quarteirões adiante, na Bernauer Strasse, embaixo da fábrica de mexedores, a escavação continuava como de costume. O moral estava alto com a reta final em vista. O que os escavadores mais temiam, talvez porque já tinham vivenciado a situação, era outro vazamento de água. Então, quando percebiam uma poça no chão do túnel perto de onde estavam escavando, e a umidade pingando do teto, eles ficavam atentos. Talvez não fosse nada. Talvez fosse a água da chuva acumulada em um ponto baixo na superfície, ou eles estivessem embaixo de um prédio com encanamento ruim e o incômodo desapareceria tão rápido quanto havia chegado, sem explicação.

Então, o pingar se transformava em um vazamento contínuo.

O lado bom: dificilmente havia água o bastante no chão para causar uma paralisação imediata no trabalho. Por outro lado, diferentemente do vazamento anterior, não podiam pedir a simpatizantes no departamento de serviços públicos da Berlim Ocidental para ajudar, pois já haviam passado muito do Muro. Não havia ninguém no lado oriental para consertar um encanamento de esgoto quebrado, e estavam tão longe do lado ocidental que qualquer operação de bombeamento seria difícil. Podiam cavar e rezar para que o vazamento parasse ou ao menos não piorasse, mas não tinham esperanças de chegar à casa do búlgaro na Rheinsberger Strasse em menos de três semanas. Parecia tempo demais brincando com o perigo.

Então, os criadores do túnel, mais seus tenentes principais, decidiram explorar a possibilidade de subir mais cedo, em outro porão na Berlim Oriental... sabe-se lá Deus onde.

A QUESTÃO sobre mísseis soviéticos estarem possivelmente seguindo para Cuba se tornou essencial para o presidente Kennedy – e, na sua opinião, essencialmente ligada a Berlim. Mas nos primeiros dias de setembro, outra crise exigiu sua atenção, fazendo com que ele encurtasse suas férias em Newport. Um avião de espionagem norte-americano entrou brevemente no espaço aéreo soviético sobre a ponta da Ilha Sacalina, rompendo o banimento de sobrevoo que a Casa Branca promulgou depois da derrubada do U-2 de 1960, que levou à captura do piloto Francis Gary Powers. Dessa vez, os soviéticos não atiraram no jato em pleno voo, mas eles o identificaram no radar e fizeram um alarde. Outro U-2 estava sobrevoando e tirando fotos de Cuba, então a Casa Branca não queria que irrompesse outra crise de aviões de espionagem.

Quando a reunião do fim da manhã sobre o U-2 desviado começou, Dean Rusk disse: "Está muito claro que os soviéticos nos pegaram de jeito nesse daí". O avião simplesmente saiu do curso por cerca de nove minutos à noite. Ainda assim, os Estados Unidos não queriam deixar o líder soviético Khrushchev empolgado – ele poderia tomar alguma atitude precipitada com relação a Berlim. Então, Rusk leu a minuta de uma declaração que chamava, mentirosamente, o U-2 de "aeronave de reconhecimento climático e amostragem de ar" que "sem intenção" foi vitimada pela Mãe Natureza.

"Sem dúvida tirou *um tanto* de amostras do ar, não foi?", perguntou Rusk, esperançoso. "Todos nossos voos fazem isso, não?". Os outros à mesa indicaram: não mesmo.

"Bem, sei lá…", Kennedy respondeu: "Não precisamos contar toda a verdade a ele [Khrushchev]". O presidente comentou que mencionar o "horário noturno" indicaria que não houve fotografia. "Para mim parece que isso foge da ideia de U-2."

"Mas *é* um U-2", Bundy o lembrou. Mesmo assim, Kennedy concluiu que chamar de "aeronave de reconhecimento climático" sem o detalhe de "amostragem de ar" talvez fosse suficiente. (Isso foi o que os Estados Unidos alegaram por semanas depois que o tiro inimigo derrubou o avião de espionagem de Powers, até os soviéticos entregarem o piloto.)

Alguns saíram da sala, deixando JFK, Bundy, Robert Kennedy, McNamara e Rusk abordarem a questão de Cuba. O presidente precisava responder aos rumores na imprensa e às alegações dos republicanos de que mísseis nucleares *já* haviam chegado à ilha. Ele insistiu para terem cautela, mas dois funcionários de seu gabinete queriam discutir o que fazer se e quando a CIA confirmasse que os mísseis superfície-superfície estavam mesmo em Cuba.

"Acho que precisamos agir", declarou Rusk. "Por exemplo, suponho que se o senhor fosse começar um banho de sangue em Cuba, ordenaria antes um bloqueio sistemático para enfraquecer a ilha antes de colocar alguém lá dentro."

"Bem, não sei por que... se faríamos isso depois", respondeu McNamara, "por que não fazer isso *hoje*? Essa é uma das ações que podemos considerar hoje, como um fato. Não há dúvida de que os soviéticos estão enviando armas para Cuba, isso é claro. Eles disseram isso. Agora, podemos..."

A pessoa mais fria na sala interrompeu. Felizmente, essa pessoa era o comandante-em-chefe. "O motivo para não fazermos isso [...] é porque imaginamos que podem [então] tentar bloquear Berlim", observou Kennedy. Isso causaria uma crise horrenda para os Estados Unidos, enquanto um bloqueio não prejudicaria Cuba "por um bom tempo". Aquelas palavras resolveram a questão por ora.

Mais tarde, Kennedy deu instruções aos líderes congressistas, descrevendo o que sabia sobre o desenvolvimento soviético, mas acrescentando que "embora eu conheça muita gente que queira invadir Cuba, eu me opus a isso hoje". De novo, invocou Berlim. Após qualquer movimento norte-americano contra Cuba, "Berlim obviamente seria bloqueada também". E que *timing*: "Vejam bem, acho que Berlim estará chegando a uma espécie de clímax neste outono, de um jeito ou de outro... Temos que sopesar nossos riscos. Diria que o maior perigo atualmente é para Berlim".

A reunião terminou com Kennedy solicitando a autoridade de prontidão a convocar mais 150 mil reservistas. O secretário de imprensa Pierre Salinger expediu a declaração oficial de JFK a Cuba, alertando que "questões gravíssimas" surgiriam se os soviéticos introduzissem mísseis ofensivos na ilha. O que a Casa Branca não sabia era que o primeiro embarque soviético de mísseis R-12 de médio alcance, capazes de carregar um dispositivo termonuclear, estava prestes a chegar a Cuba por mar. Outro era esperado em meados de setembro. Antecipando novos avisos da Casa Branca, forças soviéticas entraram em seu mais elevado nível de alerta.

O premier Khrushchev, confiante de que teria sucesso com seu movimento cubano, voltou a crescer agressivamente em Berlim. Abruptamente, ele convocou o oficial norte-americano mais próximo – o Secretário do Interior Stewart Udall, que ficou muito surpreso – ao resort no Mar Negro, onde estava em férias, para informá-lo que, depois de dar a Kennedy uma trégua para as eleições em meio de mandato, ofereceria uma escolha a JFK: "Entrar em guerra ou assinar um tratado de paz", encerrando a ocupação norte-americana na Berlim Ocidental. "Faz um bom tempo que vocês podem nos dar palmadas como se fôssemos um garotinho... agora podemos arrebentar seu traseiro", gabou-se Khrushchev através de Udall. Com certeza tinha em mente os mísseis que chegavam a Cuba. "Temos a mesma força", disse ele. Enfatizando como Berlim ficava no meio da Alemanha Oriental, ele acrescentou: "Estamos com vantagem. Se quiser fazer qualquer coisa, teremos de iniciar uma guerra".

O líder soviético também se reuniu com um visitante muito diferente – o mais famoso poeta norte-americano, Robert Frost, e disse-lhe que os norte-americanos eram "liberais demais para lutar" agora, relembrando (com seu jeito usualmente grosseiro) o comentário de Tolstói a Górki sobre envelhecimento e sexo: "O desejo é o mesmo, o desempenho que é diferente". Em uma declaração pública, os soviéticos afirmaram de modo inequívoco que não tinham e não enviariam mísseis nucleares a Cuba. O presidente Kennedy continuava a dizer a seus assessores que a crise vindoura que ele mais temia viria por Berlim.

ENQUANTO A ÁGUA continuava a se juntar em poças no chão do túnel, os organizadores do túnel da Bernauer sabiam que precisavam tomar uma decisão rápida quanto a encurtar o caminho, mas primeiro deviam descobrir exatamente onde estavam na Berlim Oriental, o que não era uma tarefa fácil. Fazia um tempo que não executavam uma verificação, então Joachim Rudolph convocou seus colegas engenheiros, Uli Pfeifer e Joachim Neumann, para fazer novas medições.

Com o teodolito montado em um pequeno tripé, mediram ângulos e registraram o curso em seu mapa da vizinhança-alvo no lado oriental. Milagrosamente, depois de todo esse tempo, desvios ao redor de rochas e outros ziguezagues, os engenheiros descobriram que estavam quase na rota perfeita para aquele porão em Rheinsberger Strasse, embora ainda houvesse quase 30 metros de distância.

Analisando quanto tinham avançado naquela rota, os escavadores descobriram que – se suas medidas estivessem corretas – estavam agora perto de uma propriedade na Schönholzer Strasse, um quarteirão mais próximos do Muro que seu alvo original. O edifício estava marcado como n. 7 no mapa, o que também indicava que possuía um porão. Perfeito, exceto que nunca tinham visto a propriedade, muito menos seu porão, não conheciam ninguém no prédio ou naquele quarteirão, e não tinham as chaves do prédio, tampouco da porta do porão.

Joachim Neumann tinha outra preocupação muito pessoal. Havia planejado levar sua namorada, Christa, pelo túnel; correspondiam-se com muita cautela por meses, sabendo que a Stasi provavelmente estava lendo suas cartas, ou enviavam mensagens codificadas por meio de parentes. (Neumann escrevia, por exemplo, "Recebi a mensagem de sua tia, fico muito feliz e verei o que posso fazer.") Christa se preparava para a fuga em fins de setembro, mas agora seu namorado soube que ela estaria em férias quase o mês todo, e então certamente perderia uma travessia prematura. "Temos que aproveitar e continuar escavando!". Neumann discutiu por um breve momento até admitir que não tinham escolha além de terminar com aquilo o mais rápido possível, com ou sem Christa.

Um mensageiro que conseguiu cruzar a fronteira inspecionou a Schönholzer Strasse e espreitou o saguão do n. 7. Ele voltou com uma nova preocupação: a rua estava sujeita a controles policiais estritos. Os prédios no primeiro quarteirão depois da fronteira foram derrubados ou evacuados para evitar fugas, então o lado próximo da Schönholzer agora tinha o conjunto habitacional mais próximo da faixa da morte. Residentes e visitantes naquele lado tinham de mostrar seus documentos aos guardas nos postos de controle, com portões em cada ponta da rua.

Arame farpado corria pela extensão da rua, bem no centro. No lado do número 7 da Schönholzer, pouco depois do Muro, residentes e convidados podiam passar livremente, mas com guardas e policiais em patrulha bem do outro lado da rua. Refugiados sem familiaridade com o quarteirão, alguns com carrinhos de bebê, altamente estressados e procurando placas de rua e números de prédio quase certamente atrairiam a atenção da VoPo.

Chegar despreparado a este quarteirão era especialmente arriscado, talvez maluco, mas a insanidade nascia do desespero e da urgência. E com o vazamento d'água intensificando-se, não havia tempo a perder.

COM a segurança sendo uma questão mais central que nunca, os poucos escavadores que sabiam do cronograma revisado esconderam essa notícia crucial dos colegas. Precisavam que seus colegas escavassem aqueles metros finais até o novo alvo; em seguida, quando estivessem próximos da abertura, saberiam a verdade, o que deixava uma pequena janela para contatarem as pessoas na lista de fuga, mas a segurança falava mais alto que tudo naquele momento.

No entanto, eles alertaram a NBC. Piers Anderton rapidamente enviou uma mensagem codificada a Reuven Frank em Nova York para que ele pudesse voar às pressas para Berlim se quisesse estar lá para o grande evento. Em um passo crucial, o chefe de Anderton na Alemanha, Gary Stindt, concluiu que precisavam de outra posição de câmera para os dias finais, então alugou um apartamento em um andar alto na Bernauer e Wolgaster, diante da rua da fábrica de mexedores. De lá, uma câmera operada por Harry

Thoess, veterano da NBC, conseguia acompanhar os postos de controle e os guardas, as fileiras de prédios fechados com tábuas, os berlinenses orientais caminhando e conversando nas ruas. E, o mais importante, graças à destruição de prédios próximos à fronteira empreendida pela RDA, havia uma linha de visão desimpedida para além do Muro até aquele quarteirão, agora crucial, da Schönholzer Strasse. E a casa 7 da Schönholzer, com sua porta da frente flanqueada por janelinhas de porão, ficava bem ali, totalmente à vista.

De volta à fábrica de mexedores, o solo argiloso do túnel rapidamente estava virando lama embaixo das tábuas. Os engenheiros estavam razoavelmente confiantes de que estavam apenas a poucos metros de seu novo alvo, mas as incertezas eram abundantes: de que era feito o chão do porão e quanto tinha de espessura? A perfuração demoraria minutos ou horas? Qual era a disposição do porão? Aonde a escada os levaria dentro do saguão, e eles mantinham aquela porta fechada? O porão era muito ou pouco usado pelos locatários? Era provável que alguém os confrontasse enquanto picavam a pedra ou esperavam os refugiados chegarem?

Por ora, esses eram os mistérios que continuavam incomodando. Precisavam mesmo era se concentrar – um desafio que eles pensavam estar a semanas de distância – em organizar os mensageiros logo para cruzar a fronteira e alertar os refugiados antes ou no dia da fuga, marcada agora para 14 de setembro. Hasso Herschel e Uli Pfeifer assumiram essa tarefa. Uma verificação rápida com os jovens da Berlim Ocidental que haviam expressado previamente interesse em servir como mensageiros apresentou resultados desanimadores, com vários fora de cena (não puderam ser encontrados), doentes (de verdade ou de mentira) ou ocupados demais (*idem*). Felizmente, uma nova candidata ao heroísmo chegou à cena.

Era Ellen Schau, noiva de Mimmo Sesta. Por acaso, ela havia chegado a Berlim, vinda de Düsseldorf, onde trabalhava como secretária em um escritório de advogado de patentes, em 10 de setembro, para passar a semana de seu vigésimo segundo aniversário, que cairia em... 14 de setembro. Mimmo e Gigi buscaram-na no aeroporto e revelaram a ideia do mensageiro no jantar.

Ellen não parecia uma agente de fuga típica. Usando joias de bom gosto, cabelos ruivos em uma trança embutida, parecia elegante, até mesmo chique. Até aquele momento não tinha ciência do que o namorado estivera fazendo nos últimos seis meses, muito menos que o clímax do que fazia estava se aproximando. Na verdade, Mimmo estava estranho desde março, incrivelmente ocupado, quase sempre difícil de localizar. Quando falavam ao telefone, ele não queria conversar sobre os estudos, e adiava as viagens a Düsseldorf. Agora, ele a informava que era perfeita para o papel de mensageira. Tinha passaporte da Alemanha Ocidental, os agentes da Stasi e policiais provavelmente não suspeitariam de uma jovem atraente e, se confrontada, poderia apresentar os documentos, mostrando que era apenas de outra cidade. Por outro lado, nunca tinha estado na Berlim Oriental, não conhecia as placas ou ruas e tinha fobia de andar nos trens do metrô e da S-Bahn.

Apesar de ficar assustada e se sentir despreparada para a missão, aceitou.

Naquela noite, Ellen ficou na Ansbacher Strasse com a namorada de um dos escavadores. No dia seguinte, no alojamento da Universidade Técnica, foi apresentada a outras pessoas envolvidas na operação. Lá conheceu a rota que seguiria e os nomes e endereços de bares e cafés onde transmitiria sinais codificados aos refugiados que se reuniriam em um horário combinado. Os organizadores lhe deram um bolo de dinheiro, caso sentisse que era arriscado demais tentar voltar logo para o lado ocidental.

Enquanto isso, Stindt e Anderton concordaram em deixar que os escavadores usassem o apartamento que a NBC havia alugado de frente para a Schönholzer como sua sede ao lado da obra no dia da fuga. Aquilo ia contra a ordem de Reuven Frank de que seus homens não deveriam ajudar os escavadores de forma nenhuma (exceto com financiamento, claro). Alguém naquele posto se comunicaria com aqueles do porão, alertando-os sobre qualquer perigo visível por meio de binóculos, também fornecidos pela NBC, do outro lado do Muro. Quem quer que estivesse no apartamento penduraria um lençol na janela: branco se estivesse tudo limpo, vermelho se Ellen Schau e outros mensageiros tivessem que alertar os refugiados a voltarem para casa.

QUARTA-FEIRA, 12 de setembro (*dois dias até a abertura do túnel*). Ellen e Mimmo tomaram café da manhã no Cafe Bristol, revendo as rotas até os cafés e bares na Berlim Oriental onde ela deveria passar a mensagem aos refugiados. O refúgio no lado oriental, onde ela poderia passar o tempo entre essas visitas, seria a histórica Igreja de Sião, onde o pastor luterano Dietrich Bonhoeffer havia pregado no início dos anos 1930 antes de começar a organizar uma resistência aos nazistas (tendo sido executado por esse motivo em 1945). Como não queria ser pega pela Stasi com um mapa no dia da fuga, voltou a seu quarto na Ansbacher e começou a memorizar suas rotas e sinais.

Enquanto isso, Mimmo Sesta cruzou a fronteira para notificar Peter Schmidt, no subúrbio de Wilhelmshagen, que a data de fuga estava surpreendentemente próxima. Do apartamento da NBC no lado ocidental, bem acima do posto de controle, Harry Thoess filmou Mimmo, em seu chapéu *trilby* favorito, passando pelo posto de controle do lado oriental. Deixando de lado sua quase prisão um mês antes, os Schmidt ficaram felizes por ouvir que teriam outra chance de escapar.

Anita Moeller não havia falado com o irmão, Hasso Herschel, desde a batida policial de Kiefholz. Conhecendo seu irmão, tinha certeza de que ele estava trabalhando em outra fuga, e ela estava desesperada para fugir, com ou sem o marido, que agora não estava tão certo de que queria sair do Oriente. Eles se separaram de novo. Ela e a filha, Astrid, ainda estavam ficando com os pais dela em Dresden, enquanto Hans-Georg trabalhava como engenheiro de construção em Senftenberg, 50 minutos ao norte de carro. Ele disse a ela que, sempre quando um estranho vinha ao seu escritório, ficava preocupado: *É isso, eles sabem sobre Kiefholz Strasse, e vou ser preso como os outros*.

Se tivesse de escolher entre ajeitar as coisas com o marido ou deixá-lo para trás, Anita sabia que escolheria a última opção, pelo próprio bem e o da filha. Então, quando recebeu pela segunda vez um telegrama codificado pedindo que viesse a Berlim imediatamente, pôs algumas coisas para a bebê na mala e seu luxo mais querido: o vestido de casamento preto da Dior. Quando se despediu da irmã, Anita disse: "Não sei como isso vai acabar". A irmã deu um conselho prático: se os VoPos a pegarem no caminho até a obra, "diga simplesmente que você *nunca pensaria* em entrar num túnel, por conta de sua claustrofobia". Anita não explicou aos pais por que estava indo embora quando se despediu à porta.

Quando soube dessa segunda chance, seu marido decidiu ir até Berlim de carro no dia seguinte. Eles passariam a noite na casa de um amigo. Ele poderia decidir se ficaria ou se iria embora na manhã da fuga.

QUINTA-FEIRA, 13 *de setembro* (*um dia até a abertura do túnel*). Depois do café da manhã, Mimmo e Ellen pegaram um bonde até a Bernauer Strasse. Mimmo apontou para a janela bem alta onde ele ou um colega (ou talvez até Harry Thoess) penduraria um lençol branco ou vermelho na janela do apartamento da NBC. Em seguida, subiram até o apartamento para uma olhada para o outro lado do Muro e para o prédio dilapidado na casa 7 da Schönholzer. Ellen voltou ao quarto para estudar mais.

Enquanto isso, Hasso Herschel conduziu uma equipe de escavadores para preparar a abertura do túnel. Com pás e picaretas, tiveram a difícil tarefa de cavar para cima por vários metros a um ângulo de 45 graus até atingirem algo sólido, o que fizeram com um retinido alto e alívio considerável. Agora estavam prontos para o último esforço no dia seguinte. Uma preocupação:

não sabiam ao certo se o prédio embaixo do qual estavam era mesmo o da casa 7 da Schönholzer. Outra: por tudo que sabiam, a Stasi havia sido alertada (se não por Claus Stürmer, por outra pessoa) e agentes armados já estavam esperando por eles do outro lado do assoalho daquele porão.

Enquanto isso acontecia, os organizadores do túnel encontraram-se para repassar as missões do dia seguinte. Seus colegas escavadores, que ainda não sabiam de nada sobre a abertura do túnel, receberiam o convite para ir à fábrica no fim da tarde para uma "reunião especial". Lá, eles receberiam postos dentro do túnel, espaçados a cada poucos metros, para ajudar a impulsionar os fugitivos pelo caminho. Alguns ficariam estacionados em "nichos", onde qualquer fugitivo (alguns seriam crianças), no ápice do pânico ou do arrependimento, poderia ser retirado das tábuas centrais por alguns momentos, permitindo que outros passassem. Alguns dos líderes do projeto permaneceriam no porão no lado ocidental para receber os refugiados e colocá-los na Kombi que os levaria até sua nova vida.

Mas quem conduziria a abertura do túnel absurdamente arriscada e depois esperaria no porão da casa 7 da Schönholzer, no lado oriental, talvez por horas até os fugitivos chegarem? Em uma reunião do alto escalão, Joachim Rudolph sentiu uma ambivalência profunda, a lembrança da experiência de quase-morte na casa dos Sendler ainda fresca na mente. Ficou aliviado e nem um pouco surpreso quando Herschel se voluntariou de novo para liderar a equipe para dentro do lado oriental, o que deu a Hasso a autoridade de escolher seus colegas. E, claro, ele quis Rudolph e seu velho amigo Uli Pfeifer ao seu lado de novo. Hasso sabia que poderia contar com eles; recusaram-se a entrar em pânico na operação Kiefholz, passando por um teste realmente árduo da vida real.

Rudolph, apesar de seus medos, aceitou, mas Pfeifer estava fora de questão. Sua mãe, depois de ter ouvido sobre Kiefholz, fizera Hasso prometer que não colocaria seu menino numa situação perigosa como aquela de novo! Então, Hasso escolheu outro veterano de túnel, Joachim Neumann. Como um dos criadores, Gigi Spina exerceu seu direito de se juntar a eles. (Mimmo supervisionaria a ponta ocidental; a recente catástrofe médica de Wolf Schroedter limitaria seu papel ao de um coadjuvante.)

Mais uma pessoa precisava ser contatada com relação à operação. Embora alguns agora se arrependessem de ter feito aquela promessa durante a primavera, tinham pouca opção além de convidar para esta aventura, por mais breve que fosse, Christian Bahner, o filho do homem que havia doado tanta madeira ao projeto. Suas boas intenções não podiam ser questionadas, mas ele os alarmou com sua ingenuidade e comportamento aventureiro na última visita, quando havia carregado uma escopeta e mostrado bananas de dinamite, como se estivesse pronto para liderar uma insurreição de um homem só no lado oriental. Gigi Spina considerava-o um "fanático" e lhe disse: "Rapaz, você é louco!". Mas aquela madeira havia economizado para eles milhares de marcos alemães, e promessa era promessa. Eles teriam de convidá-lo a entrar no porão no Oriente por alguns momentos antes de expulsá-lo de volta para o lado ocidental.

Quando a irmã de Hasso, Anita, chegou ao apartamento de sua amiga com marido e filha a tiracolo, ela jurou não repetir a noite festiva antes da fuga do túnel de Kiefholz. Como mal estava falando com o marido naqueles dias, Anita nem estava com muita vontade. Naquela noite, Gigi visitou Mimmo e Ellen na Ansbacher Strasse. Gigi revelou que Claus Stürmer não poderia sair da fábrica de mexedores naquela noite e seria mantido sob vigilância no futuro próximo. Em aproximadamente 24 horas, se realizassem o milagre, poderiam enviar um mensageiro à sua mulher no lado oriental.

EM NOVA YORK, Reuven Frank recebera a ligação tão esperada de Piers Anderton: era hora de ir a Berlim o mais rápido possível. Sabia que isso só poderia significar uma coisa, mas não podia prever quanto tempo teria de ficar. Atrasos, visto o que havia acontecido até então, talvez postergassem o clímax em dias ou semanas. Bem, ao menos ele estaria por perto para oferecer conselhos e, se possível, tentar manter seus funcionários longe de problemas. Ordenou que um de seus principais editores de filmes, Gerald Polikoff, cancelasse o que estivesse fazendo e atravessasse o oceano com ele, o que tornou Polikoff a quinta pessoa na sede da NBC a saber do projeto.

Anderton, Stindt e o cinegrafista Harry Thoess foram buscá-los após aterrissarem no aeroporto de Tegel, na Berlim Ocidental, depois de uma jornada de 12 horas. Frank foi informado de que: "Eles atravessarão hoje à noite… o túnel está terminado". Em seguida, passaram pela fábrica de mexedores na Bernauer Strasse para seu primeiro vislumbre da base do túnel. Frank percebeu que estivera com David Brinkley na manhã em que o Muro foi erguido, a apenas um quarteirão de distância.

Naquela tarde, no escritório da NBC na badalada Kurfürstendamm, os três funcionários enviados para a Alemanha começaram a mostrar a Frank um pouco das 20 horas de gravações. Já contavam com mais de três quilômetros e meio de filme, revelados em alto sigilo por um processador de filmes em Berlim. Frank ficou impressionado com a sequência que Anderton havia montado desde o início de suas visitas a outros locais de fuga, de esgotos aos primeiros túneis. Mas ficou maravilhado com as primeiras cenas do túnel da Bernauer, que remontavam às semanas de abertura. Anderton identificou os personagens principais: "os italianos", alguém disse "Hasso", e um "Wolf". Então, havia uma filmagem "caseira" feita por Sesta em visitas aos Schmidt.

Frank ficou entusiasmado, pois aquilo ia muito além do que esperava de um documentário que explorava um ano inteiro de fugas em Berlim. Aquilo era infinitamente mais extraordinário.

A maioria das coberturas de TV eram meros "noticiários", minutos ou dias depois do fato, e até para isso às vezes era preciso contar com a sorte. Aquilo era a história ao vivo, cinema-verdade, perigo a cada esquina, dia após dia, acontecendo bem diante das câmeras – era possível considerar algo novo para a TV, um *reality show* filmado na linha de frente da Guerra Fria. Frank conhecia jornalistas que passaram a vida inteira sem conseguir algo assim, e agora ele sentia que a NBC praticamente havia trombado com aquela novidade.

13
Schönholzer Strasse

14 DE SETEMBRO DE 1962

O dia amanheceu quente e ensolarado, prometendo um lindo dia de fim de verão em Berlim. Se quisessem, os escavadores podiam encarar o fato como sinal positivo, e alguns o fizeram. Mensageiros e fugitivos, às vezes empurrando carrinhos de bebê, não teriam que desviar de pingos de chuva e carregar guarda-chuvas a caminho do túnel.

Joachim Rudolph levou algumas ferramentas novas para o trabalho para ajudar a fazer um buraco no porão da casa (que eles esperavam que fosse a) de número 7 na Schönholzer. O rompimento estava marcado para o fim da tarde. Os escavadores comuns, convidados para o que pensavam ser só mais uma reunião, só chegariam depois das 17h. Mimmo Sesta e Hasso Herschel se reuniram pela última vez com os mensageiros, principalmente Ellen Schau e a namorada sueca de um dos escavadores. Ellen, que teria que encontrar grupos de fugitivos em três *pubs*, decidiu esconder os cabelos ruivos chamativos com um lenço para atrair menos atenção. Como tinha ido para Berlim naquela semana para comemorar seu aniversário e jantar em alguns bons restaurantes, não tinha trazido roupas informais, por isso pegou emprestado um casaco leve com amigas.

Mimmo entregou a ela os marcos alemães prometidos para o caso de ela ficar presa depois do Muro. No lado oriental, os Schmidt esperavam confirmação de que aquele era, de fato, dia de fuga. A mãe de Peter, que era faxineira no escritório de um comandante soviético, havia pedido folga. Anita Moeller ainda não sabia se seu marido se uniria a ela na fuga para o lado ocidental. Lembrando-se da última fuga, Anita decidiu não dar a sua filha, Astrid, parte de um comprimido para dormir, se arriscando com uma criança pequena que podia gritar. Hans-George a acompanhou até o bonde, tentando, durante todo o trajeto, convencê-la a ficar na Berlim Oriental. Quando eles chegaram à estação e ela continuou decidida, ele disse: "Tudo bem, vou com você".

No escritório da NBC, Reuven Frank continuou assistindo às horas de gravações feitas dentro e ao redor do túnel, tornando-se mais animado, e mais nervoso, a cada minuto em relação à fuga daquela noite. Perto do meio-dia, ele ligou ao seu chefe, Bill McAndrew, em Nova York, e disse: "Acho que vamos precisar de 90 minutos para esse programa, mas saberei mais amanhã". Seu cinegrafista, Peter Dehmel, estava na rua, filmando Ellen Schau enquanto ela seguia, de óculos escuros e com os cabelos ainda presos em um coque francês e enrolados em um lenço, para a estação Zoo do S-Bahn. A fobia que Ellen sentia ao andar no trem elevado foi contida apenas por ela estar pensando em várias outras coisas. Dehmel a fotografou em um vagão quase vazio até ele fazer a última parada na fronteira. Então, ele desceu e seguiu o trem com a câmera por alguns minutos, enquanto o veículo ia para a Berlim Oriental. Para registrar a hora, ele filmou o relógio na estação. Eram quase 14h.

Outro mensageiro partiu para a casa dos Schmidt à margem da cidade para passar-lhes as instruções finais. Um mês antes, sem saber que a fuga na Kiefholz Strasse estava sendo arquitetada, Eveline Schmidt estava realizando tarefas diárias quando o mensageiro chegou. Dessa vez, graças à visita de Mimmo dois dias antes, ela e o marido haviam permanecido em casa o dia todo.

Quando o mensageiro partiu, Peter Schmidt correu para avisar sua mãe. Ao voltar para casa, ele vestiu várias camadas de roupas de baixo, pensando que se fosse preso, pelo menos estaria preparado para semanas ou meses numa cela de prisão fria e suja. Eveline colocou um vestido novo e pegou uma mochila na qual pôs duas fraldas extras para a filha Annett. Em seguida, elas se afastaram da casinha, torcendo para que fosse para sempre, para pegar o S-Bahn até a Alexander Platz. Os Schmidt já estavam ansiosos, mas talvez estivessem ainda mais nervosos se soubessem que nos últimos dias, a mãe de Peter, à espera do dia da fuga, havia vendido parte de sua mobília, o que normalmente era visto, pelas autoridades, como sinal de que o dono da casa estava se preparando para fugir. E *ela* trabalhava em um local soviético.

Ellen Schau tinha chegado ao *pub* a poucos blocos do número 7 da Schönholzer, onde esperava sinalizar os primeiros fugitivos. Notando que estava adiantada, caminhou até a igreja Zion, próxima dali, sentou-se, esperou e rezou. Ela tinha memorizado a maior parte de seus caminhos, mas levava algumas anotações em código como backup. E ela as destruiu. Com mais tempo para matar e com a curiosidade tomando conta, ela decidiu caminhar além da casa de número 7 da Schönholzer, um ímpeto tolo, mas irresistível. Nenhum dos guardas a impediu – uma jovem caminhando em um dia ensolarado de verão parecia algo bem inocente – e ela conseguiu espiar dentro de um corredor estreito da casa ao passar. Então, voltou à igreja e rezou mais um pouco.

No apartamento da NBC que dava vista para a Bernauer, Harry Thoess começou a filmar a fronteira na Schönholzer Strasse, captando crianças brincando, moradores conversando e VoPos fazendo patrulha na calçada em frente ao número 7. Dois lençóis, um branco e outro vermelho, estavam à mão para servirem de sinais aos mensageiros mais tarde naquele mesmo dia. De acordo com os planos, quando Peter e Klaus Dehmel soubessem que os primeiros fugitivos podiam estar atravessando o Muro, eles iriam à entrada do túnel no porão da fábrica, preparando-se para fazer um registro deles ao subirem a escada para a liberdade. Thoess, no apartamento, filmaria qualquer ação na rua caso algo desse errado e a polícia ou a Stasi de repente aparecesse na casa. Mas ainda faltavam algumas horas para isso.

NO FIM da tarde, a equipe de quatro homens (Hasso, os dois Joachim e Gigi) se reuniu no porão da fábrica. Para manter o nível de barulho baixo no fim do túnel, eles desligaram o sistema de circulação de ar. Joachim Rudolph levou consigo um casaco azul de operário para usar mais tarde como um tipo de disfarce. Os atravessadores sabiam que no lado oriental, pela ordem do Estado, todas as portas da frente dos prédios perto da fronteira tinham que ser trancadas todo dia às 20h. Os moradores podiam abrir a porta com uma chave, mas os fugitivos que chegassem depois daquela hora não conseguiriam entrar no corredor da casa sem bater – o que, para os atravessadores do túnel, deveria ser evitado a qualquer custo. Rudolph, que tinha certa habilidade como chaveiro, planejava sair do porão e abrir a tranca por dentro para manter a porta aberta depois das 20h. A cada morador que chegasse e trancasse a porta, ele teria que repetir esse passo.

O que fazer se um morador decidisse checar algo no porão e descobrisse os visitantes? O invasor, gostando ou não, seria forçado a atravessar o túnel engatinhando em direção ao lado ocidental, sob a mira de uma arma. Infelizmente, mas os atravessadores estavam concentrados nas dezenas de pessoas dispostas a fugir naquela noite.

O último membro da equipe de atravessadores a chegar foi Christian Bahner, o agitado filho do doador de madeira aos escavadores. O jovem Bahner fez uma entrada que chamou atenção: vestido de pistoleiro do Faroeste para sua ida ao lado oriental, com chapéu de caubói e tudo, camisa, botas, cinto e dois coldres – com pistolas neles. Só faltava o sotaque de John

Wayne. Os organizadores se reuniram e decidiram que aquele jovem não iria, de jeito nenhum, a nenhum lugar perto da Berlim Oriental naquele dia, independentemente do que eles tinham prometido ao pai dele. Ele poderia ficar no porão no lado ocidental e se acalmar – e só se entregasse toda a munição.

Peter e Klaus Dehmel, enquanto isso, tinham chegado, mas depois de acender algumas luzes, não podiam fazer muito além de esperar.

Imagine o susto quando os escavadores, sem saber que aquela era noite de fuga – e ainda totalmente desinformados a respeito do acordo da NBC – viram as luzes e a câmera quando chegaram às cinco horas. Nem mesmo Uli Pfeifer e Joachim Neumann, principais envolvidos no projeto quase desde o começo, sabiam que a NBC tinha filmado dentro do túnel também por quase três meses. Como os outros que estavam tomando conhecimento do elo com a NBC, primeiro eles ficaram com raiva, depois profundamente preocupados, pensando que cada pessoa a mais que sabia a respeito da fuga representava um risco a mais, mesmo tão tarde. E se o rosto de atravessadores e de fugitivos aparecesse na TV, permitindo à Stasi identificá-los, isso poderia causar problema para amigos e parentes no lado oriental. Neumann, com a maior parte da família ainda do outro lado do Muro, sentiu-se bem nervoso.

Alguns dos escavadores desafiaram a equipe da NBC diretamente e exigiram que eles saíssem. Outros confrontaram Spina e Sesta, que explicaram que a segurança tinha sido estrita, acrescentando que o resultado final seria um documento incrível e filmado de seu esforço e sacrifício. As discussões continuaram por muitos minutos, atrasando o rompimento da fronteira com os fugitivos já a caminho. Por fim, os italianos pediram: Esqueçam as preocupações e os medos pelas próximas horas. Todo mundo tem um trabalho a fazer. Reclamando ou não, todo mundo aceitou sua tarefa, o que, na maioria dos casos, significava esperar no túnel para ajudar (ou acalmar) os refugiados que estivessem atravessando, incluindo pelo menos uma idosa e mais duas ou mais crianças.

Um dos líderes do túnel perguntou a Uli Pfeifer se ele se incomodaria em levar uma pequena câmera ao lado do túnel da Berlim Oriental – e filmar o local do rompimento por alguns minutos, para a NBC. Pfeifer ficou chocado. "Estou disposto a me arriscar indo para o lado oriental", respondeu ele, "mas não por uma emissora de TV".

QUANDO os quatro atravessadores da Bernauer foram para o lado oriental, passando por poças que chegavam a seus tornozelos, nunca ficou tão claro que era agora ou nunca. Ao chegarem ao fim, eles ficaram atentos a qualquer atividade no porão acima deles. Não ouviram nada. Hasso teve que subir nos ombros de alguém para começar a entrar no porão. Para testar a superfície, primeiro ele enfiou uma chave de fenda. O chão não era de concreto, era só de terra compactada, então seria fácil. Quando ele tirou a chave de fenda, água espirrou pelo pequeno furo. Será que tinha acertado outro cano? Ou pior: o porão todo estava tomado de água. Os atravessadores tinham ouvido rumores de que a Stasi inundava os porões próximos da fronteira para desestimular esse tipo de invasão no lado ocidental. Bem, só havia uma maneira de descobrir. Hasso começou a furar mais. Se realmente o porão estivesse inundado, o túnel, e os atravessadores, logo estariam cobertos de água.

Aumentando o furo, ele descobriu que o culpado era só um pequeno cano furado que deixava tudo molhado, mas não apresentava risco à operação. Usando um espelho de mão que enfiou para fora do buraco, Hasso confirmou que o porão estava vazio. Era seguro continuar, ou pelo menos tão seguro quanto a casa dos Sendler parecera quando ele tinha feito a mesma coisa. Neumann pensou: *Bem, pelo menos sabemos que não estamos em um quintal nem embaixo de uma calçada.* Com a adrenalina alta, os quatro se revezaram abrindo mais o buraco. Ao olharem pela janela do outro lado do porão, viram que ainda estava ensolarado do lado de fora. Quando pensaram que tinham terminado, Gigi reclamou – eles precisavam aumentar o buraco mais alguns centímetros, já que ele era um pouco mais barrigudo do que os outros.

Ainda sem ouvir nada lá de cima, Herschel passou pelo buraco e entrou no porão. Rudolph passou para ele a bolsa com as ferramentas e as armas – duas pistolas e a metralhadora MG-42 – antes de subir também, seguido por Neumann e Spina. Hasso abriu uma porta com o ombro. Rapidamente, eles encontraram os degraus até a porta que provavelmente levava ao corredor.

Uma grande pergunta permanecia: Estavam mesmo dentro do número 7 da Schönholzer Strasse? Ou numa casa adjacente? Sabiam o que tinham que fazer: subir aqueles degraus, passar por aquela porta e entrar na recepção para ver se o endereço constava ali – torcendo para que nenhum morador estivesse checando se havia correspondência nem que estivesse saindo à noite. Se tivessem entrado por baixo do número 6 ou do número 8, o que fariam? Era tarde demais para notificar os mensageiros diretamente, por isso um dos atravessadores teria que esperar dentro ou fora da casa de número 7, por horas, para encontrar os fugitivos ou – igualmente arriscado – visitar um dos bares onde os fugitivos estavam reunidos.

Hasso, com sua rara barba preta agora muito cheia, chamaria muita atenção, por isso Rudolph se ofereceu, vestindo o casaco de operário que havia levado consigo. Se alguém o visse, ele diria ser um eletricista trabalhando na construção (o que não deixava de ser verdade). Indo para os fundos do corredor, Rudolph viu que a porta do porão estava escondida ali atrás da parede à esquerda quando alguém entrava na casa, o que era uma vantagem: Era possível ficar à porta e não ser notado pela frente. Ele viu outra porta a poucos metros dali que levava ao quintal. O corredor era um espaço retangular, como de costume, com escadas dos dois lados que levavam ao andar de cima. A qualquer momento nas duas horas seguintes, um morador podia descer de repente de um dos dois lados, ou mesmo aparecer vindo do quintal.

Rudolph passou depressa pelo corredor vazio e viu uma lista de moradores, mas nada que indicasse o endereço. Não teve escolha além de abrir a porta da frente e sair à rua, onde havia guardas no posto de fronteira e à vista de qualquer policial em patrulha. Ao sair na calçada e olhar para trás, ele viu: um grande "7" preto pintado no esmalte branco acima das portas altas de madeira da entrada. (Nunca o número 7 trouxe tanta sorte). A construção de cinco andares parecia bem desgastada. A fachada de pedra estava, basicamente, rachada e cheia de marcas, provavelmente devido a tiros dados no fim da Segunda Guerra Mundial. À esquerda da porta, as janelas do primeiro andar estavam fechadas com tábuas de madeira ou com tijolos.

Arame farpado, pendurado em postes, descia até o meio da rua a cinco metros dali. Depois de olhar para cima e para baixo no quarteirão, para ver o que os fugitivos encontrariam, Rudolph entrou no porão. Neumann mandou as boas notícias ao lado ocidental pelo telefone. Alguém informou à "sede" (no apartamento da NBC) que não havia necessidade de dizer aos mensageiros que eles tinham chegado ao endereço errado. Do outro lado do Muro, o lençol branco cobria uma janela.

Já eram 18h, e o corredor no número 7 da Schönholzer começou a ser tomado pelo movimento da noite. Os atravessadores ouviam os moradores chegando em casa do trabalho e conversando com amigos. Um dos moradores ria a assoviava. Outros iam para a rua para comer alguma coisa ou para comprar coisas para o jantar. Outro grupo animado, aproveitando a noite quente, abriu a porta para o quintal. Rudolph, imaginando o que podia acontecer se a primeira leva de fugitivos chegasse no corredor em meio a tanto movimento (ou qualquer movimento que fosse), sentiu-se cercado por fogo. Os atravessadores seguraram suas armas.

ENQUANTO ISSO acontecia, as famílias Schmidt e Moeller tinham chegado separadamente ao bar que ficava a dois quarteirões da casa de número 7 da Schönholzer. Ninguém conhecia a região, por isso tiveram que procurar. Os Schmidt, com a mãe de Peter, tinham pegado dois S-Bahns até a Alexander Platz e então caminharam menos de dois quilômetros, primeiro com a filha caminhando, depois no colo pelo resto do caminho. Anita e o marido tinham pegado um bonde, e então empurraram o carrinho de bebê pelos quarteirões finais. Todos tinham recebido a informação de esperar uma mulher entrar no bar com uma cópia dobrada do jornal *Bild Zeitung* embaixo do braço. O mensageiro caminharia até o balcão e compraria uma caixa de fósforos. Os Schmidt tinham recebido a instrução de partir em direção à casa 7 da Schönholzer assim que a mulher saísse, e os Moeller, 15 minutos depois.

Operários começaram a entrar no *pub* para tomar uma cerveja depois do turno de sexta-feira. No canto, sentados a mesas separadas por pouca distância, estavam alguns clientes incomuns, os Schmidt e os Moeller, sentindo que chamavam atenção: dois jovens com cara de estudantes ou profissionais, e duas mulheres muito atraentes e bem vestidas cuidando de crianças pequenas. Uma delas usava um moderno vestido Dior e sapatos de salto. Além deles, havia uma mulher mais velha e grisalha. Eles estavam sentados ali já fazia um bom tempo, tomando café como se esperassem por alguém – e começando a achar que podiam estar no endereço errado.

Anita, olhando para os Schmidt, sussurrou ao marido: "Aqueles ali devem ser outros fugitivos", mas não se aproximou para puxar conversa. Só se levantou para levar a filha para andar do lado de fora e ir ao parquinho no fim do quarteirão. Do outro lado de um estacionamento vazio, ela viu a faixa da morte, as torres de vigilância, o Muro. Ver o arame farpado e os postos dos guardas só aumentou seu receio. Dentro do bar, os fugitivos enfrentaram confusão. Um homem, sentado sozinho, não parava de mostrar a outros clientes sua cópia de um jornal sobre corrida de cavalos. Seria um sinal aos fugitivos sobre o qual eles não tinham sido informados?

As crianças, ambas com menos de um ano e meio de idade, estavam se comportando bem apesar das fraldas molhadas. A de Annett tinha vazado no vestido da mãe, mas Eveline temia chamar ainda mais atenção se trocasse a fralda. Uma hora se passou. As duas mães se entreolhavam de modo cúmplice de vez em quando, ao darem aos filhos mais um copo de água ou de suco de maçã. Quando já eram quase 19h, Anita levou Astrid para fora para andar de novo. Eveline temia que naquele momento alguém no *pub* já tivesse passado a informação à Stasi – ela se sentia como "um coelho na frente da serpente".

Então, uma jovem mais esguia entrou pela porta, com os cabelos presos em um lenço. Embaixo de um braço, ela levava um jornal com as letras B e Z grandes, de *Bild Zeitung*, visíveis a metros de distância. Ellen Schau estava muito atenta. Além de nunca ter feito nada daquele tipo antes, como uma mulher desacompanhada entrando em um bar na Berlim Oriental, ela sabia que estava chamando muita atenção. Ainda assim, ela foi diretamente ao bar e pediu uma caixa de fósforos, em voz alta. Ao olhar ao redor, foi fácil identificar os refugiados. Eram as pessoas com expressão séria e olhos atentos a todos os movimentos dela.

Tentando agir de modo casual, os Schmidt guardaram suas coisas, pegaram seu filho e lentamente passaram por Hans-George Moeller a caminho da porta. Na calçada, em direção à casa 7 da Schönholzer, eles se separaram, e Peter e sua mãe foram em uma direção, e Eveline e a criança, em outra. O sol do fim da tarde lançava sombras compridas. Torcendo para que ela estivesse seguindo na direção certa, Eveline se concentrou em encontrar a placa da rua que indicasse o retorno à Schönholzer. Para alguém dos bairros residenciais, o local era confuso, um lugar dominado por sequências e mais sequência de casas velhas. *Mantenha a calma*, ela dizia a si mesma o tempo todo. Ellen Schau, que tinha saído do bar e agora se acalmava no parquinho, observou Eveline passar e silenciosamente desejou que ela conseguisse.

Pelo caminho, Eveline passou por Anita e Astrid, que estavam voltando ao bar depois do último passeio. Eveline sussurrou a Anita: *Auf Wiedersehen*. Até mais tarde.

NO FIM, os dois grupos de Schmidt chegaram à casa 7 da Schönholzer ao mesmo tempo. Abriram a porta e entraram no corredor, que estava vazio. *Até aqui, tudo bem*, Eveline pensou. *E agora?* Eles viram uma porta no fim do corredor e Eveline a abriu – e viu apenas um quintal. *Não tem nada aqui. Lugar errado?* Ao se virar, ela viu uma segunda porta em uma parede que não era visível da rua.

Atrás da porta, nos degraus que levavam ao porão, os quatro atravessadores ouviram movimentação no corredor. Esperaram, com o coração acelerado. Esquecendo-se de dar a senha, *Potemkin*, Eveline abriu a porta... e viu vários jovens com arma ali. O homem de barba preta apontou uma pistola em sua direção. Então, Gigi Spina deu um passo à frente para abraçar seu amigo Peter Schmidt.

Não havia mais tempo para abraços nem conversa. Levando o bebê, Eveline foi guiada escada abaixo até o canto do porão, seguida pelo marido e pela sogra. Os atravessadores tinham pendurado uma lâmpada dentro do buraco, que brilhava forte, iluminando o caminho. Quase como num transe, e sem escolha a não ser confiar nos desconhecidos, Eveline passou sua filha a outras pessoas no túnel e então, com o vestido novo e a meia-calça, subiu. Depois de engatinhar um pouco, ela perdeu os sapatos, mas seguiu em frente, passando pelos auxiliadores, com as luzes acima deles iluminando a câmara.

Na porta do corredor, Joachim Rudolph refletia: depois de meses de escavação, das bolhas, dos choques elétricos, do vazamento de água, do susto de Stürmer, a ameaça constante de um desmoronamento e sua experiência de quase-morte na Kiefholz Strasse, ainda que ninguém mais venha, *mesmo assim terá valido a pena*.

HAVIA POUCOS sinais de drama histórico no lado ocidental do túnel, apesar das luzes de TV brilhantes já voltadas para a cena. Os escavadores designados a receber os fugitivos no lado ocidental haviam se afastado do buraco no concreto, esperando o aviso de que a operação estava ocorrendo. Quando os Schmidt entraram no túnel no lado oriental, essa notícia, passada pela caverna pelos membros da equipe de ajuda, mal chegou ao lado ocidental. Ao ouvir bem baixo, Peter Dehmel agiu depressa para virar a câmera da NBC diretamente para o buraco, onde a escada de madeira estava inclinada para a direita num ângulo de 60 graus em relação ao túnel para o chão do porão.

O primeiro sinal de vida: a carteira de uma mulher colocada em um beiral à esquerda da escada, e então, os cabelos despenteados de uma mulher, que logo revelara ser de uma jovem de vestido preto. Depois de engatinhar por poças e pela terra por alguns minutos, ela se esforçava para subir os 15 degraus da escada. Ao chegar ao topo, ela se virou em direção às luzes fortes, olhando assustada para a câmera. Nenhum dos escavadores estava presente, por isso Klaus Dehmel se apressou a ajudá-la a subir os últimos degraus. (Não foi cumprida a ordem de Reuven Frank para que os membros da NBC permanecessem apenas observando passivamente.) O vestido dela estava encharcado de água e lama, ela estava descalça. O rapaz da iluminação da NBC a guiou, quase até ela cair, a um banco encostado na parede.

Tomada pela emoção, Eveline ouviu o que percebeu como um som bem estridente – e desmaiou brevemente, ainda sentada no banco. Recobrando os sentidos, olhou com preocupação na direção da abertura. Outra pessoa apareceu na escada. Era Mimmo, levando a filha dela, ainda sem chorar. Ao chegar ao chão do porão, Mimmo passou a menina a Klaus Dehmel e se abaixou para abraçar Eveline. Em seguida, Mimmo beijou as mãos de Annett, enquanto Eveline segurava a filha contra o peito.

Meio minuto depois, uma idosa com cabelos grisalhos e despenteados subiu a escada. Quando seu filho, Peter Schmidt, chegou ao porão, ele quase tirou Mimmo do chão em um abraço. Os quatro Schmidt: no lado ocidental, finalmente.

NO LADO oriental, Anita Moeller estava procurando um lençol pendurado em uma janela diretamente defronte o Muro. Ficou aliviada ao vê-lo; mais ainda, ao ver que era branco. Diferentemente do mês anterior, não haveria volta. Isso poderia ser algo bom ou ruim, dependendo do que acontecesse em seguida.

Agora, seus nervos estavam quase fora de controle, ainda mais devido à grande quantidade de café que tinha tomado, e passava por poucos pedestres na Schönholzer. Astrid continuava calma no carrinho apesar da fralda molhada. Os Moeller encontraram a casa 7 e entraram no corredor. Hasso, sabendo que a irmã era a próxima na fila, estava atrás da porta do porão. Devido à barba preta, Anita não o reconheceu logo de cara; quando o reconheceu, eles mal falaram e só se abraçaram rapidamente. Ela ficou chocada por encontrá-lo no lado oriental, devido a seu histórico de prisões, e a certeza de uma sentença longa, talvez até de morte, se fosse preso. Hasso disse: "Vá, vá", e praticamente empurrou Anita e o marido em direção ao túnel. Eles deixaram o carrinho da bebê no corredor.

Na entrada do túnel, Neumann instruiu Anita a levantar as mãos e escorregar para dentro. Hans-George passou Astrid a duas mãos desconhecidas. Enquanto ela engatinhava por grandes poças e pelo trilho abrasivo de aço, ainda de salto alto, Anita reclamou a um de seus guias: "Vocês são malucos? Deixaram Hasso ir para o lado oriental... outra pessoa deveria estar ali!". Pelo menos, sua claustrofobia tão temida não apareceu. Por outro lado, ela percebeu que seu vestido de casamento Dior e a meia-calça estavam se rasgando.

Surgindo do outro lado, com os joelhos cortados e sangrando, Anita ficou surpresa ao ver as luzes fortes. Ela havia trabalhado na TV em Dresden e sabia que o som que ouvia era o zunido de uma câmera, e pensou: *Eles estão gravando um filme*. Aquilo não podia ser verdade. Seu próprio irmão não a havia alertado. Ela notou outra coisa esquisita: dinheiro molhado da Alemanha Oriental preso a um varal, pendurado para secar.

Depois de receber a filha das mãos de um escavador, ela viu Eveline com sua filha sentada perto da parede e foi cumprimentá-las. Anita, diferentemente de Eveline, havia conseguido manter os sapatos, mas elas dividiam algo: o desejo – não, a necessidade urgente – de ir para a sala ao lado e cuidar das fraldas de suas filhas (seguidas pelos Dehmel com suas luzes e câmera). Eveline ainda tinha uma fralda extra na bolsa, mas Anita teve que pegar emprestada uma blusa de um dos escavadores para agasalhar Astrid. Se uma das meninas deu um grito, ninguém ouviu. Então, as duas mulheres se revezaram lavando as pernas e os restos da meia-calça, com água de uma bacia. Eveline pegou Annett nos braços e se sentiu calma o suficiente para sorrir para a câmera.

Minutos depois, Wolf Schroedter guiou a primeira leva de refugiados ao andar de cima e até a Kombi, para que fossem levados a seus alojamentos naquela noite. Em Berlim. Na Berlim Ocidental.

AGORA já passava muito das sete da noite. Começava a escurecer. No andar de cima, Ellen Schau estava completando suas tarefas, nervosa, com um cigarro na mão o tempo todo. Sua terceira e última parada foi em mais um bar perto da Schönholzer Strasse. A cor do lençol pendurado no apartamento da NBC continuava sendo o branco. Havia só um problema: o sinal naquele bar deveria ser uma jovem (Schau) entrando depressa, sentando-se a uma mesa e pedindo um café. Mas aquele bar não estava servindo café naquela noite, Ellen descobriu. As entregas tinham sido canceladas. Ellen praguejou contra as falhas de abastecimento da RDA enquanto pensava no que fazer.

Primeiro, ela tentou falar mais alto para que os refugiados presentes soubessem que ela tentava mandar um sinal. "Café! Vocês não têm café? Por que não têm café?!". O garçom pareceu estupefato. Sem saber se estava dando certo, e percebendo que mais parecia uma louca, Ellen pediu algo que também começava com C, que ela acreditava que eles teriam: conhaque. O garçom logo voltou e pousou um copo pequeno à frente dela. Ellen achava que era melhor beber tudo para acalmar a desconfiança dele, apesar de nunca ter tomado um gole de álcool na vida. Dava para dizer que em poucas horas ela tinha se tornado uma mensageira altamente profissional. Pareceu dar certo, já que ela notou a presença de alguns clientes se movimentando como se fossem embora.

Ao sair, ela notou que o lençol branco ainda estava pendurado na janela do quarto andar de frente para a Berlim Oriental, do outro lado do Muro. Ela se perguntou se seu namorado Mimmo estava ali em cima, seguro, ou no túnel, correndo risco.

Depois de cumprir suas tarefas, Ellen pegou um táxi que a levaria ao posto de fronteira movimentado na Friedrich Strasse. Temendo ser revistada na fronteira, e que seu dinheiro levantasse suspeita, ela deu uma boa gorjeta ao taxista. Como esperava, no posto de fronteira, ela foi abordada por uma policial feminina e muito bem revistada. Será que a Stasi sabia do plano de fuga? Mas memorizar caminhos e endereços e livrar-se da maior parte do dinheiro foram coisas que compensaram: em pouco tempo, ela foi liberada. Ellen havia arquitetado a própria fuga. Chegando à estação Zoo no lado ocidental, ela de repente sentiu as pernas bambearem e quase desmaiou. Por fim, ela se deu conta do que tinha feito, a que tinha sobrevivido.

INGE Stürmer havia decidido, mais cedo naquela semana, parar de esperar pela batida na porta que poderia levá-la ao lado ocidental. Klaus Brunner, um amigo bem vestido de seu marido, a havia visitado recentemente para dizer que uma tentativa de fuga poderia acontecer naquele mês, mas só dali a algumas semanas. Então, no dia 14 de setembro, ela decidiu relaxar e fazer um assado para o jantar. Convidou a tia e o tio, além de Doris Gerlach, uma jovem que tinha conhecido na prisão de Moisdorf. Assim como ela, Doris tinha sido presa grávida e deu à luz atrás das grades. Elas se tornaram amigas depressa. Assim como Inge, ela tinha um filho mais velho também.

Naquele dia, enquanto Inge servia café depois do jantar, um homem de moto de repente parou na frente da casa e uma mulher que estava na garupa saltou. Inge foi para a porta antes de a mulher chamá-la. A fuga estava marcada para aquela mesma noite, segundo a visitante, com um sotaque sueco, que lhe deu as coordenadas. Inge teria que entrar em contato com outra fugitiva chamada Karin no caminho. Como Inge poderia ter certeza de que não se tratava de uma armadilha? A mulher mostrou-lhe uma foto de sua filha na qual Claus Stürmer havia escrito algo como *Mantenha a firmeza*. Inge se apressou a pedir que a tia e o tio fossem embora, sem se explicar.

"Ah, não, de novo, não", disse sua tia, lembrando-se da tentativa de fuga anterior que mandou Inge para a prisão. O tio dela disse: "Dê-nos todas as suas cartas", sabendo que seria melhor queimá-las agora. Inge contou a sua amiga Doris o que estava havendo. Doris afirmou que ela também queria fugir. "O que tenho a perder?", perguntou Doris, e então foi para casa para fazer a mala e pegar seus dois filhos. Inge prometeu que a encontraria lá em uma hora.

Em poucos minutos, Inge conseguiu organizar os dois filhos, vestir um casaco xadrez e seguir em direção à casa de Doris, que ficava perto da fronteira. Mas – que azar! –, o bonde na região não estava funcionando, por isso Inge não teve escolha a não ser fazer o caminho do bonde a pé, 15 pontos, empurrando um carrinho de bebê. Já atrasada, ela deixou os filhos com Doris e partiu para procurar Karin. Quando conseguiu fazer isso, elas pegaram um táxi até o apartamento de Doris. Inge pegou um ramalhete de flores de um vaso e o envolveu em jornal para fazer parecer que estavam indo a uma festa ou reunião em família na Schönholzer Strasse, caso fossem abordadas por guardas. Então, foram para a rua: três mulheres, duas delas empurrando carrinhos de bebê, e duas jovens. Agora já estava quase escuro. Como saber se o túnel ainda estava aberto para a passagem ou se os atravessadores ainda estavam ajudando?

HASSO Herschel, ansioso para voltar ao lado ocidental para um encontro mais íntimo com a irmã, permaneceu em seu posto do lado de dentro do porão na casa 7 da Schönholzer. Tinha uma lista de fugitivos e a ordem em que chegariam, o que ele havia combinado com os mensageiros. Até aquele momento, a lista estava correta. As próximas eram duas mulheres, uma de cerca de 30 anos, e a outra, de aproximadamente 50.

Quando Hasso ouviu uma batida e a senha, e abriu a porta, encontrou, para sua surpresa, não duas mulheres, mas uma mulher e um homem. Este vestia um casaco de couro e um chapéu – traje típico da Stasi – com as duas mãos no bolso. Herschel, que já estava segurando uma arma com a mão direita, apontou a arma para o homem e exclamou: "Mãos ao alto!" Quando o homem pareceu mais assustado do que rendido, Hasso tentou dar um tiro, mas seu dedo esbarrou no metal curvado na frente do gatilho. Antes que ele pudesse disparar de novo, ele notou, quando o homem se afastou com medo, que havia, como combinado, uma segunda mulher atrás dele. Talvez ele fosse um marido ou irmão não relacionado na lista de fuga oficial?

Rapidamente, Hasso empurrou os três alemães orientais porta afora em direção ao túnel, agora satisfeito por eles serem inofensivos. Praticamente tremeu de alívio. Sua inexperiência com armas de fogo o impedira de se tornar um assassino, sem falar que não deu um tiro que teria feito moradores e guardas da fronteira correrem até onde eles estavam. Isso teria forçado Hasso e os outros a repetirem a experiência de Kiefholz, correndo como loucos pelo túnel para fugir, acabando com qualquer chance de outras pessoas no lado oriental fugirem naquela noite.

Alguns minutos depois, com apenas metade dos cerca de 25 fugitivos esperados tendo partido, Herschel e Spina partiram para o lado ocidental, prometendo enviar substitutos. O movimento de pessoas no corredor da casa 7 da Schönholzer havia acabado. A dona da casa entrou no corredor, como fazia toda noite, exatamente às 20h, para trancar a porta da frente. Agora, Rudolph teria que ir até o corredor para destrancá-la. Ele ficou tentando imaginar se sua camisa azul de operário o salvaria se um morador o visse e perguntasse o que ele estava fazendo, ainda mais com instrumentos de abrir portas na mão.

Uma hora se passou. Os dois Joachim – Rudolph, magro e de cabelos claros, e Neumann, atarracado e de cabelos escuros – ainda estavam esperando reforços ou alívio. Ninguém do lado ocidental havia decidido se unir a eles, e eles não podiam chamar ninguém pelo velho telefone do Exército. Hasso provavelmente estava do lado de fora comemorando com a irmã, eles imaginavam; os dois italianos, com Peter Schmidt. Então, permaneceram nos degraus do porão, sozinhos, armados, mas ainda correndo grave perigo. Teriam gostado da segurança que um colega a mais poderia ter dado, mas confiavam uns nos outros que não entrariam em pânico – e não havia como saber quem poderia ser enviado do lado ocidental (tomara que não mandassem o "caubói").

De tempo em tempo, um morador voltando do trabalho ou do jantar destrancava a porta da frente e voltava a trancá-la. Rudolph tinha que deixar a relativa segurança do porão e sair do corredor com suas ferramentas (e uma pistola no bolso), torcendo para que ninguém descesse a escada vindo do andar de cima, e destrancar a porta depressa. Neumann, levando a MG-42 contra o peito, o "cobriria" por trás na porta do porão, como em um velho filme de Cagney, atento a qualquer problema.

Refugiados não paravam de chegar, em dois ou em três, durante um tempo, encontrando a porta do porão e sussurrando a senha. Neumann, como tinha feito a noite toda, os levou à boca do túnel e para dentro dele, sem nada dizer, só apontando quando necessário. Apesar do alto nível de ansiedade, os fugitivos reagiram de modo passivo, quase como se estivessem no piloto automático. Ele dizia: "Sentem-se", e eles se sentavam; "levantem os braços", e eles levantavam; "agora deslize", e eles partiam. Como engenheiro, Neumann achava que eles agiam quase como brinquedos mecânicos: silenciosos, sem pausa, sem reclamar – mesmo quando viam a escuridão do túnel, e as poças d'água. Para eles, podiam estar sendo guiados como carneiros para o abatedouro, ou pelo menos para os braços da Stasi.

Na verdade, todos estavam chegando em segurança ao lado ocidental. Uli Pfeifer, ajudando-os em algum ponto no meio do túnel, ficou impressionado com a compostura deles. Eles continuavam passando. No fim, eles subiam a escada, sob o olhar da câmera da NBC, e então entravam na velha Kombi, seguindo para alojamentos temporários em um quarto, no apartamento de um amigo ou no centro de refugiados Marienfelde.

Por fim, os fugitivos na lista tinham chegado e desaparecido túnel adentro. Só aqueles ligados a Claus Stürmer não tinham chegado, e estavam atrasados. Nenhum mensageiro chegou do lado ocidental dizendo aos dois Joachim que a operação havia acabado. Eles só podiam esperar. Enquanto isso, a água no túnel continuava subindo. Se os atrasados aparecessem mesmo, talvez fossem os últimos a escapar por aquela passagem. Neumann esperava atravessar um ou mais de seus amigos no dia seguinte. Agora, as chances de uma segunda operação pareciam estar diminuindo.

E então três moças com quatro crianças a reboque – praticamente uma multidão – chegaram à porta e foram levados para seu caminho de fuga como os 20 ou mais antes deles. Claus Stürmer, no porão do outro lado da caverna, já não tinha esperança de que sua família atravessaria naquela noite. Um aviso foi dado pelo rádio: Rudolph e Neumann estavam mandando algumas mulheres e crianças! Stürmer desceu a escada para dentro do túnel, quase ansioso demais para ter esperança.

No outro lado da caverna, sua esposa sussurrava: "Não tenha medo, vamos ver o papai agora", para a filha deles, Kerstin, que chorou quando elas entraram no buraco mal iluminado no lado oriental. Inge atravessou como uma maluca pelo túnel com seu casaco xadrez, ralando os joelhos no trilho. Quando chegou ao outro lado, não reconheceu Claus, cujo rosto sem barba estava muito sujo, mesmo depois de eles terem se abraçado na escada. Inge, sem saber, perguntou a ele: "Pode pegar meu bebê?".

Claus desceu para pegar o filho que chorava – que ele nunca tinha visto – no colo. Por cima, Peter Dehmel, ainda trabalhando, registrou todos os momentos dramáticos em vídeo. Inge finalmente reconheceu o marido. Um minuto depois, outros escavadores cumprimentaram Claus e o abraçaram. Inge achou que parecia que ele havia acabado de marcar o gol da vitória de um jogo de futebol. Seu sonho, no mês anterior, de apenas tentar levar seus entes queridos para o lado ocidental havia se realizado. Todo mundo, inclusive os escavadores, tinham conseguido, sãos e salvos. Dessa vez, sem traição, sem Stasi, sem prisões.

Sem esperar pelo aviso formal do fim da missão, os dois Joachim finalmente se prepararam para abandonar seu posto no lado oriental, sabendo que se não saíssem logo, talvez tivessem que nadar para o lado ocidental pelo túnel resistente, mas cheio de água. Antes de partirem, eles decidiram que os carrinhos de bebê que tinham sido deixados no corredor poderiam sugerir aos moradores que algo ilegal havia ocorrido bem embaixo do nariz deles, por isso os pegaram e levaram ao porão, para o caso de a operação continuar mais um dia.

Mimmo Sesta e Manfred Krebs então atravessaram na direção oposta, inspecionando o estado do túnel enquanto passavam – observando depressa e com alegria o porão e o corredor, que logo se tornariam famosos, da casa 7 da Schönholzer Strasse.

NO ESCRITÓRIO da NBC, Reuven Frank estava ficando desesperado. Durante todo o dia, ele e seu editor estavam assistindo à gravação feita semanas e meses antes pelos irmãos Dehmel. Estava extremamente animado, ansioso. Piers Anderton, que passou a maior parte do dia com ele, havia lhe dito que a missão de fuga, marcada para o fim da tarde, provavelmente terminaria às 20h. Desde então, nenhuma palavra. Frank esperava que os Dehmel chegassem ao escritório às 21h, mas isso não tinha acontecido. Pediu para entregarem uma refeição chinesa cara, mas estava ansioso demais para comer. Será que a fuga tinha sido comprometida como na Kiefholz Strasse? Por fim, ele decidiu sair e dar uma olhada.

Sem querer chamar atenção, ele chamou um carro comum e pediu a um dos assistentes de Gary Stindt que o levasse até a fábrica de mexedores de coquetel e passasse por ela sem diminuir a velocidade. Ele não viu nenhuma atividade policial incomum no lado ocidental nem, ao olhar por cima do Muro, no lado oriental. Se uma grande batida policial tivesse ocorrido, haveria muita movimentação ou luzes piscando, ele disse a si mesmo, ao voltar para o escritório para esperar mais um pouco.

Às 2h, os Dehmel chegaram. Eles tinham se recusado a sair do porão até a missão terminar, e por isso ficaram esperando, como todo mundo, o grupo de Stürmer. Então, tinham levado seus valiosos rolos de filme para um laboratório seguro. Reuven Frank teria que esperar até mais tarde naquele dia para ver o que eles tinham registrado, mas o testemunho dos Dehmel fez parecer que havia sido um sucesso fenomenal e heroico – e, incidentalmente, ótimo para a televisão.

14
Filmagem subterrânea

Os escavadores cansados não tiveram folga. Na manhã seguinte à fuga em massa, os organizadores se concentraram em analisar se deveriam tentar atravessar mais algumas pessoas da Berlim Oriental antes de a passagem ficar totalmente inundada. Para alguns, principalmente para Hasso Herschel e para os dois italianos, a missão já estava cumprida.

Superando vários obstáculos, eles tinham retirado amigos e entes queridos do lado oriental sem nenhuma prisão e sem nenhum tiro. A maioria dos escavadores queria ajudar outros a escapar nos dias seguintes, mas o túnel agora estava bem cheio de água, e o risco de colapso (sem falar da possibilidade de serem descobertos por um morador ou por um agente da Stasi) era ainda maior. Então, eles declararam vitória e se retiraram.

Outros, depois de uma breve inspeção no túnel, quiseram explorá-lo por pelo menos mais um dia. Discutiram isso em uma reunião às 11h. Joachim Neumann tinha amigos que ele sabia que fugiriam sem pestanejar. Alguns escavadores achavam que era errado pelo menos não tentar ajudar compatriotas alemães. Sim, o túnel agora tinha alguns centímetros de água em alguns pontos, mas todo aquele trabalho serrando e posicionando suportes de madeira havia criado uma caverna bem resistente. Era confiável demais para ser abandonada. Jovens desesperados e mulheres frustradas pelo comando comunista podiam aguentar menos de meio metro de água, ainda que tivessem que nadar até o lado ocidental.

Uma decisão foi tomada: vamos tentar fazer com que dê certo por mais um dia. A ousada mensageira sueca estava disposta a entrar no lado oriental de novo. O plano era que ela notificasse cinco pessoas de uma lista feita pelos escavadores. Aqueles cinco convidam mais cinco, e assim por diante. Assim, teriam um grupo novo de fugitivos. Joachim Neumann e seu amigo escavador Rainer Haack se ofereceram para ocupar o porão da casa 7 da

Schönholzer naquela noite e guiar as pessoas ao túnel. Uli Pfeifer queria ajudar de alguma maneira. Claus Stürmer disse que conseguiria equipamento de mergulho para os fugitivos, se fosse o caso. E talvez fosse o caso.

Em um apartamento em Bonn, enquanto isso, Birgitta Anderton atendeu o telefone; era seu marido.

"Tiramos todos", anunciou ele.

"Do que está falando?", perguntou ela.

"Ah", respondeu ele com alegria. "Esqueci de contar... estamos gravando um documentário em Berlim sobre alemães orientais que fugiram para o lado ocidental num túnel. E nós tiramos todos eles". O uso do pronome "nós" por parte do jornalista foi revelador.

Enquanto Anderton e a maioria dos organizadores tentavam relaxar, Reuven Frank estava se preparando para sua missão, que essencialmente tinha acabado de começar. Perto do meio-dia na sede da NBC em Berlim, a filmagem grave, silenciosa e em preto e branco dos Dehmel da noite anterior havia voltado do laboratório e estava prestes a ser projetada na única "tela" que havia por perto: uma grande folha de papelão branco manchado. Frank se perguntou se condiria com a sinopse de Dehmel de 10 horas antes.

Ele não precisou esperar muito para descobrir. Depois de alguns minutos, a tela mostrou Eveline Schmidt subindo a escada, com Klaus Dehmel, justamente ele, correndo para ajudá-la. Foi, na opinião de Frank, o momento mais emocionante de sua carreira toda. Apesar da iluminação fraca, a qualidade da imagem era tecnicamente adequada, a tensão era palpável, o drama nas alturas. As cenas exigiriam pouca ou nenhuma narração. E continuavam, mostrando a chegada estoica de fugitivos e suas reações emocionais logo após. Numa cena, Wolf Schroedter levava as primeiras pessoas para fora do porão, além da oficina onde cortavam madeira, em direção à Kombi do lado de fora. Então, a câmera voltava para o buraco no chão para mostrar mais pessoas chegando, incluindo um homem alto de casaco de couro que quase levou um tiro de Hasso Herschel. Por fim, Inge Stürmer e seus filhos chegaram, terminando em um close de Claus na escada segurando seu filho pela primeira vez.

Frank ficou emocionado. Ele ligou para o chefe, Bill McAndrew, em Nova York, para dizer a ele que esquecesse o plano de um especial de 60 minutos sobre uma série de esforços de fuga em Berlim, pois precisaria de 90 minutos para contar só a história daquele túnel. Ele não fazia ideia de como montar, com o editor Polikoff, algo forte e coerente com toda a gravação feita durante semanas de muitas filmagens curtas, sem áudio e com um elenco desconhecido das plateias norte-americanas. Mas o resultado final não era mais uma incógnita. Frank só precisava começar a editar.

Ele não podia imaginar que, para a NBC, a parte fácil havia terminado.

E OS mais novos cidadãos da Berlim Ocidental? Os adultos entre os 27 que tinham acabado de atravessar o túnel cheio de lama embaixo da Bernauer Strasse sabiam que nos dias seguintes, teriam que se apresentar em Marienfelde para se registrarem formalmente e falarem com os agentes da inteligência alemã (e provavelmente americana, francesa e britânica). Mas não estavam pensando nisso naquele sábado. Alguns, exaustos, mas levados pela adrenalina, haviam passado a noite toda conversando com velhos amigos e familiares. Outros dormiram até tarde. Inge Stürmer segurou a mão da filha agitada a noite toda até elas finalmente dormirem quando o dia amanheceu. Eveline Schmidt e sua filha tinham ido morar com a namorada de Gigi Spina enquanto o marido e a mãe dela encontravam outro lugar.

Quando deixaram seus alojamentos temporários por algumas horas, os expatriados tentaram absorver o fato de estarem na Berlim Ocidental. A maioria já havia estado ali antes, antes do Muro, mas outros estavam ali pela primeira vez. O que Anita Moeller fez quando saiu da casa da mãe de Uli Pfeifer no primeiro dia? Juntamente com três de seus salvadores, ela foi à famosa loja de departamento KaDeWe para comprar fraldas e roupas para sua filha, que não estava vestindo nada além de uma blusa de lã emprestada desde a noite anterior. Inge Stürmer, enquanto isso, foi a um médico tratar o corte que havia sofrido e os joelhos ralados. O médico não disse nada, mas ela teve certeza de que ele sabia o que tinha acontecido.

Em outro lugar de Berlim, outra alemã oriental estava aproveitando seu primeiro dia no lado ocidental. Angelika Ligma, uma bela moça de 20 anos, há muito desprezava o Muro. A empresa de cosméticos para a qual ela trabalhava a havia matriculado em um programa de elite na Universidade Humboldt, mas ela desejava começar a vida adulta no lado ocidental. Naquele verão, no Deutsches History Museum, ela havia conhecido um grupo de estudantes da Alemanha Ocidental com contatos no Grupo Girrmann que diziam ser capaz de ajudá-la. Numa manhã, ela fez uma mala e disse à mãe que ia à universidade, mas não revelou o destino real. Em seu caso, o método escolhido para a fuga foi se esconder embaixo do banco de um Opel antigo dirigido por um italiano. E deu certo, já que o Opel passou pelo posto de fronteira da Zimmer Strasse na calada da noite sem incidentes (e com a garota ainda respirando). Isso aconteceu horas depois de o último fugitivo passar pelo túnel da Bernauer. Ligma foi levada ao distrito de comércio de Kurfürstendamm, onde tomou café com o próprio Detlef Girrmann. Ele disse que ela deveria morar na Casa do Futuro durante alguns dias e raramente sair, já que o local era observado de perto por agentes da Stasi, e ele não queria que ninguém de um serviço de inteligência, do lado ocidental ou oriental, ou da imprensa, descobrisse o esquema de passagem de carros antes de ele pensar em uma história para encobrir essas novas chegadas.

O PLANO de passar mais refugiados pelo túnel cheio de água não estava indo tão bem quanto esperavam. O dia estava ensolarado, e era sábado, por isso a mensageira sueca conseguiu encontrar em casa só dois dos cinco berlinenses orientais de sua lista. O resto aparentemente estava fora, aproveitando o dia de folga do trabalho e dos estudos. Os dois, se revezando, não conseguiram encontrar ninguém disposto a fugir. Sem dúvida era tentador abordar desconhecidos na rua e estender a oferta única, mas eles podiam ter ligações na Stasi.

Alheios à situação, Neumann e Haack esperaram por três horas no porão da casa 7. A qualquer momento, um morador poderia decidir procurar algo ali dentro. Ninguém o fez. Só dois refugiados, um deles amigos de Neumann, chegaram. A mensageira tinha feito o melhor que conseguiu, mas infelizmente, ninguém mais do lado oriental iria. Neumann e Haack tentaram esconder o buraco no porão com um saco e um carrinho de bebê, e então entraram pela última vez. O túnel estava mesmo se enchendo de água. Claus Stürmer estava pronto com seu equipamento de mergulho, mas não havia refugiados esperando para nadar em direção ao lado ocidental. A menos que alguém que tivesse ouvido falar sobre o túnel chegasse ao número 7 e desse um jeito de encontrá-lo, ou se um morador visse o buraco e decidisse ir em direção à liberdade (ou avisar a polícia), o total de fugitivos seria de 29. Ou assim pensavam os atravessadores.

DOIS DIAS depois do rompimento, mais de uma dezena de escavadores se reuniram na fábrica de mexedores de coquetel para reclamar da omissão sobre as filmagens e o dinheiro da NBC até poucos minutos antes da operação. Eles eram, em sua maioria, estudantes que tinham feito turnos no túnel, mas não estavam envolvidos desde o começo nem ficaram com o peso do grupo principal. A ideia de alguém ganhar dinheiro com um projeto idealista de fuga era chocante para a maioria deles, que não sabiam que *Dicke* e outros tinham cobrado tarifas ou recebido dinheiro da imprensa em outros túneis.

Joachim Rudolph, que não sabia das gravações da NBC e recebeu uma pequena quantia por concordar em aparecer na filmagem, também participou da reunião. Uli Pfeifer, não. Ele continuava bravo por não ter sido informado a respeito do dinheiro e das filmagens mais cedo, mas por ser um velho amigo de Hasso Herschel, sentia-se dividido. (Hasso disse a Uli que quase informou a ele sobre a NBC, mas achou que "quanto menos pessoas soubessem, melhor".)

Sentado no chão perto do meio da sala, estava um homem que havia muito cultivava sentimentos ambivalentes, emocional e moralmente falando, a respeito do acordo com a NBC. Wolf Schroedter ouvia enquanto os outros desabafavam a respeito do sigilo, do dinheiro da televisão (para onde ele tinha ido, exatamente?) e sobre a possibilidade de a gravação mostrar o rosto deles ou dos fugitivos cujos amigos e parentes no lado oriental pudessem sofrer consequências graves. Schroedter tinha algumas dessas preocupações também, mas ainda estava profundamente envolvido no acordo com a NBC. A emissora havia dado aos criadores 7.500 dólares de cara e prometido mais 5 mil para que eles dividissem quando o filme fosse finalizado. Schroedter já tinha decidido que usaria sua parte para ajudar a começar outro túnel – com seus amigos do Grupo Girrmann, não os dois italianos, a quem ele culpava por causar dissensão devido ao sigilo excessivo.

Depois do encontro, Joachim Rudolph voltou ao túnel alagado para retirar algumas de suas ferramentas dali. Também encontrou dois sapatinhos deixados por alguma criança durante a fuga. Ele decidiu devolvê-los aos possíveis pais, Peter e Eveline Schmidt.

E Christian Bahner, o jovem "caubói" que havia perdido a chance de passar para o lado oriental com os outros no dia da fuga? Ele disse a seu irmão mais novo, Thomas, que tinha manuseado o machado no golpe que abriu o buraco no porão da Schönholzer! E também disse que, depois de os refugiados passarem, ele foi o último atravessador a permanecer no lado oriental, e quando os VoPos chegaram, perseguiram-no no túnel, e ele teve que engatinhar rapidamente em direção ao lado ocidental.

As notícias sobre a fuga dramática só se tornaram públicas em 18 de setembro, quatro dias depois do acontecimento. A manchete do *New York Post* revelava: "29 fogem da Berlim Oriental pelo mais longo túnel já cavado". O *New York Times* anunciava: "29 berlinenses orientais fogem por túnel de 121 metros", e dizia que esse tinha sido o maior grupo a escapar em uma única operação desde que o Muro fora erguido.

A imprensa tinha sido alertada antes, mas demorou a fazer a publicação até o túnel inundado ser declarado permanentemente inutilizado. A imprensa agora estava sendo incentivada pelas autoridades a divulgar que a entrada do túnel no lado oriental era na Schönholzer Strasse. Por quê? "Os oficiais deixaram claro que estavam passando detalhes da rota", a *Times* explicou, "para que os alemães orientais que ainda quisessem usar o túnel evitassem se afogar nas inundações".

A correspondente do *Washington Post*, Flora Lewis, disse que aquela era a sexta fuga em massa do ano. Esforços anteriores tinham sido organizados pelos próprios refugiados, mas agora, voluntários no lado ocidental tinham assumido a dianteira, insatisfeitos com a falta de ajuda oficial. Eles tinham organizado sua própria "estrada subterrânea". Heinrich Albertz, diretor do departamento de assuntos internos da cidade, disse que os oficiais sabiam desse novo túnel há muito tempo, e comentou: "Não consideramos um ato ilegal cavar um caminho embaixo do muro comunista". Expressou "total respeito" aos escavadores. Essa frase foi muito importante, Lewis disse, à luz da "silenciosa, mas amarga controvérsia" que os túneis tinham gerado na Berlim Ocidental. Muitos moradores tinham recusado pedidos para emprestarem sua propriedade ou fornecerem outras formas de apoio a essas fugas, temendo repercussões "desagradáveis", irritando assim os ajudantes de fuga. Albertz, cujo ministério havia financiado as primeiras ações de fuga, estava agora tentando "restaurar o sentimento de solidariedade entre os berlinenses ocidentais, que é essencial à existência deles".

Quantos alemães orientais de fato passaram pelo túnel? Os organizadores tinham contado só 29, mas o *New York Times* disse que fontes privadas afirmavam que "trinta outros fugitivos escaparam pelo túnel". É possível que eles tenham engatinhado para o lado ocidental depois de os atravessadores terem ido para casa na noite de sexta, ou no mais tardar no domingo, apesar do alto nível da água? Em caso afirmativo, quem eram eles? O relatório inicial sobre o túnel da Missão Berlim ao secretário de Estado Rusk também citava o total de fugitivos ("29 escaparam no primeiro grupo e por fim, quase 60"). A Missão também tinha tomado conhecimento de que o túnel foi construído por estudantes e, como a operação Kiefholz, "monitorado" pela LfV da Alemanha Ocidental.

A STASI, que não tinha conseguido encontrar e impedir o túnel da Bernauer apesar das informações do agente "Hardy" e de outros um mês antes, agora tinha que juntar as peças. Um relatório dizia, de modo meio amargo: "A fuga dos 29 da RDA pelo túnel supostamente aconteceu". Felizmente, o "túnel agora está inutilizado devido à entrada de água".

A inteligência da Stasi no local do projeto continuou fraca, no entanto, já que esse relatório afirmava que o túnel se localizava ao norte de Berlim "supostamente em Reinickendorf", a vários quilômetros do local certo. Os criminosos, referidos pelos membros da Stasi como *republikflucht*, "foram recebidos pelos norte-americanos e estão chegando a Marienfelde um a um", continuava o relatório. O plano de fuga deles tinha sido "feito" pela sede da inteligência americana no "P9" e agora todos os fugitivos tinham que ir até lá. (Na verdade, os americanos já tinham levado a mãe de Peter Schmidt a Frankfurt para uma explicação de seus anos de trabalho no escritório de um comandante soviético. Eles também levaram Anita Moeller e seu marido.)

Siegfried Uhse não havia conseguido expor o túnel da Bernauer, mas depois de ganhar sua medalha e um bônus em dinheiro pela batida policial de Kiefholz, ele não sossegou com seus louros. O Grupo Girrmann havia decidido que não mais podia usá-lo como mensageiro para o lado oriental, mas confiavam nele mais do que nunca, e deram-lhe uma posição importante no seu esquema de fuga via automóvel. Agora, ele tinha a tarefa de indicar e administrar os mensageiros para a operação. Os fugitivos teriam que pagar uma modesta taxa de 500 marcos alemães para fugir. Bodo Köhler chegou a dar a Uhse a nova mensagem secreta que os mensageiros deveriam usar com os fugitivos: *Cumprimentos de Anuschka e Manfred, eles trouxeram o carvão.* Uma dica de Uhse ajudou a Stasi a prender um dos motoristas do Girrmann e um passageiro fugitivo no dia 22 de setembro.

Uhse às vezes hospedava seus colegas do Girrmann em seu apartamento, e até chegou a preparar uma refeição para Köhler pelo menos uma vez. Köhler achou o apartamento seguro, silencioso e confortável, mas sugeriu que Uhse talvez devesse fazer um balcão para a cozinha. Quando Köhler falava de seu apartamento, ele dizia que o fato de ele estar localizado perto da delegacia e da sede do Exército o deixava tranquilo, mas temia que Detlef Girrmann vivesse com muito menos proteção em outro lugar. Assim, seria fácil, Uhse disse a seu encarregado no MfS, para um agente da Stasi "acertá-lo [Girrmann] na cabeça".

UMA alemã oriental que havia atravessado para o lado ocidental recentemente escondida em um Opel ainda estava abrigada na Casa do Futuro, mas havia chegado o momento para Angelika Ligma se reportar à Marienfelde. Girrmann e Köhler sabiam que os agentes da inteligência do lado ocidental a pressionariam. Para evitar perguntas indesejadas a respeito da operação com o carro, eles decidiram dar a ela uma história de fachada. Até fizeram com que ela assinasse um documento prometendo nunca revelar a verdadeira natureza de sua fuga.

A história de fachada: Ela havia chegado ao lado ocidental por meio do túnel da Bernauer, não enfiada em um carro antigo. Ligma teria que ensaiar exatamente o que dizer, no entanto, porque os serviços de inteligência já tinham conversado com refugiados que tinham, de fato, usado o túnel da NBC. Entre os ativistas, ela conheceu um jovem de barba chamado Hasso. Outro veterano do túnel da Bernauer, que não foi identificado, a instruiu a respeito do que dizer: Ela havia conhecido uma mulher num bar da Berlim Oriental um dia depois da fuga de 14 de setembro, que disse a ela que o túnel ainda estava aberto, e ela deveria fugir na noite seguinte. Com os outros 29, ela havia entrado por volta de 20h, mas não conseguia se lembrar do endereço da entrada nem da saída. Então, com as outras pessoas que chegavam, ela foi levada em um ônibus para dar início a sua nova vida no lado ocidental.

Ligma foi com essa história a Marienfelde e a manteve durante os interrogatórios feitos por todos os quatro serviços de inteligência do lado ocidental. Os agentes americanos eram mais exigentes, faziam as mesmas perguntas de dezenas de jeitos diferentes e várias vezes. O que ela sabia, por exemplo, a respeito do Exército da Alemanha Oriental? Bem, nada. (Os americanos pediram que ela escrevesse a uma de suas amigas da RDA para conseguir mais informações.) Naquele momento, o Grupo Girrmann ou os americanos, ou ambos, tinham informado à imprensa que 51 – e não 29 – pessoas tinham escapado pelo túnel da Bernauer naquele fim de semana, com mais 30 passando quando os escavadores não estavam olhando. Esse logo se tornou o número aceito na imprensa.

Enquanto estava em Marienfelde, Ligma foi abordada por um agente da imprensa para falar sobre o filme da MGM, *Tunnel 28*. Os norte-americanos ou os alemães deviam ter falado à equipe do filme sobre ela. Ela repetiu a história falsa a respeito de sua fuga. O publicista da MGM, impressionado, disse que talvez eles pudessem mexer uns pauzinhos e levar uma jovem atraente aos Estados Unidos no mês seguinte – para promover o filme.

QUANDO Piers Anderton voltou para casa pela primeira vez desde a fuga, levou consigo um item diferente para mostrar à esposa: uma boneca coberta de terra. Um atravessador havia entregado o objeto a ele, dizendo que uma das crianças a atravessar deixara-a cair.

Reuven Frank havia decidido passar uma ou duas semanas editando sua gravação em Berlim em vez de voltar para os Estados Unidos. Apesar de notícias a respeito das fugas pelo túnel terem surgido, nada sobre a NBC as ter filmado foi dito, e ele queria que as coisas continuassem assim. Mais do que isso, escondendo-se em Berlim significava que ele podia trabalhar lado a lado com Piers Anderton e os irmãos Dehmel, em vez de pedir conselho a milhares de quilômetros dali. Gary Stindt alugou o equipamento de edição a Frank e a Gerry Polikoff, e eles foram trabalhar na sala dos fundos na emissora. Como a gravação não tinha som – exceto em alguns momentos em que os Dehmel tinham captado os sons dos carros e dos passos na rua para mostrar como os escavadores estavam perto da superfície – foi mais fácil de editar do que a maioria dos filmes. Eles tinham vários tipos de gravação a considerar. Havia a cobertura de Anderton das primeiras fugas, que eles logo descartaram, sabendo que não mais precisavam dela. Tinham os "vídeos caseiros" de Mimmo Sesta, de idas para visitar os Schmidt no lado oriental, e as reedições filmadas naquele verão mostrando as primeiras semanas de projeto antes de Anderton chegar. O monte maior de rolos tinha imagens capturadas pelos Dehmel em suas muitas idas ao túnel, e da noite espetacular da fuga. Tudo que Frank desejava estava ali, e mais um pouco, mas ele precisava encontrar o ritmo e o tom certos, o começo e o fim, e o melhor modo de apresentar os "personagens". Sem entrevistas e praticamente sem áudio, ele teve que produzir algo quase desconhecido na televisão: 90 minutos (tirando os comerciais) de imagens e narração.

Por mais estranho que pareça, Frank temia terminar o filme com a noite da fuga. Era o ápice da operação, sem dúvida, mas ele queria um tipo de epílogo mostrando como os escavadores e os fugitivos reagiram nos dias seguintes. Estavam agora espalhados pela cidade, e o tempo era curto, por isso ele pediu aos funcionários da NBC que organizassem e pagassem por uma recepção em um restaurante da região, convidando os escavadores e algumas das pessoas que eles tinham levado ao lado ocidental. Para aparecer no filme, claro.

Muito dos "personagens" principais foram à festa, no Würzburger Hofbräu, vestindo suas melhores roupas: Hasso Herschel e sua irmã Anita; Mimmo Sesta e sua noiva/mensageira Ellen Schau; Gigi Spina e os Schmidt; Joachim Rudolph; Claus Stürmer e vários outros. Apesar de Hasso ter prometido deixar a barba crescer até conseguir atravessar a irmã, ele ainda não a havia tirado. Piers Anderton estava bebendo. Uma banda instrumental tocava ao fundo. Mas o clima de comemoração não era constante. Alguns dos escavadores continuaram a falar sobre a filmagem secreta e sobre os pagamentos, ou reclamavam que a água deveria ter sido bombeada de novo antes de o túnel ser abandonado. Isso deixou pouco à vontade aqueles que sabiam do segredo da NBC. Anita Moeller disse ao irmão, meio de brincadeira, mas com seriedade: "Foi deprimente engatinhar naquele túnel e depois descobrir que os norte-americanos estavam fazendo um filme!". Hasso murmurou uma resposta. "Foi como uma espionagem", ela continuou. "Talvez haja microfones nos lustres desta sala neste exato momento".

Alguns dos escavadores ainda estavam cansados, esgotados ou dispostos a seguir com a vida. Outros tinham faltado à festa em protesto. Para os fugitivos, a primeira onda de alívio tinha passado. Agora, eles tinham que contemplar um futuro muito incerto, sem emprego e poucos ou nenhum familiar do lado ocidental do Muro. Casamentos instáveis já tinham se tornado mais frágeis. Apesar de todas as reclamações a respeito do sistema comunista, este satisfazia suas necessidades médicas básicas e oferecia creche grátis. A comida era escassa no lado oriental, mas barata. Assim como moradia. Agora, sob as regras do capitalismo, não dava para saber. Eles já tinham percebido os altos preços dos itens do dia a dia.

Uma das pessoas presentes captou o espírito da coisa: depois de beber alguns drinques, Peter Schmidt pegou seu violão e fez uma homenagem improvisada e meio desengonçada com uma música chamada "Torna a Surriento", para seus salvadores italianos. Para isso, a NBC ligou o som. Então, Piers Anderton saiu para fazer seu primeiro "stand-up" a respeito do túnel, diante da câmera com a entrada do restaurante atrás dele. Ele reforçou a afirmação de que trinta alemães orientais desconhecidos tinham passado pelo túnel depois da primeira noite, acrescentando o detalhe de que o grupo final teve que nadar "com água batendo em seu rosto". Depois desse sucesso, e com o Muro odioso ainda de pé, haveria "outros jovens" e "outros túneis", concluiu.

E foi assim que terminou.

Alguns dias depois, os principais escavadores fizeram outra festa, com menos tensão e sem câmeras da NBC. Muita gente estava bebendo e, dessa vez, até dançaram. Duas semanas antes, Joachim Rudolph estava guiando Eveline Schmidt na direção do túnel no porão da casa 7 da Schönholzer Strasse. Agora, ele a convidava para dançar. Ele disse que ainda que ela não soubesse nenhum passo interessante, todo mundo era capaz de aprender a nova mania, o *twist*. "Tente", disse ele, e ela tentou e continuou por vários minutos. Estava claro que eles estavam gostando da companhia um do outro.

Peter Schmidt, observando-os do outro lado, ficou melancólico, depois deprimido. A animação dos primeiros dias no lado ocidental já tinha passado, e as tensões matrimoniais e as questões relacionadas ao emprego tinham voltado a ganhar espaço. Isso o levava a pensar em aves migratórias que voam juntas, em bando, por um nobre propósito, em uma missão difícil e perigosa, e então se separam quando chegam ao destino. Ele saiu da festa e ficou do lado de fora, com os olhos marejados. Mimmo e Gigi foram atrás dele e tentaram consolá-lo. Não havia muita evidência para Peter processar, apenas alguns minutos de um casal na pista de dança, mas ele sentia que estava começando a perder a esposa para um dos homens corajosos que ajudaram a levá-la ao lado ocidental. E ele estava certo.

OUTROS fugitivos do lado oriental estavam recebendo ajuda de um novo modo. Coelhos que passavam pela faixa da morte estavam desligando alarmes acionados por tropeções em arames, fazendo os fogos de artifício explodirem ou causando pequenas detonações, que os guardas corriam para averiguar. Certa noite, coelhos perto do Tiergarten acionaram cinco alarmes em falso. A polícia da Berlim Ocidental dizia que em alguns casos, os fugitivos usavam a confusão e a distração para atravessar a fronteira. As crianças do bairro se referiam aos fogos como "nossos fogos de artifício gratuitos".

Além do túnel da Bernauer, não houve outras fugas em massa na fronteira durante o mês de setembro, mas o número de pequenos sucessos espalhados, e de terríveis fracassos, continuava a aumentar. Relatórios tomavam os registros da polícia da Berlim Ocidental e da Brigada de Berlim do Exército dos Estados Unidos:

> **17 de setembro:** Três jovens escapam pela janela de um porão na casa de número 42 da Bernauer Strasse.

> **20 de setembro:** Várias outras pessoas atravessam a nado os canais para o lado ocidental. Na parte francesa, dois VoPos fogem para o lado ocidental, levando o cão de guarda. Outra explosão de bomba perto do Portão de Brandemburgo no lado oriental.

> **23 de setembro:** Como no incidente com Fechter, um jovem escala o muro na Bernauer Strasse para se libertar enquanto seu amigo, sob tiros, cai para trás – mas nesse caso, ninguém se feriu. Dois irmãos, 10 e 12 anos, fogem de um orfanato e cortam o arame farpado na fronteira. Dois outros jovens berlinenses orientais escapam escalando o Muro.

> **26 de setembro:** Mais dois moradores do lado oriental escapam, um deles é um guarda, em um posto de fronteira, dessa vez de moto. Guardas da fronteira atiram num jovem perto da estação de Nord Bahnhof; uma ambulância da Berlim Oriental chega depressa e o leva embora.

30 de setembro: "Na Gleim Str, uma jovem de 25 anos foi presa", está escrito no relatório da Brigada de Berlim, "por guardas da fronteira não muito longe do Muro. A mulher estava acenando para alguém na Berlim Ocidental".

Depois que dois civis da Alemanha Oriental, vestidos com uniformes falsos do Exército norte-americano, atravessaram a fronteira no Checkpoint Charlie para a Berlim Ocidental, Charles Hulick na Missão enviou um telegrama a Dean Rusk: "Oficiais da assessoria de imprensa norte-americana foram informados de que devem se esforçar para manter a história longe da imprensa". Também nesse mês, em uma atitude que provavelmente teria grandes repercussões, a Alemanha Ocidental pela primeira vez resgatou presos no lado oriental – 20 presos e 20 crianças. Eles pagaram com vagões de trem cheios de fertilizantes. O procurador da Alemanha Oriental, Wolfgang Vogel (que ficou famoso no caso de espionagem de Francis Gary Powers–Rudolf Abe) estava no comando da iniciativa promissora.

ENQUANTO McGeorge Bundy se preparava para deixar a Casa Branca para passar uma semana na Europa, ele escreveu um memorando ao presidente Kennedy sobre o que pretendia conseguir. Para sua passagem por Bonn, ele pretendia "mostrar que os intelectuais da Casa Branca são bem mais durões do que os alemães". Em Berlim, havia três objetivos: "Passar pelo ritual comum de Berlim. Tentar ver se algo pode ser feito a respeito dos relatórios [imprensa] de Berlim. Comunicar ao general Watson, do modo mais delicado possível, que esperamos que não haja outro caso Fechter".

Antes de fazer as malas, Bundy também escreveu a Henry Kissinger em Harvard, avisando a ele que o presidente queria tirar seu status de consultor. Kissinger, segundo ele, havia tentado seguir por um "caminho cuidadoso" ao dizer que, com suas declarações públicas, ele não estava falando em nome do presidente, mas os jornalistas questionaram isso. Assim, estava na hora de uma "ruptura amigável". Claro que o presidente ainda queria contar com os conselhos de Kissinger de modo informal.

Em Berlim, Bundy participou de uma coletiva de imprensa na Prefeitura com o prefeito Willy Brandt, que estava prestes a viajar para os Estados Unidos. O presidente Kennedy estava ocupado com uma crise doméstica – a violência parecia certa na Universidade de Mississippi depois de o estado ter impedido James Meredith de se matricular como aluno na escola segregada – mas Bundy garantiu ao prefeito que JFP gostaria de encontrá-lo perto do fim de sua viagem. Em privado, alguns diplomatas norte-americanos criticavam

Brandt. Na Missão norte-americana, Hulick enviou alguns telegramas longos a Dean Rusk sobre a "atitude de equilíbrio complexa" – defendendo aqueles que protestavam contra o Muro, ao mesmo tempo em que tentava diminuir as expectativas de que algo seria feito a respeito da barreira num futuro próximo.

No dia 28 de setembro, a CIA divulgou um relatório sobre "O Moral da Berlim Ocidental". Aparentemente, os ânimos tinham se "acalmado" desde as revoltas pós-Fechter, mas o "clima popular continua volátil [...] e mais erupções podem ser causadas por novos incidentes com refugiados ou por outros sucessos comunistas. Uma fonte de instabilidade surge da recusa, por parte dos berlinenses ocidentais, de aceitar a divisão da cidade como definitiva".

NO FIM DO MÊS, depois de quase duas semanas de edição e de criação em um roteiro com Piers Anderton, Reuven Frank estava pronto para voltar ao escritório no Rockefeller Center em Nova York. O programa só estaria pronto para ser transmitido em algumas semanas, mas Frank ficou encantado com o "rascunho". Era só uma questão de acertar o ritmo e acrescentar música. A narração de Anderton tinha que ser pouca, para deixar o drama dirigir a história. A retórica anticomunista tinha que ser a menor possível.

Frank, que priorizava imagens e não palavras, gostou do desafio. Louco por música clássica, ele pretendia produzir um tipo de sinfonia de imagens, seguindo o projeto do túnel desde os primeiros dias até sua conclusão emocionante, com um roteiro enxuto e com toques assustadores. Em termos de música clássica, isso significava abrir com tema e exposição e então seguir para o desenvolvimento, o clímax e a conclusão. Um de seus modelos era o documentário clássico de 1938 de Pare Lorentz, *The River*, financiado pela Farm Security Administration, do New Deal, que traçou o caminho inexorável do poderoso Mississippi desde sua nascente até o Golfo do México, passando por muitos terrenos e obstáculos, com trilha do famoso compositor Virgil Thomson. Frank via seu papel primeiramente como contador de história, não como "jornalista" trabalhando no espaço confinado de uma tela pequena de televisão. Essa história tinha que saltar ou, pelo menos, se movimentar.

"O maior poder do jornalismo na TV não está na transmissão de informação", Frank uma vez disse a seus colegas, "mas na transmissão da experiência... Toda notícia deveria, sem sacrifício da probidade ou da responsabilidade, mostrar os atributos da ficção, do drama. Deve ter estrutura e conflito, problema e desfecho, ação maior e menor, um começo, um meio e um fim. Esses não são apenas os elementos essenciais do drama; eles são os elementos essenciais da narrativa. Estamos no ramo da narrativa porque estamos no ramo da comunicação". Para a filmagem do túnel, Frank havia tomado uma decisão incomum: nunca deixar a tensão diminuir, mas às vezes deixar a filmagem do trabalho sujo subterrâneo – cavar, serrar madeira, bombear água, e assim por diante – se desdobrar de modo quase excruciante. Poderia ser repetitivo, poderia cansar alguns telespectadores (incluindo seus chefes), mas ele queria que os norte-americanos não só vissem, mas também sentissem as condições apertadas, úmidas, perigosas, talvez até que ficassem mentalmente cansados, enquanto os escavadores na tela demonstrassem exaustão física. Era uma aposta de primeira.

Quase duas semanas depois de a fuga do túnel ser relatada na imprensa, a cobertura da NBC continuava guardada. Os oficiais americanos também pareciam não ter informações – o que agradava a Frank, devido à rapidez com que o Departamento de Estado havia tomado conhecimento dos planos de Dan Schorr de filmar a fuga em Kiefholz em agosto. Frank ficou tentando imaginar como o Estado reagiria quando descobrissem sobre isso, à luz de seus alertas diretos impedindo qualquer cobertura do túnel na reunião com McAndrew, da NBC, em agosto.

Agora, o filme editado e as gravações brutas estavam dentro de malas em Berlim. Receosos de despachá-los, no voo da Pan Am para Nova York, Frank e Polikoff os levaram a bordo na bagagem de mão, enquanto Piers Anderton acenava para eles, em despedida. Frank colocou a bagagem atrás de seu assento, na última fileira da primeira classe. Então um oficial da Alemanha Ocidental os abordou e pediu à equipe da NBC para trocarem de assento com ele. O prefeito Brandt estava no mesmo voo – sentaria naquela fileira com seus assistentes? Frank e Polikoff concordaram. Brandt e seu grupo iriam pajear o filme do túnel na travessia do Atlântico.

Frank recuperou o material assim que eles aterrissaram em Nova York. Estava ansioso para chegar em casa depois de uma longa viagem internacional. Mas havia um bilhete a sua espera no aeroporto para que ligasse para seu chefe, Bill McAndrew. Ele queria saber se Frank podia ir a Pittsburgh em dois dias para se reunir com o patrocinador de muitos documentários de primeira linha da NBC, a Gulf Oil. Frank ficou tentando imaginar se o conteúdo desse especial deixaria os anunciantes tão nervosos quanto o Departamento de Estado, já colocando sua transmissão do mês seguinte em risco.

15
Ameaças

Quinze minutos depois do início da reunião em Pittsburgh, os executivos da Gulf Oil concordaram em patrocinar integralmente o filme de 90 minutos do túnel da NBC em Berlim. Reuven Frank se sentiu imensamente aliviado. Mas em outra frente, o problema aumentava: um repórter da *Time* havia descoberto a respeito do programa por fontes desconhecidas. A revista revelou a notícia em sua primeira edição de outubro, que trazia o Papa João XXIII na capa. Uma matéria sem subtítulo, intitulada "Tunnels Inc." explorava o fenômeno dos ajudantes de fugitivos em Berlim que recebiam um tipo de pagamento pelo trabalho, especialmente o "ex-açougueiro musculoso apelidado de *Der Dicke* (O Cara Gordo)". A *Time* revelava que Dicke não ajudara no túnel de 14 de setembro; mas a NBC o havia apoiado em troca dos direitos de imagem. Havia boatos de que "o patrocínio foi realizado por meio de intermediários, dois italianos e um alemão, que pegavam o que era necessário para a compra de equipamentos e suprimentos e embolsavam o resto". Na opinião da *Time*, "tamanha decepção tira o brilho, de certa forma, do trabalho difícil e perigoso dos escavadores idealistas".

Outros jornalistas revelaram que o programa da NBC seria transmitido no dia 31 de outubro, com narração de Piers Anderton, que tinha viajado para Nova York. Seu título era *The Tunnel*. A NBC se recusou a confirmar essa informação. O segredo da emissora tinha sido exposto quando os jornalistas visitaram a fábrica de mexedores de coquetel e viram caixas de rolo de filme preto e branco DuPont descartadas. Sabendo que outras emissoras americanas tinham mudado de marca, um correspondente gritou: "A NBC esteve aqui!".

Com a notícia circulando, Anderton, em Nova York, escreveu para sua esposa a respeito da "única circunstância desagradável de nosso programa de TV", lamentando que ainda era "para ser um segredo". Uma coletiva de imprensa para anunciá-lo tinha sido marcada, segundo ele, mas o *New York Times* e outros "descobriram antes da hora". Anderton também disse: "Estou escrevendo o roteiro – bem simples, sem frases poéticas –, mas ainda estamos editando o filme, e há mais uma sequência de som na qual eu devo aparecer". A Gulf Oil, segundo ele, estava na parada por 265 mil dólares, como patrocinadora exclusiva do filme.

A NBC tinha preocupações maiores, como a recepção do telespectador ao jovem Johnny Carson, que assumia o lugar de Jack Paar como apresentador do *Tonight Show* naquela semana. A reação ao furo da *Time* foi rápida, contudo, em outras paragens. Blair Clark, o diretor de notícias da CBS (e amigo de JFK), que havia vetado o filme de Dan Schorr, levou a matéria da *Time* à atenção do Departamento de Estado. Isso inspirou um telegrama de 5 de outubro à embaixada de Bonn e à Missão em Berlim do subsecretário de Estado George Ball. Ele explicou que Clark "compreensivelmente perguntou se sua excelente cooperação em censurar" – uma escolha de palavra reveladora – "o esforço da CBS a respeito do projeto do túnel deixou, na verdade, a CBS de fora do assunto". Diante da "cooperação anterior" de Clark, disse ele, "o Departamento se sente obrigado a dar-lhe todas as informações disponíveis" em relação ao filme da NBC. Ele não disse o que isso significava, mas a oferta provavelmente era inaudita.

Ball também pediu para a embaixada descobrir se as filmagens de Anderton "tinham sido realizadas com o conhecimento e a permissão dos Estados Unidos. Ele havia recebido um pedido para que desistisse ou aquela empreitada nos era desconhecida?". Uma cópia desse telegrama foi enviada a Mac Bundy e a Pierre Salinger, relacionando firmemente a Casa Branca à investida contra a NBC. Salinger era amigo de Anderton de muitos anos, da época do *San Francisco Chronicle*; recentemente, no mês de maio daquele ano, eles tinham bebido juntos em Bonn. Mas Salinger, não menos que o presidente Kennedy, acreditava que os jornalistas podiam agir com o que ele chamava de "autocontrole" em assuntos de segurança nacional, e não considerava isso uma censura. Mas Pierre aliviaria as coisas para Piers se o Estado pedisse apoio à Casa Branca para impedir outro filme sobre os túneis?

No dia seguinte, Charles Hulick, da Missão Berlim, mandou um telegrama ao secretário Rusk, também enviado à Casa Branca. "Empreitada de Anderton realizada sem nosso conhecimento ou permissão", dizia ele. "Como não sabíamos da fuga do túnel [...] não podíamos pedir a Anderton que desistisse." Hulick afirmou que era política da Missão manter-se longe de atividades com túneis porque "conhecimento prévio poderia implicar a Missão como aliada na preparação para a fuga, o que provavelmente seria perigoso em termos de vidas humanas". Os seguintes parágrafos vieram em seguida:

> Devemos relatar que os representantes da imprensa, do rádio e da TV dos EUA não aceitaram nossa justificativa e continuam com interesse em produzir documentários e editoriais sobre fugas de refugiados. Por exemplo, Don Cook, correspondente do [New York] Herald-Tribune, escreveu matéria para o *Saturday Evening Post* sobre a fuga do túnel de 18 de setembro [sic]. Pedimos-lhe que usasse discernimento e discrição para não expor e colocar em risco pessoas nem escrevesse nada que pudesse ser usado pelos alemães [para dizer] que os correspondentes dos EUA estão agindo de modo irresponsável e, assim, colocando em risco as fugas de futuros refugiados...
>
> Se e quando soubermos com antecedência de atividades nas quais a imprensa dos Estados Unidos possa estar envolvida, vamos relatar e fazer o que pudermos para impedir envolvimento arriscado como fizemos no caso de Schorr em agosto. Concluindo, o contato mais eficiente com a imprensa de notícias americanas é o do Dept [de Estado] com suas respectivas sedes nos EUA. Devemos considerar que sempre que intervimos com o correspondente para convencê-lo a abandonar a empreitada com refugiados antagonizamo-lo correndo risco de perder sua cooperação.

As pessoas mais importantes da equipe de Kennedy agora sabiam bem sobre as filmagens da NBC. Era o tipo de situação que podia, como os oficiais de imprensa do Departamento de Estado gostavam de dizer, "estourar" na cara do presidente, e, em tais casos, o secretário Rusk e aqueles assistentes sempre debateriam com Bundy, Salinger e o próprio Kennedy. O tempo passava, e se aproximava o dia da transmissão de *The Tunnel* no fim do mês. O que Rusk e Kennedy fariam a respeito?

DESDE QUE havia se afastado da operação Kiefholz antes de seu clímax desastroso, Harry Seidel mal tinha parado quieto. Além de participar de uma ou outra corrida de bicicleta, e de levar a esposa para jantar e dançar, ele havia retornado aos túneis. Com Fritz Wagner ele voltou à cena do sucesso com o túnel de Pentecost, abrindo um novo fosso embaixo da Heidelberger Strasse pelo porão do mesmo bar Krug, apesar de esse levar a outra direção. Por que se dar ao trabalho de encontrar um novo porão e escavar aqueles primeiros metros tão difíceis sendo que havia um pronto? A terra do primeiro túnel ainda estava guardada no porão, mas o dono do bar se mostrou um anfitrião receptivo de novo, graças a mais 3 mil marcos alemães dados por Fritz Wagner.

Mas, dessa vez, a Stasi estava mais atenta. Quase certa de que o túnel Pentecost havia sido iniciado em algum lugar daquele quarteirão, a Stasi monitorava o bar com uma escuta e colocou um informante, de codinome "Rouche", de olho no lugar, com o agente Siegfried Uhse também pronto a ajudar.

O novo túnel embaixo da Heidelberger, a poucos quarteirões da amaldiçoada casa dos Sendler, ficava a apenas 2,5 m abaixo da superfície. Por motivo de segurança, a maioria dos escavadores havia concordado em permanecer no porão sob o *pub* por até três semanas sem sair. Fritz Wagner, nesse ínterim, havia conseguido apenas uma dúzia de refugiados apesar de seus incentivos financeiros de sempre. Mertens, o agente da LfV, soube disso e mais uma vez pediu ajuda ao Grupo Girrmann, apesar do que aconteceu depois de ele os convidar para o projeto de Kiefholz.

O porão de um alfaiate chamado Castillon, que queria fugir com a esposa, serviria como ponto de partida no lado oriental. Quando Seidel bateu na parede do porão, uma mensagem foi enviada ao Grupo Girrmann para que eles reunissem os refugiados. E quem foi convidado para a reunião-chave dos ajudantes de fuga na Casa do Futuro na noite de sexta-feira, 5 de outubro? Sempre no lugar certo na hora certa: Siegfried Uhse, que não sabia nada sobre o túnel até aquele momento.

Agora, cerca de 40 refugiados estavam prontos para fugir. Alguns tinham sido agendados para fugir antes, no túnel de Kiefholz. Vários no grupo novo eram soldados da Alemanha Oriental planejando desertar. Seidel tinha convidado alguns de seus amigos de ciclismo. Um professor de medicina de Leipzig também estava na lista. Aquilo poderia render um bom dia de pagamento para *Dicke*. Organizadores na reunião do Girrmann naquela noite esboçaram o que começaria a acontecer em algumas horas, incluindo os sinais que deveriam ser usados para os refugiados, que chegariam em intervalos em pequenos grupos na entrada do túnel.

Quando pediram que participasse, Uhse disse que não tinha mensageiros prontos e que sairia de férias no dia seguinte (uma rara afirmação verdadeira do jovem). Mas quando a reunião terminou, perto da meia-noite, ele não estava ocupado demais para correr até o posto de fronteira da Friedrich Strasse para chamar seu encarregado da Stasi, Herr Lehmann, sem dúvida despertando-o de seu sono. Quando eles se encontraram na estação, uma hora depois, Uhse passou muitos detalhes sobre a fuga, incluindo o uso de um lençol pendurado numa janela como sinal aos refugiados – vermelho para que parassem, branco para que continuassem, como tinha sido no túnel da Bernauer.

Quando amanheceu, antes de a Stasi conseguir se mobilizar, Harry Seidel saiu pela parede do porão e entrou no lado oriental. Seidel encontrou o alfaiate e a esposa ainda dormindo. Rapidamente, eles entraram no túnel, o alfaiate ainda de pijama. Harry pegou alguns dos pertences do casal, certo de que tinha muitas horas para conseguir atravessar todo mundo. Parando no porão do *pub* para descansar e comemorar, Seidel mandou Erhard Willich, escavador de Wagner, e Dieter Reinhold, um dos amigos ciclistas de longa data. Eles levavam uma submetralhadora e uma pistola, mas – como sempre, no caso dos ajudantes de fuga – nenhum dos dois tinha manejado uma arma antes. Assumindo sua posição na porta do porão, eles esperaram por um sino que indicaria que eles deveriam abri-la para receber um refugiado.

Pensando ter ouvido o sinal certo, Willich entreabriu a porta – e viu quatro homens da Stasi com metralhadoras. Correu ao túnel, mas foi tarde demais. Tiros foram dados atrás da porta, acertando-o no braço, na perna e na coxa. Reinhold deixou seu camarada e voltou se arrastando para o lado ocidental. Rudi Thurow, o ex-guarda da Alemanha Oriental, começou a se arrastar para o lado oriental para salvar Willich, mas Seidel gritou: "Fique aqui! Você está louco?" Willich, sangrando, foi preso e levado a um hospital. Quatro refugiados que estavam chegando ao local foram presos, mas outros, ao ouvir os tiros, fugiram.

Ao voltar para casa, depois de mais uma vez escapar da prisão ou de algo pior, Harry Seidel enfrentou a fúria da esposa:

"Jercha morto! Willich baleado! Quando você vai parar?"

Harry, sempre teimoso, respondeu:

"Só quando eu tirar minha mãe de lá."

Temendo mais revoltas, Charles Hulick enviou um telegrama com as notícias a Dean Rusk, concluindo: "Polícia EUA e britânica devem ser instruídas tomar todas as precauções necessárias para impedir manifestações contra os ônibus de memorial à guerra soviética... e ao longo do Muro na parte dos EUA onde incidente ocorreu".

Siegfried Uhse partiu de férias para a Suíça com mais 200 marcos alemães, uma recompensa entregue a ele no meio da noite por Herr Lehmann.

POR VÁRIOS DIAS, a NBC decidiu manter-se calada após os relatórios que indicaram que ela havia pagado organizadores pelos direitos de filmar o túnel da Bernauer. O Departamento de Estado também não fez declarações públicas. Em seguida, a NBC anunciou que realizaria uma coletiva de imprensa para confirmar seus planos para o programa.

No dia 10 de outubro, Robert Manning, o chefe de assuntos estrangeiros do Estado, chamou Bill McAndrew, da NBC News, expressando decepção por sua emissora não só ter corrido um risco tolo filmando o projeto, mas por agora estar seguindo adiante com um especial. O Estado não atacaria a NBC abertamente, ele disse, mas revelaria que em agosto, a CBS havia abandonado seus planos de filmar uma fuga enquanto a NBC, apesar de ter sido avisada, continuou. A mensagem era clara: Dean Rusk não queria ser acusado de repressão ou de censura – mas o Estado deixaria as coisas tão quentes para a NBC que a emissora em si liquidaria o filme.

Na coletiva de imprensa da NBC em Nova York, Reuven Frank confirmou detalhes a respeito do programa e dos papéis desempenhados por Anderton e pelos Dehmel e admitiu que a emissora realmente tinha pagado aos três organizadores. No entanto, ele insistiu, "não saímos por aí recrutando construtores de túnel", e ele dizia que o projeto teria sido completado sem o dinheiro da NBC. Frank se recusava a dizer quanto a NBC tinha pagado. "Não muito em termos de televisão", disse ele, sem se prolongar. A NBC divulgou um *press release* no qual Frank descrevia o túnel como "não muito mais espaçoso que um caixão". Harry Thoess, o *release* revelava, tinha feito tantas imagens na rua, cerca de 1,8 km de filme, quanto os Dehmel tinham feito dentro da terra.

Richard S. Salant, presidente da CBS News, fez uma declaração confirmando que sua emissora realmente planejava filmar uma fuga de túnel em agosto. Ele escreveu: "Depois de receber informações de inteligência do Departamento de Estado sobre o aspecto do interesse nacional dos Estados Unidos nas operações de túneis do Muro de Berlim, a CBS News interrompeu a preparação de seus relatórios e não a retomou".

Manning logo informou a Dean Rusk que a NBC havia prosseguido com sua coletiva de imprensa, apesar de seu alerta um dia antes. Ele anexou a afirmação de Salant a seu memorando, acrescentando que a CBS havia entrado em contato para enfatizar que "apesar de sentirem muito por terem sido pegos em uma situação competitiva com a NBC, eles continuam a aceitar hoje, tão firmemente quanto aceitaram antes, a retidão da interferência do Departamento na atividade de túneis e a retidão da decisão de cancelarem o projeto".

Uma manchete do *New York Times*, no dia seguinte, identificava claramente a NBC como vital, e não incidental, ao projeto da Bernauer: "NBC-TV Planeja Documentário sobre o Túnel de Berlim que Ajudou a Construir". Isso não prometia nada além de transtorno para a emissora nos dias seguintes. Um dos principais membros do jornal em Washington, Max Frankel, enfatizou com uma análise intitulada "Confusão na Guerra Fria: Washington tenta entender quem está no comando conforme proezas para perturbar os comunistas se multiplicam". Entre outras controvérsias, ele citava que a CBS se sentia "profissionalmente arruinada" com a NBC prosseguindo com seu túnel. Frankel observou: "Os oficiais estão se perguntando qual empreitada bizarra a competição produzirá em seguida".

Tudo isso levou Piers Anderton, ainda em Nova York, a escrever para sua esposa, Birgitta, que estava em Bonn:

> Tem havido muito mais conflito do que eu esperava. A CBS está tentando fazer com que o Departamento de Estado proíba [o programa] e ainda existe a possibilidade de [o presidente da NBC] Kintner recuar... ando muito ocupado para me envolver demais em toda essa bobagem, mas preciso ir a programas de rádio e TV para promover o especial, então posso acabar envolvido em toda essa estupidez.

Um serviço de notícias gerenciado pelo Estado em Moscou deu sua primeira opinião. Dizia que a NBC havia "contratado" os escavadores desde o começo e que o papel dos fugitivos "foi representado por vários vigaristas que receberam um honorário artístico de 2.500 dólares cada". Mesmo depois de o apoio ser desmascarado, a NBC decidiu seguir em frente com o filme falso, que não faria nada além de "fortalecer a política de provocação em Berlim". Pela primeira vez, alguns oficiais da Alemanha Ocidental em Bonn, além de oficiais americanos em D.C., pareciam concordar com a imprensa comunista.

SIEGFRIED Uhse receberia outro prêmio por seu papel na descoberta do último túnel – e seriam dois na sequência para ele no que dizia respeito aos projetos de Harry Seidel. Quanto ao episódio de Kiefholz, Uhse havia agido depressa quando percebeu que de repente estava no centro da operação de Heidelberger. Sua menção honrosa vinha com 500 marcos alemães em espécie. Dizia que graças a sua "atitude rápida e corajosa, um rompimento de fronteira em ampla escala por parte de um grupo terrorista da Berlim Ocidental" tinha sido impedido. O jovem Uhse "demonstrou grande dedicação, confiabilidade, rapidez de reação e coragem pessoal durante a execução de suas ordens ao MfS".

A sede da Stasi, enquanto isso, atualizou seu registro escrito à mão das operações suspeitas do túnel. Projetos bem-sucedidos ou abandonados foram acrescentados conforme evidências físicas eram descobertas, ou quando os informantes ou os presos falavam sobre eles. Alguns ainda não estavam confirmados. Em colunas registrava-se onde cada túnel se localizava, a data em que tinham sido descobertos e quando tinham sido destruídos (se fosse o caso). De acordo com esses registros, por exemplo, o túnel da Bernauer/NBC foi descoberto no dia 25 de setembro, 11 dias depois da fuga; "Girrmann" foi incorretamente listado como seu organizador. Em outras partes do registro, os nomes que apareciam com mais frequência eram os dos irmãos Franzke, de Wagner e de Seidel.

Total de tentativas suspeitas de túneis até outubro: 137.

De longe, na Califórnia, um funcionário da emissora de rádio KZSU da Universidade de Stanford telefonou para Joan Glenn, a ajudante de fuga do Girrmann em Berlim. Glenn revelou que, desde sua prisão no começo daquele ano, seu colega de classe de Stanford, Robert Mann, não havia fornecido informação sobre operações de fuga aos interrogadores da Stasi. Glenn chamou isso de "belo feito". Ela descreveu técnicas de travessia até certo ponto, mas não mencionou nada sobre túneis (nem sobre o fato de ser conhecida por dormir com uma pistola na cama). O que achava agora a respeito daquele período inicial do esquema de passaportes? "Não víamos perigo nenhum", ela admitiu. "Queríamos ajudar. Sei que parece ingênuo, mas quando você recebe a solicitação de ajuda por parte de um alemão oriental, é impossível dizer não". Quanto ao amigo dela, o ex-mensageiro Mann: "Bob pode ser solto até o Natal, porque o valor propagandístico de sua prisão passou".

CONFORME a data da estreia se aproximava, a produção de *The Tunnel* estava correndo bem. Uma trilha sonora tinha sido encomendada, e Frank e Anderton haviam completado o roteiro. Tentaram, nem sempre com sucesso, evitar a retórica anticomunista e as referências ao "Mundo Livre", mas ficaram contentes por terem acrescentado o que acreditavam ser a linha-chave do filme. Isso aconteceu quando Frank apresentou uma versão inacabada do filme a outro produtor. Depois de assistir por vários minutos aos refugiados subindo a escada do porão da fábrica de mexedores de coquetel, assustados e enlameados, com as roupas estragadas e os cabelos despenteados, o produtor comentou: "Do que eles devem estar fugindo para se arriscarem assim?". Frank acrescentou isso, literalmente, à narração. O departamento de publicidade da emissora estava se preparando quando uma nova ameaça surgiu. No dia 14 de outubro, uma manchete na capa do *New York Times* anunciava: "Atravessadores reprovam programa de TV em Berlim/Negam que NBC tenha direito de apresentar filme de fuga". 17 homens que afirmavam ter trabalhado no projeto tinham se unido em uma tentativa de impedir que a NBC mostrasse o filme, ou que pelo menos os tirasse dele em sua edição. O porta-voz deles era Eberhard Weyrauch. Com 58 anos, ele provavelmente era o facilitador mais velho do túnel, e não era escavador. Weyrauch havia, no entanto, levantado fundos para o projeto, com a empresa de Axel Springer e grupos particulares, e também tinha contatos excelentes com a polícia da Alemanha Ocidental e a inteligência norte-americana. Agora, ele e outros tinham pedido ao senado de Berlim e à embaixada da Alemanha Ocidental em Washington para pressionarem a NBC. A emissora não tinha direito de exibir o filme porque a filmagem foi feita "sem nossa aprovação", disse Weyrauch. Os manifestantes ficaram "enojados" por alguém ter embolsado dinheiro; eles só queriam ajudar outras pessoas. Além disso, exibir o filme podia colocar em risco a vida dos escavadores ou de suas famílias no lado oriental, além de futuras operações em túneis. A NBC levou isso a sério o suficiente para pensar em esconder o rosto dos manifestantes no filme. Felizmente, poucos deles apareciam nos vídeos, e apenas por poucos segundos. Muito mais séria era a exigência de Hasso Herschel, que não estava coberto pelo contrato original da NBC, mas que desempenhava, ele sim, um papel-chave na narrativa. Herschel, que havia recebido anteriormente apenas mil marcos alemães (ou 250 dólares), pedia agora mais dinheiro, além do mesmo direito de vender fotos e vídeos na Europa. Caso contrário, ele dizia, nenhuma imagem dele, de sua irmã e de sua família poderia aparecer no filme. A emissora logo concordou em colocar o nome de Herschel no contrato com os três organizadores. A NBC também prometeu pagar a Rudolph e a Casola, e aos Schmidt e aos Moeller, uma pequena quantia, mas eles ainda estavam fora das quantias muito maiores que provavelmente viriam de vendas no exterior. Gigi Spina e Mimmo Sesta já estavam vendendo fotos para revistas por meio de uma agência de fotografia.

Peter Schmidt conseguiu fazer com que a NBC reembolsasse sua mãe pelos 3 mil marcos alemães que ela havia investido no projeto naquela primavera, mas ele discutiu com seu velho amigo Gigi por não dividir os direitos subsidiários. Sua esposa, Eveline, no entanto, não se importava nem um pouco com o dinheiro. Tinha outras preocupações. Eveline estava começando a ter pesadelos com a noite da fuga. Depois do fiasco do túnel da Kiefholz, ela havia conseguido conter a lembrança dos momentos assustadores quando ela e Peter perceberam que agentes da Stasi os observavam enquanto caminhavam em direção à casa dos Sendler. Mas, agora, o medo que ela havia superado na noite da fuga na casa 7 da Schönholzer voltava com força total. Uma noite, sentada à mesa com Mimmo e outras pessoas no apartamento de um amigo, ela de repente começou a chorar e gritar. Por 15 minutos, não conseguiu parar.

CONFORME a data da exibição se aproximava, a NBC continuava sem comentar o protesto feito pelos 17 ex-escavadores. Não tanto os oficiais norte-americanos na Alemanha. De Berlim, Allen Lightner enviou um telegrama a Dean Rusk no dia 15 de outubro dizendo que o grupo de protesto podia permitir o filme da NBC se a emissora retirasse certos nomes ou rostos. Essa possível solução pareceu desagradar Lightner, já que manteria o plano da NBC de passar o filme intacto. Ele pediu para o Departamento de Estado conferir com a embaixada alemã "para coordenar uma possível nova abordagem com a NBC" que fosse além daquelas preocupações pessoais, que poderiam ser facilmente resolvidas, passando a uma que envolvesse segurança nacional, que não se resolveria. No dia seguinte, ele informou a Rusk que o influente ministro alemão Heinrich Albertz havia dito à imprensa que ele, também, se opunha ao projeto da NBC. O Senado da Berlim Ocidental reforçou essa opinião e estava entrando em contato com a embaixada alemã em Washington.

No dia 16 de outubro, a United Press International (UPI) citou um porta-voz não identificado do Departamento de Estado declarando que o filme "complicaria a situação de Berlim", e dizia que a NBC fez o filme "depois de ter recebido o pedido para não fazê-lo". Agora, *The Tunnel* realmente estava ameaçado – tanto que os executivos da NBC decidiram tomar uma atitude drástica. Eles convocaram seu vice-presidente para assuntos corporativos, Lester Bernstein, a pegar um voo para a Alemanha para se encontrar com oficiais com o intuito de apaziguar os medos e defender a posição da emissora. Bernstein, então com 42 anos, era o hábil diplomata da NBC que estabeleceu os detalhes de logística para os revolucionários debates entre Kennedy e Nixon na TV em 1960. Antes disso, ele havia trabalhado como crítico de cinema do *New York Times* e como correspondente em Londres para a *Time*.

Enquanto isso acontecia, Egon Bahr, talvez o ajudante de Willy Brandt mais solidário aos *fluchthelfer*, ligou para um dormitório da UT procurando Hasso Herschel, a quem havia conhecido naquela primavera quando os escavadores estavam procurando levantar fundos. Herschel, chamado para atender o telefone enquanto bebia uma cerveja, ficou chocado ao saber que Bahr estava na linha. "Faça-me um favor", disse Bahr, "e diga à NBC para não mostrar aquele filme! Estamos tentando não provocar os soviéticos e manter a situação calma. Lembre-se, somos uma cidade de quatro setores e vocês só estão causando problemas!".

"Não", respondeu Herschel, sem hesitar, e talvez um pouco alto. "Temos ódio demais pelos nossos inimigos... é impossível parar". Na verdade, Hasso já estava planejando o próximo túnel, a ser financiado com o dinheiro da NBC.

Até mesmo um jornal pró-Ocidente em Viena atacou a NBC por seu "capitalismo impensado e focado nos negócios", por incentivar os alemães orientais a "arriscar a vida para que famílias norte-americanas, seguras em casa, pudessem sentir emoção assistindo [à] fuga na TV... Ao lado da asquerosidade da tirania que faz as pessoas fugirem está a asquerosidade que paga e filma a fuga".

Aumentando a crise, o secretário Rusk, no dia 17 de outubro, pediu para que Robert Manning informasse à NBC que ela deveria "levar em consideração" a "opinião expressada" dos oficiais da Berlim Ocidental sobre o programa. Manning entrou em contato com Bill McAndrew, da NBC, e passou adiante os pedidos do Senado da Berlim Ocidental para que a "NBC abandone seus planos de televisionar a fuga". O Senado acreditava que o filme "vai oferecer aos comunistas material de propaganda para ser usado contra Berlim Ocidental". A embaixada da Alemanha Ocidental apoiou essa opinião e "pede que vocês abandonem a ideia de exibir o filme". Então, absurdamente, ele terminava repetindo que apesar de o Estado continuar a ter "fortes reservas" a respeito de qualquer envolvimento da TV com os túneis, o Departamento "sente que deve deixar para vocês a questão de como o filme deve ser televisionado". Parecia que ele estava seguindo o discurso inflamado do presidente Kennedy de abril de 1961 para editores de jornal, quando pediu que todo jornalista exercitasse a autodisciplina para voluntariamente "impedir revelações não autorizadas ao inimigo".

McAndrew por acaso estava em Washington e passou pelo escritório de Manning numa tarde amena de 26 °C de meados de outubro para esclarecer a posição da NBC. A conversa foi civilizada, até agradável, bem diferente da reunião, em agosto, entre McAndrew e o substituto de Manning. McAndrew garantiu a Manning que a NBC havia tomado precauções durante a escavação para reduzir os riscos. A emissora não tinha "financiado" o túnel, simplesmente pagou pelo direito de filmar os escavadores em ação – o que não era diferente de casos anteriores nos quais a imprensa pagou jornalistas por entrevistas e fotos. (Não se mencionou que os escavadores precisavam desesperadamente, e usaram, dinheiro da NBC para comprar equipamentos e suprimentos). McAndrew também afirmou, de modo falso, que os funcionários da NBC não tinham ajudado ativamente os escavadores de modo algum.

Quanto ao filme em progresso da emissora, McAndrew disse que eles eliminariam a identificação de qualquer pessoa que não quisesse ser filmada, cortando-as do programa ou escondendo seu rosto. Mas ele se manteve firme à ideia de não cancelar o programa, chamando-o de um dos mais interessantes documentos "humanos" já produzidos para a televisão, celebrando-o por mostrar o invencível desejo de ser livre do homem.

O CONFLITO voltou mais tarde naquele dia quando McAndrew, Frank e Elie Abel, correspondente do Departamento de Estado da NBC, se encontraram com o secretário Rusk às 17h, em seu elegante escritório no sétimo andar. (A secretária de Rusk escreveu o nome de Reuven Frank como "Sr. Rubin" na agenda.) Abel tinha um relacionamento delicado com o presidente Kennedy, um homem que ele considerava um amigo. Depois de vencer a eleição de 1960, JFK havia dado a Abel, então um repórter de jornal, o emprego de assistente de imprensa de Robert McNamara. Ele declinou, apesar da oferta de um belo aumento no salário. Em seguida, ele foi chamado para ser agente de assuntos públicos de Dean Rusk. Mais uma vez, ele recusou, recomendando Robert Manning para a vaga. E então, Abel assumiu o emprego na NBC.

Agora, ele estava sentado com o homem de confiança do presidente, em uma reunião que ele havia conseguido. Quando Rusk sugeriu que o filme do túnel podia não ser de interesse do país, o jornalista quase perdeu a estribeira. "Estamos falando de um programa sobre a liberdade humana!", exclamou Abel. "Será que o Departamento acha que *isso* é 'de interesse do país'?". O resto da reunião seguiu com esse tom, em paráfrase:

> **Rusk:** Teria sido vergonhoso ou pior se a polícia da Alemanha Oriental tivesse invadido aquele túnel e descoberto alguém de uma emissora de TV norte-americana.
>
> **NBC:** Mas nada disso aconteceu e o túnel foi um sucesso.
>
> **Rusk:** Bem, quando o programa for transmitido, vocês avisarão aos alemães orientais quem fugiu.
>
> **NBC:** Essa seria a primeira vez que eles precisariam de nossa ajuda para fazer isso. Está dizendo que devemos cancelar o programa?
>
> **Rusk:** Seria inadequado para o Estado sugerir algo assim. Depende da NBC.
>
> **NBC:** Mas todas as mensagens do Estado e notícias de jornal pressionam para que cancelemos.
>
> **Rusk:** Isso é a última coisa em que estamos pensando.

Esta foi a interpretação de Reuven Frank: *Rusk não quer jornalistas encardidos atrapalhando.*

POR MAIS DE UM MÊS, líderes republicanos e alguns especialistas da imprensa, tinham dito – com base em pouca evidência aparente – que os soviéticos estavam posicionando mísseis nucleares em Cuba. O diretor da

CIA, McCone, um republicano, havia expressado seu medo em privado ao presidente, que continuava cético, mesmo ao expandir sua vigilância com U-2 na ilha. JFK não era o único a sentir que isso podia acabar sendo outro tema da campanha do partido republicano que desapareceria depois de novembro. Berlim continuava sendo sua preocupação constante. Ele havia dito a Ted Sorensen: "Se resolvermos a questão de Berlim sem guerra, Cuba vai ficar bem pequena. E se tivermos uma guerra, Cuba não vai importar muito também".

Conforme as semanas foram passando, um crescimento militar soviético continuou acontecendo em Cuba, por isso Kennedy pediu uma análise mais cuidadosa, incluindo um voo do U-2 diretamente sobre a ilha no dia 14 de outubro. No dia seguinte, analistas da CIA em Washington estudaram as fotos tiradas. Novos mísseis, mais compridos do que os mísseis de defesa terra-ar (SAMs), pareciam ter chegado à ilha. Podiam ser apenas de médio alcance, SS-4s de capacidade nuclear ou seus primos. O presidente estava em Nova York em uma viagem de campanha, por isso McGeorge Bundy esperou até o dia seguinte para informá-lo.

No dia 16 de outubro, o presidente Kennedy, de volta a D.C., reagiu à notícia surpreendente de Bundy convocando a primeira reunião sobre a confirmada ameaça nuclear para o fim daquela manhã. Os mísseis ainda não estavam em operação, mas logo estariam, com a capacidade de atingir pelo menos a parte sul do território norte-americano. JFK já estava delineando quatro opções: atingir apenas os pontos dos mísseis; destruí-los junto com outros pontos militares; fazer tudo isso e também erguer um bloqueio; ou tudo isso e ainda invadir a ilha. Em seu caderno de anotações, ele rabiscava palavras: *Preparar. Berlim. Preparatório. Cuba. Preparação. Revolta cubana. Preparar. Nuclear.* O vice-presidente Lyndon Johnson, mais linha-dura do que qualquer outra pessoa ali, disse que grandes ataques aéreos podiam acontecer sem que sequer o Congresso ou os aliados dos Estados Unidos fossem avisados. A reunião terminou com o Pentágono tendo que analisar como os ataques aéreos e uma invasão poderiam ocorrer.

Robert Kennedy entregou suas anotações sobre a reunião ao secretário do presidente. Uma delas era: *Agora sei como Tojo se sentiu ao planejar Pearl Harbor.*

Em uma reunião na manhã do dia seguinte, George Ball argumentou contra a ação militar, dizendo que os líderes soviéticos não entendiam muito bem a gravidade de sua atitude em Cuba. O embaixador Llewellyn Thompson, em Moscou, discordou, dizendo que o objetivo dos soviéticos era forçar um confronto sobre Berlim; o general Maxwell Taylor e John McCone concordaram com ele. Kennedy saiu para uma reunião há muito marcada com o ministro de assuntos estrangeiros da Alemanha Ocidental, Gerhard Schröder. Ele não mencionou Cuba para ele, mas Kennedy se perguntou: *Os alemães estão prontos para um ataque de retaliação soviético ou para outro bloqueio de Berlim?*

Com JFK longe em outra viagem, incentivadores e líderes do Exército discutiram as opções, conforme ataques aéreos – com ou sem aviso a Khrushchev, e com ou sem uma invasão dos Estados Unidos – ganhavam força. (O Exército projetava 18.500 baixas norte-americanas em uma invasão normal, mas se armas nucleares fossem usadas, o general Taylor avisou de modo seco: "Não há fator de experiência no qual basear uma estimativa de baixas".) George Ball respondeu com um memorando muito discordante, dizendo que ataques aéreos fariam lembrar Pearl Harbor – concordando com Bobby Kennedy a esse respeito – e colocariam boa parte do "mundo civilizado" contra os Estados Unidos. Mas alguns achavam que uma ação forte dos Estados Unidos sobre Cuba, em vez de prejudicar a presença norte-americana em Berlim, melhoraria sua credibilidade para lidar com os soviéticos mais para a frente.

O presidente retornou e, em uma reunião de 18 de outubro, repetiu seu argumento de que os soviéticos, em resposta a qualquer ataque militar a Cuba, provavelmente "só pegariam Berlim". Sacrificar alguns mísseis cubanos para controlar Berlim totalmente não incomodaria os soviéticos nem um pouco. E assim que eles tomassem a cidade, "todo mundo sentiria que perdemos Berlim, por causa desses mísseis". Bundy fez uma piadinha simples e reveladora: "Se pudéssemos entregar Berlim... *sem* que levássemos a culpa...".

E então, houve uma conversa séria depois de JFK dizer de novo que os soviéticos, se fossem atacados em Cuba, provavelmente atravessariam a fronteira de Berlim com tropas pelo solo.

> **McNamara:** Temos tropas lá. O que elas fazem?
>
> **Gen. Taylor:** Elas lutam.
>
> **McNamara:** Elas lutam. Acho que isso é perfeitamente claro.
>
> **Presidente Kennedy:** E são vencidas.
>
> **Robert Kennedy:** Então, o que faremos?
>
> **Gen. Taylor:** Ir para a guerra aberta, se for de nosso interesse.
>
> **Presidente Kennedy:** Você fala de confronto nuclear. (Breve pausa.)
>
> **Gen. Taylor:** Acho que é preciso.

O presidente, no entanto, insistiu que considerassem "uma ação que diminuísse as chances de um confronto nuclear, que obviamente é o fracasso final". O apocalipse mostrava sua cara feia, bem a tempo. A partir de então, a discussão – entre Rusk, McNamara e Robert Kennedy – seguiu um rumo mais pacífico, sobre tentar um bloqueio. O Estado-Maior Conjunto se opôs a isso, ainda defendendo um ataque adiantado, mas em poucos minutos um consenso começou a ser alcançado entre os incentivadores não militares da sala. Um bloqueio era o melhor, juntamente com uma potencial concessão para descartar mísseis nucleares norte-americanos antiquados na Turquia. McNamara pediu, atrasado: "Acho que precisamos analisar esses problemas com mais cuidado".

Em um momento crucial, um elemento improvável havia contribuído para a mudança de tom da reunião, apelando a Kennedy para que insistissem em um bloqueio. "Essencialmente, sr. presidente, essa é uma escolha entre ação limitada e ação ilimitada – e a maioria de nós acha que é melhor começar com ação limitada". Quem disse isso foi Roswell Gilpatric, o homem número dois do Pentágono, que apenas dois meses antes tinha sido apontado pelo próprio JFK como o possível responsável pelo vazamento do caso Hanson Baldwin. Gilpatric, aparentemente perdoado – e apesar de seu histórico de vazar segredos a um jornalista –, vinha participando de reuniões importantes sobre a crise dos mísseis e entrando em discussões altamente confidenciais. (A investigação do FBI sobre Baldwin e Gilpatric continuava, enquanto isso.)

Depois da reunião, JFK se encontrou com Andrei Gromyko, o ministro soviético. Gromyko mentiu na cara de Kennedy, negando a presença de mísseis de ofensiva em Cuba enquanto o presidente tamborilava os dedos sobre a mesa, exercitando enorme autocontrole, sabendo que ele tinha fotos que provavam o contrário dentro da primeira gaveta de sua mesa.

Perto da meia-noite, depois de todo mundo sair da Sala Oval, Kennedy ligou o sistema de grampo para gravar seu resumo daquele dia. Apesar da crise que ocorria em Cuba, grande parte do que ele disse ainda tinha a ver com Berlim. Ele comentou sobre o alerta de Bundy acerca de uma "represália soviética contra Berlim" depois de qualquer ação militar dos Estados Unidos. Outros achavam que não tomar uma atitude firme em relação a Cuba minaria as promessas norte-americanas aos alemães ocidentais, "dividiria nossos aliados e nosso país". JFK concluiu: "O consenso foi que devemos seguir com um bloqueio começando no domingo à noite". Se os soviéticos partissem para cima de Berlim – bem, os Estados Unidos enfrentariam "um esmagamento" ali em poucos meses, de qualquer modo. E um bloqueio tinha muito menos chances de inspirar essa reação soviética do que um ataque militar a Cuba.

Em seguida, ele subiu as escadas para ir dormir com essa decisão. Se conseguisse.

16
Túnel enterrado

Dois dias depois da reunião com Dean Rusk em Washington, Reuven Frank buscou refúgio em um estúdio de Nova York para supervisionar a gravação da trilha sonora de seu filme, misturando a narração seca de Piers Anderton com uma trilha eclética, composta por Eddie Safranski, um conhecido baixista de jazz. O tom da música, gravada por uma pequena banda, ia do tédio à tensão acompanhando as imagens, com um toque cômico ocasional. De repente, a porta se abriu e alguém entregou a Frank uma notícia da agência United Press International (UPI). Um porta-voz do Departamento de Estado havia acabado de declarar que pôr o programa sobre o túnel no ar era "irresponsável" e desconsiderava os "interesses nacionais". Essa certeza era impressionante, pois ninguém no Estado havia pedido para assistir ao filme. Lendo o artigo, Frank não sabia se a NBC, que havia arriscado seu pescoço por tanto tempo em seu projeto, conseguiria aguentar a pressão quando *The Tunnel* tornasse célebre uma causa internacional.

O porta-voz do Estado era Lincoln "Link" White, um rábula do departamento desde 1940, que havia recebido duas páginas de "orientação" de seus superiores para a coletiva de imprensa daquele dia. Se questionado sobre o túnel da CBS, devia afirmar que o cancelamento pela rede de sua cobertura de agosto fora "muito bem recebida pelo governo". Quando questionado sobre o túnel da NBC, deveria reconhecer que o Estado havia expressado as mesmas preocupações que havia tido com a CBS – que seu programa "poderia complicar bastante o problema de Berlim".

Esse roteiro havia sido liberado pela Casa Branca por Pierre Salinger, que exercia o controle direto e aceitava a responsabilidade pelas declarações de secretários de imprensa em qualquer departamento governamental principal, do Departamento dos Correios ao Pentágono. Ele gostava de se referir a esse grupo como "uma comunidade de agentes de informação". Reuniões presenciais com os principais porta-vozes aconteciam em geral nas terças-feiras. Para melhorar a comunicação com o Estado e o Departamento de Defesa, Salinger havia instalado um sistema de telefonia que permitia uma conversa com os dois ao mesmo tempo. Muitas vezes, pegava uma declaração importante de um deles e enviava diretamente para a aprovação do presidente.

Como era de se esperar, a primeira pergunta sobre o documentário da NBC veio pouco depois de a coletiva de imprensa começar, às 12h35. Conforme instruído, Link White elogiou a reação da CBS, depois seguiu o roteiro, dizendo que o filme da NBC era "arriscado, irresponsável, indesejável e não considerava os melhores interesses dos Estados Unidos". A NBC escolhera "continuar com seu projeto do túnel", apesar das objeções dos oficiais da Berlim Ocidental e da Alemanha Ocidental. "Acho que nossa visão sobre a questão é bastante clara", declarou ele.

Um repórter perguntou o óbvio: "Link, não sei ao certo o que você quis dizer com 'as visões do Departamento são muito claras'. Isso indica um questionamento se o filme deveria ser exibido ou não?". White mencionou riscos não específicos. O repórter insistiu: "Em outras palavras, o Departamento é contra a exibição do filme?".

"Não quero ir além do que respondi hoje", retrucou White.

Outro repórter perguntou quais eram os "riscos" agora, já que a operação do túnel havia terminado e, de fato, sido bem-sucedida. White mencionou a possibilidade de "represálias" para os escavadores que apareciam no filme ou para seus familiares que permaneceram no lado oriental. O repórter continuou: "Bem, isso não quer dizer que vocês queiram de verdade que o filme seja retirado de circulação?".

"Já falei o bastante sobre esse assunto", disse o porta-voz do Departamento de Estado, cada vez mais irascível. "Acho que está claro o que estou dizendo."

Não mesmo. Outro jornalista perguntou o que ele quis dizer com "envolvimento" da NBC com o túnel. O que significava exatamente? White, como um Will Rogers[2] dos tempos modernos, alegou que sabia apenas o que havia lido nos jornais.

Então, um repórter astuto, mencionando o bem conhecido túnel de espionagem da CIA em Berlim que cruzava do Ocidente para o Oriente nos anos 1950, intrometeu-se com a seguinte pergunta: "Quando o governo dos Estados Unidos vai fazer algo contra as operações com túneis?".

---

[2] O comediante Will Rogers (1879-1935) era famoso por suas frases espirituosas, e a que é comentada no texto é: "Tudo que sei é o que li nos jornais, e esse é meu álibi para minha ignorância". (N.T.)

Depois que a coletiva de imprensa felizmente terminou, White foi repreendido por seus superiores (e provavelmente por Salinger) por ir longe demais em sua denúncia da NBC. White expediu uma declaração para impedir um "mal-entendido". O Departamento de Estado não queria insinuar que levar o filme ao público "arriscaria vidas" daqueles envolvidos na escavação do túnel – apenas que o envolvimento da NBC foi arriscado durante a operação efetiva. "Além disso, não é intenção do Departamento pedir à NBC para se abster de exibir o filme... essa é uma questão para a NBC decidir", disse ele.

Esse esclarecimento apenas tornou confusa a situação, e Reuven Frank ficou surpreso e deprimido. Frank acreditava que todos os funcionários do governo, especialmente aqueles envolvidos com a política estrangeira, desejavam que a imprensa simplesmente se afastasse e deixasse que eles fizessem seu trabalho. Aquele sentimento precisava ser contrariado pela mídia a cada passo. Agora, ele temia que seu chefão, o presidente da NBC, Robert Kintner, ficasse mais arisco. Kintner o preocupava. Na verdade, ele era um jornalista das antigas, chefe da rede desde 1958, e produtor de documentários. Por outro lado, era próximo do vice-presidente Johnson. Havia contratado e depois enfiado o campeão dos programas de perguntas e respostas, Charles Van Doren, nos programas de entrevistas de Frank (antes de irromper o escândalo da trapaça). Frank considerava Kintner um alcoólatra e um valentão – teimoso, intolerante, impulsivo –, mas também, em parte, um gênio. Kintner raramente interferia nos noticiários, o que tornava sua intervenção recente, o envio de Lester Bernstein a Berlim, ainda mais sinistra. Ao que parecia, a NBC ao menos postergaria, talvez até mesmo cancelaria, *The Tunnel*.

Ainda em Nova York, Piers Anderton escreveu a sua mulher em Bonn: "Esta visita a Nova York sem dúvida não tem sido prazerosa. Cada dia uma nova crise, e hoje parece que o programa não poderá ir ao ar ou talvez seja todo cortado. Se acontecer de ser cortado, nem Reuven tampouco eu teríamos nada a ver com ele. Os EUA e o governo da Berlim Ocidental estão pressionando muito para impedir a NBC de levar o programa ao ar, e Kintner está enfraquecendo."

Jack Gould, crítico televisivo influente do *New York Times*, não ajudou a melhorar a situação quando observou que, quaisquer que fossem os motivos da NBC, "um efeito foi injetar um tom de comercialismo de mau gosto e um possível prejuízo em uma área de extrema sensibilidade na guerra fria". Gould confessou que, no que tangia aos princípios jornalísticos, a NBC não poderia ser muito criticada. Vejam os astronautas norte-americanos vendendo seus relatos pessoais à revista *Life*. E se um jornalista da imprensa escrita "comprasse" o túnel e escrevesse sobre ele, a polêmica pouco provavelmente seria instaurada, mas para a TV, com seu recente "impacto e influência", era de se esperar um efeito adverso. Por mais que os jornalistas pudessem defender o projeto da NBC, para o público geral o "carimbo de comercialismo" fora aplicado ao túnel, o que deu aos comunistas uma desculpa para alegar que o "símbolo do dólar" espreitava por trás de qualquer atividade de fuga no lado ocidental. Gould concluiu:

> De muitas maneiras, a guerra fria exige um exercício de moderação maior do que se pede na guerra quente. Com a paz por um fio, não é hora para leigos aventureiros aparecerem nas linhas de frente da tensão mundial. Ninguém sabe se a provocação aparentemente pequena poderia ser assumida como uma desculpa para apertar o proverbial botão... A guerra fria já está complicada o suficiente sem a introdução da competitiva economia audiovisual.

EMBORA o "carimbo de comercialismo" que cercava o verdadeiro túnel da Bernauer ofendesse, entre outros, certos oficiais da Alemanha Ocidental, eles estavam abraçando calorosamente a versão hollywoodiana. Um *release* publicitário da MGM revelou que, quando seu filme *Tunnel 28* foi concluído, o governo da Alemanha Ocidental "convocou o produtor [Walter] Wood a Bonn, onde ele mostrou aos oficiais o primeiro corte. Ficaram tão impressionados que imediatamente pediram ao produtor para planejar uma *première* na Alemanha".

Outra ficção do túnel ganhou apoio oficial em Bonn em uma escala menor. Ernst Lemmer, o ministro para os assuntos internos alemães, garantiu um visto em poucos dias (em vez dos habituais dois anos) para Angelika Ligma, a jovem que alegou falsamente ter escapado para o lado ocidental via túnel da Bernauer. Isso aconteceu em nome da MGM, que quis usá-la para promover seu filme. Allen Lightner informara a Dean Rusk que o consulado norte-americano na Berlim Ocidental havia expedido o visto a Angelika. Ela fora enviada à MGM por Lemmer e pelo chefe de polícia de Berlim, "que desejava auxiliar" o plano do estúdio de usá-la nos EUA "para explorar" seu filme. O telegrama de Lightner terminava com um aviso: "Talvez o Depto. queira contatar a MGM ou sugerir que a embaixada alemã o faça para garantir que a exploração de Ligma não seja contraproducente para a causa de Berlim".

Do outro lado da fronteira, a Stasi já sabia que Angelika Ligma estava na Berlim Ocidental. Ela enviara uma carta à mãe de lá, e sua mãe comunicou ao MfS.

NO FIM DA TARDE de 18 de outubro, o presidente Kennedy pensou que seu comitê executivo, ou ExComm, havia chegado a um consenso sobre o bloqueio a Cuba sem disparar um tiro sequer, mas no dia seguinte a situação começou a se desenredar. Bem cedo, uma reunião do Estado-Maior Conjunto, que ainda defendia com veemência um ataque preventivo dos EUA, testou a resolução de JFK. McGeorge Bundy mudou aquela posição de "atire primeiro, pergunte depois" do dia para a noite, e parecia que as emoções de todos estavam perigosamente volúveis.

O presidente continuava a usar a carta de Berlim, sustentando que qualquer ataque a Cuba daria aos soviéticos "uma deixa para tomar Berlim [...] seríamos vistos como os pistoleiros norte-americanos que perderam Berlim". Os aliados europeus ficariam lívidos, pois se importavam de um jeito apaixonado com Berlim e com sua segurança, mas não "davam a mínima" para Cuba. E se os soviéticos avançassem sobre Berlim, ele ficaria com "apenas uma alternativa, que seria disparar armas nucleares (o que era uma alternativa infernal) e começar uma troca de ofensivas nucleares [...] quando reconhecermos a importância de Berlim para a Europa e a importância de nossos aliados para nós, saberemos por que estamos neste dilema há três dias". Lembrem-se, acrescentou ele, de que "o argumento para o bloqueio [a Cuba] era: o que queremos fazer para evitar, se pudermos, uma guerra nuclear".

Era difícil duas palavras – *se pudermos* – terem tanto significado.

O general Curtis LeMay, o extremista mais sangue-quente do Estado-Maior Conjunto – um de seus apelidos era "o Homem-Bomba Maluco"– opunha-se ao bloqueio, alegando que isso "levaria direto a uma guerra", chamando a iniciativa de "fraca" e a comparando à "conciliação de Munique".[3] Queria um ataque com bombardeio completo assim que possível. LeMay disse a Kennedy: "No momento, o senhor está em uma encrenca daquelas".

Furioso, Kennedy pediu para que LeMay repetisse aquilo e, em seguida, JFK retrucou com uma gargalhada: "Você também está nela!".

Depois da reunião, Kennedy, sempre cético com o aconselhamento dos militares, disse a um assessor, referindo-se a LeMay e à sua laia: "Esses daí

---

[3] Referência ao Acordo de Munique, firmado em 29 de setembro de 1938 pelos governos da Alemanha, Itália, França e Reino Unido, que permitiu a anexação de partes da Checoslováquia pelos nazistas em troca de paz na região e a promessa de que Hitler não exigiria mais territórios para o Terceiro Reich. Seis meses depois, Hitler ordenou a invasão de outras partes da Checoslováquia, rompendo assim o pacto e dando início aos movimentos que culminariam na Segunda Guerra Mundial. (N.T.)

de alta patente têm uma grande vantagem a seu favor. Se nós os ouvirmos e fizermos o que querem que façamos, nenhum de nós estará vivo depois para dizer que estavam errados".

Ainda assim, a imprensa e o público foram mantidos às cegas. Um porta-voz do Pentágono declarou, em resposta ao questionamento da imprensa: "O Pentágono não tem informações que indiquem a presença de armas ofensivas em Cuba". No entanto, os mecanismos de um possível (alguns acreditavam em provável) bloqueio retaliatório soviético da Berlim Ocidental ganharam um amplo estudo particular em Washington. David Klein, assistente do Conselho de Segurança Nacional, apresentou um memorando altamente sigiloso a seu chefe, Mac Bundy, com o título "A defesa de Berlim caso Cuba seja bloqueada". Klein aconselhava sem rodeios que um bloqueio soviético "inevitavelmente suscitaria a sensação entre todos os europeus de que essa crise foi, em alguma medida, culpa dos norte-americanos". Mais provavelmente Khrushchev "trocaria Berlim por Cuba a qualquer momento", o que seria um "prejuízo líquido imenso" para os Estados Unidos. Sob um bloqueio prolongado, o moral de Berlim se romperia, e ninguém entraria em uma guerra nuclear por uma "cidade moribunda". Portanto, Klein defendia que os Estados Unidos "reduzissem o tempo de reação" no plano "Poodle Blanket e nos preparássemos para enfrentar Khrushchev em um estágio muito inicial com uma opção nuclear firme".

Para Dean Rusk, a tensão da indecisão era sufocante. Tomando o elevador da garagem do Departamento de Estado até seu gabinete no sétimo andar com George Ball e o ex-secretário de Estado, Dean Acheson, Rusk apontou para seus guarda-costas e disse: "Sabem, os únicos conselhos decentes que tive na última semana vieram desses caras". Um deles, um ex-atacante profissional de futebol americano, comentou: "É que o senhor tem se cercado de um bando de idiotas, senhor secretário". Rusk gargalhou, enquanto Ball e Acheson enrubesciam.

LESTER Bernstein não retornava à Alemanha desde sua turnê militar no fim da Segunda Guerra Mundial. Sendo um judeu cujos pais imigrantes ainda falavam iídiche, teve sentimentos conflitantes quando aterrissou em Berlim, mas ao menos sua missão como mediador da NBC era clara: salvar o filme do túnel. Mas sua viagem teve um início problemático quando não conseguiu uma reunião com Willy Brandt. Bernstein conseguiu descrever para Egon Bahr, assessor de Brandt, e para os líderes do Senado o valor propagandístico do filme e os passos que a rede de televisão estava tomando (com relutância) para esconder a identidade de alguns escavadores e refugiados. Ainda assim, os alemães continuavam céticos. Chegaram a acrescentar um novo argumento: os alemães orientais poderiam, em reação ao filme, aumentar as sentenças de prisão impostas para fugitivos e mensageiros envolvidos em *outros* túneis.

Bernstein esperava passar apenas alguns dias em Berlim, mas isso estava fora de cogitação agora. Em 19 de outubro, escreveu a sua mãe, desculpando-se por não lhe contar sobre aquela "missão especial" que o levara repentinamente à Europa e "parecia estar se estendendo um pouco". Após descrever brevemente o filme do túnel, ele revelou: "O problema agora é que o governo da Berlim Ocidental pediu para a NBC não exibir o programa", então ele estava tentando persuadi-lo a "retirar sua objeção... Tenho esperança de que conseguirei".

No mesmo dia, Bernstein enviou um memorando a Egon Bahr, argumentando que a NBC considerava seriamente "qualquer risco claro e específico" que o programa pudesse apresentar. Com astúcia, acrescentou:

> Francamente, a diretoria da NBC também acha difícil levar muito a sério a preocupação do governo com a publicidade da escavação do túnel em um momento em que o governo está cooperando entusiasticamente com uma *première* de gala do filme *Tunnel 28* quase à sombra do próprio Muro de Berlim.
>
> Além disso, acreditamos ser injusto que o governo discrimine e desencoraje o projeto da NBC, que é uma apresentação responsável e autêntica da realidade, depois de se esforçar tanto para possibilitar a filmagem de um tratamento ficcional e romantizado sobre o mesmo assunto.

E Bernstein sequer sabia da ajuda oferecida pelos alemães ocidentais para que uma falsa fugitiva do túnel fosse aos EUA promover o filme da MGM.

Bernstein concluiu: "A NBC deseja enfatizar sua convicção de que a exibição de seu programa contribuirá muito com os interesses da Berlim Ocidental e de todos os outros que se oponham ao comunismo". Ao ser questionada a respeito da hipocrisia que envolvia MGM e NBC, a oposição alemã rapidamente desapareceu. Os oficiais disseram a Bernstein em particular que não lutariam mais contra o filme, embora não oferecessem nenhum motivo específico para a mudança. Os líderes do Senado expediram uma declaração de que haviam recebido garantias da NBC de que o filme "não representa nenhum perigo à segurança dos participantes". Acrescentaram que respeitavam o fato de que a "NBC se orienta pelo desejo de trazer um relato autêntico ao público dos Estados Unidos considerando os interesses de Berlim".

Quando Lemmer, o ministro para assuntos internos alemães – o mesmo funcionário que pessoalmente organizou a *première* de *Tunnel 28* –, disse, em 22 de outubro, que receberia de bom grado o filme da NBC "se os eventos em Berlim fossem narrados ao público mundial da forma mais ampla e precisa possível", Bernstein enviou um telegrama com a notícia a seu gabinete nos EUA, e então garantiu que o serviço de telegrama havia recebido a declaração. Imediatamente, a United Press International (UPI) declarou que as objeções alemãs "haviam terminado".

Isso influenciaria o Departamento de Estado dos EUA? Não importava mais, ao menos no curto prazo. Kintner, da NBC, simplesmente havia postergado a exibição de *The Tunnel* por tempo indeterminado. Reuven Frank temia que fosse pior que isso, que o programa estivesse extinto. Depois de uma conversa com Bill McAndrew, suspeitou que alguém em uma posição corporativa ainda maior havia levado a Kintner um aviso de que ele não deveria pôr em risco os muitos contratos militares lucrativos dos EUA com a controladora da NBC, a RCA Corporation. Frank ficou tão deprimido que ponderou se deveria permanecer na emissora cuja divisão de notícias ele ajudara a construir.

DOIS grandes artigos sobre a Berlim pós-Muro chegavam nesse momento nas revistas norte-americanas. Uma matéria extensa de John Bainbridge para a *New Yorker*, "*Die Mauer*: Os primeiros dias do Muro de Berlim", cobria todas as bases, do dia em que a barreira surgiu até as tentativas de fuga. Sendo o mais longo artigo sobre o assunto a aparecer nos EUA, trazia visitas a diversos locais ao longo do Muro e ao centro de refugiados em Marienfelde. Bainbridge relatou que cerca de um em cada 12 fugitivos no ano anterior eram ex-guardas de fronteira ou soldados da Alemanha Oriental. Com "poucas exceções", os desertores relacionavam como principal motivo a "ordem que exigia que atirassem em quem tentasse fugir". Ao reconhecer esse fato, a RDA realocou a maioria dos guardas nascidos em Berlim e os substituiu por soldados do interior.

Enquanto isso, a renomada correspondente estrangeira Flora Lewis produziu um artigo para a *New York Times Sunday Magazine* reunindo miniperfis de alemães que professavam tamanho amor pela Berlim Ocidental que, apesar de seu isolamento e dos perigos, nunca a deixariam. "Não é tanto um caso de as pessoas terem se transformado com as pressões crescentes", explicou ela. "Mas foram despojadas, de modo que as coisas ficam mais à mostra: medos, ideais, invejas, emoções". Ela poderia estar se referindo aos escavadores e aos artistas da fuga.

Um dos entrevistados era James O'Donnell, escritor e ex-assessor do general Clay, que apresentara Daniel Schorr ao túnel de Kiefholz. Por que O'Donnell continuava voltando à cidade? "Porque sou norte-americano e acredito nela", respondeu ele, "e se não fizermos o que acreditamos, afundamos".

Outro perfilado foi "Horst P", um ex-estudante de teologia de 21 anos que se tornou um "escavador" na nova "ferrovia subterrânea" dirigida por "Pimpinelas Escarlate" dos dias modernos. Ele saíra da Alemanha Oriental sozinho com 14 anos. Lewis encontrou-o em uma indignação crescente na noite em que o entrevistou, num bar lotado. Sua equipe de túnel havia planejado resgatar um grupo de pessoas prestes a ser preso no lado oriental e percebeu que o senhorio de um prédio próximo à fronteira certamente deixaria que usassem seu porão, especialmente quando ofereceram dinheiro. "Mas tudo em que ele conseguia pensar era em seus aluguéis e contratos", reclamou Horst P.

> "Encontrou um milhão de desculpas. Seus locatários poderiam ficar desconfortáveis. Os comunistas poderiam atirar pelo Muro. Embora nunca tenha dito isso, acho que, no fundo, queria ter certeza de que, no caso de os russos tomarem tudo um dia, ele não teria nenhuma marca de resistência em seu prontuário. Como no tempo dos nazistas, tudo o que aqueles corajosos *Bürger* [cidadãos] de bem queriam era dizer, se a Gestapo viesse, 'Eu não estava envolvido'… Não são traidores, esses senhorios, mas covardes, o que não é muito melhor. Acho que qualquer um que não esteja disposto a ajudar alguém em problemas pela falta de liberdade não merece a própria liberdade. E não digo apenas falar sobre a questão, mas fazer alguma coisa também."

NAQUELE outono, o temor nuclear pairava no ar quase em todos os âmbitos da cultura norte-americana. À época, a edição mais recente da revista *Esquire* trazia em sua capa uma ilustração de uma arca de Noé moderna – um abrigo nuclear em um porão. Apinhados dentro do bloco cinza estavam uma mulher e um homem bem-vestidos, além de dois leões, duas galinhas e duas lhamas. Um jovem cantor de *folk* chamado Bob Dylan estava começando a tocar ao vivo uma canção que havia escrito meses antes do alerta de guerra nuclear. O título: "A Hard Rain's A-Gonna Fall" [Vai cair uma chuva forte].

Em seu livro *Run, Dig or Stay* [Corra, cave ou fique], Dean Brelins confrontou a mania de abrigos que varria o país, em geral na mídia, enquanto a construção efetiva se atrasava – antes de concluir que as esperanças e os ideais arrogantes dos EUA "não são bons lá embaixo, no subterrâneo".

Seymour Melman, professor da Universidade de Colúmbia, editou *No Place to Hide* [Sem lugar para se esconder], uma coleção popular de artigos que levantavam dúvidas sobre a defesa civil. Enquanto isso, o Pentágono liberava números, provavelmente exagerados, alegando que existiam "potenciais" abrigos nucleares em cerca de 112.000 estruturas em todo o país, com espaço para mais de 60 milhões de norte-americanos. Em uma reunião com jornalistas, Robert McNamara discutiu como a defesa civil oferecia proteção no caso de um ataque de míssil. "Os jornalistas explodiram em gargalhadas zombeteiras", observou o *New York Times*.

O terror nuclear talvez tivesse suscitado mais fatalismo que ativismo, mas um novo romance parecia criado para causar os dois: *Fail-Safe* [*Limite de segurança*], escrito por Eugene Burdick e Harvey Wheeler, retratava um ataque nuclear acidental (mas inevitável) pelos bombardeiros norte-americanos que receberam por engano um sinal verde para atacar a União Soviética. Notícias circulavam entre a maioria dos norte-americanos de que muitos dos bombardeiros do Comando Aéreo Estratégico com cargas nucleares estavam voando o tempo todo, prontos e dispostos a devastar os russos a qualquer momento. *Fail-Safe* imediatamente virou uma sensação, assunto para reportagens e comentários sérios. (O livro tinha uma forte semelhança com um romance de 1958 de trama semelhante, *Red Alert* [*Alerta vermelho*], de Peter George, que no momento estava trabalhando em uma adaptação para o cinema com o diretor Stanley Kubrick.) *Fail-Safe* terminava com os Estados Unidos ainda em pé – o líder soviético optando por não retaliar depois do primeiro ataque acidental dos EUA. Por quê? Apenas porque o presidente dos EUA, para mostrar arrependimento e boa-fé, ordenou que seus militares soltassem uma única bomba nuclear sobre Manhattan, onde sua mulher estava em visita.

Não era de se estranhar que funcionários do governo e militares norte-americanos estivessem temerosos de que o livro aumentasse a paranoia do público, levando a exigências de redução do arsenal nuclear ou o fim dos alertas de disparo imediato. Um resenhista do *Chicago Daily News* parecia ter isso em mente quando declarou que o livro "pode enfraquecer nossa resolução e deturpar nosso julgamento, o que não devemos permitir". A Força Aérea ordenou um estudo de verificação de fatos do romance e uma estimativa de quanto mais dano poderia causar caso, conforme esperado, se tornasse um filme importante de Hollywood.

"Funcionários do governo" não identificados tentaram ridicularizar o cenário de *Fail-Safe*, acusando os autores de terem "distorcido" a situação, fazendo parecer que os alertas eram muito mais impulsivos ou sensíveis do que na realidade. Contudo, os mesmos oficiais admitiram que os militares estavam despendendo imensas quantias em dinheiro para se precaver ainda mais de uma guerra acidental. O Pentágono, concluiu um artigo do *New York Times*, não foi nada "complacente" com a ameaça, porque – e aqui estava o problema –, não considerava as precauções atuais nem próximas de serem "à prova de erros".

COM sua diplomacia corporativa concluída, Lester Bernstein compareceu, em 22 de outubro, a um dos eventos do ano em Berlim, a *première* de *Tunnel 28*, da MGM, no novo e sofisticado Kongresshall, no Tiergarten. A *Variety* observou que aquela era a terceira *première* mundial de um filme norte-americano em Berlim nos últimos 12 meses, depois de *Cupido não tem bandeira*, de Billy Wilder, e *Julgamento em Nuremberg*, de Stanley Kramer. O filme de Wilder foi um fracasso de bilheteria, mas incluía uma cena visionária, com um oficial russo entregando um charuto cubano para James Cagney. "Temos um acordo comercial com Cuba", explicava o russo, "eles nos mandam charutos, nós enviamos foguetes para eles".

E que encontro no Kongresshall! Além dos executivos da MGM, dos criadores e estrelas de *Tunnel 28* e de oficiais do governo, também estava presente Rainer Hildebrandt, que havia acabado de abrir a primeira exposição em Berlim com uma coleção de objetos relacionados ao Muro. Trouxe como seu convidado ninguém menos que um dos principais especialistas do mundo em túneis de fuga: Harry Seidel. Heinrich Albertz, ministro de assuntos interiores, recusou-se a comparecer, contestando o que considerava ser a natureza exploradora do filme da MGM. Foi repreendido pelo colega ministro Ernst Lemmer, que abraçou o produtor Walter Wood, dizendo: "Agradecemos sua presença em nome do povo alemão por este posicionamento contra a desumanidade".

O Berlin Hilton foi palco de uma festa de gala depois do filme, completada com música animada. Bernstein estava conversando com o cinegrafista da NBC, Harry Thoess, quando Daniel Schorr aproximou-se para bater papo. Schorr imediatamente começou a cutucá-los sobre o "jornalismo de histórias pagas" e os ataques daquela semana pelo Departamento de Estado contra o filme da NBC, em contraste com a decisão de sua emissora em cumprir as ordens.

Claro que Schorr não era nenhum santo, pois havia *se oposto* amargamente à jogada da CBS com Dean Rusk sobre a questão – e ele também havia pagado aos organizadores do túnel pelo direito de filmar sua operação. O diminuto Thoess não deixou barato. Negou as alegações do Departamento de Estado sobre o túnel da Bernauer e disse a Schorr que sabia de todo o esquema para filmar a fuga de Kiefholz. Explodindo, Schorr negou qualquer envolvimento, mas Thoess disse que a NBC tinha provas, na forma da gravação de 7 de agosto feita por Piers Anderton, a qual mostrava um cinegrafista da CBS tentando filmar além da cerca da fronteira naquele dia – provavelmente o homem que Anderton havia notado rastejando pelos arbustos. O que a CBS e o Departamento de Estado diriam se a NBC liberasse *aquela* filmagem? Nesse momento, Bernstein apresentou-se como mediador oficial da emissora, vindo de Nova York. Os homens da NBC talvez estivessem apenas blefando, mas Schorr virou as costas e se afastou.

QUANDO a festa do filme terminou em Berlim, o presidente Kennedy, a mais de 6 mil quilômetros de distância, estava se aprontando para um discurso em rede nacional. Em discussões e debates com assessores de alto escalão e conselheiros militares nos dois dias anteriores, Kennedy se firmara na decisão de expedir um ultimato para que os soviéticos removessem todos os mísseis de Cuba imediatamente, junto com a imposição de um bloqueio da ilha, antes de qualquer ação militar. Mas sabiamente se referiu ao bloqueio como "uma quarentena" para diferenciá-lo do único bloqueio com que a maioria dos norte-americanos estava familiarizada – o de Berlim, em 1948, pelos soviéticos –, enquanto comunicava que apenas armas ofensivas, e não combustível, alimentos e remédios, seriam retidas.

Quarenta embarcações norte-americanas já estavam a postos para executá-lo. De qualquer forma, se os soviéticos desafiassem o bloqueio ou simplesmente se recusassem a retirar os mísseis, ataques aéreos norte-americanos chegariam rápidos e potentes.

Poucos dias se passaram desde que o *Washington Post* soubera da descoberta dos mísseis nucleares em Cuba, mas o presidente pedira aos editores para segurarem o furo de reportagem até seu discurso televisionado, e o *Post* obedeceu. Outros meios de comunicação espalhavam medos provocados por rumores. A família de Lester Bernstein em Nova York, sabendo que ele ainda estava em Berlim (certamente uma das cidades mais ameaçadas nos dias vindouros) ficou especialmente preocupada. E não sabia que o chefe da Missão Berlim, Lightner, e ao menos mais outro oficial já tinham enviado suas mulheres e filhos para os Estados Unidos.

Quando a tarde caiu, o embaixador das Nações Unidas, Adlai Stevenson, enviou um telegrama a Dean Rusk: "Acredito que devam ser tomadas decisões antes desta noite sobre como reagiremos caso a URSS procure interferir em nosso acesso a Berlim nos próximos dias. Decisões precisam ser tomadas com relação à nossa reação física na região e o que fazer nas Nações Unidas". O presidente Kennedy também estava preocupado com a cadeia hierárquica, caso os Estados Unidos ficassem tentados a reagir a um ataque soviético disparando mísseis nucleares. Ele supôs que os mísseis norte-americanos mais próximos da União Soviética, na Turquia e na Itália, poderiam ser disparados apenas depois de uma ordem específica vinda dele. O que acabou se mostrando uma inverdade. Os comandantes norte-americanos locais haviam recebido aquele poder como instrução permanente. Quando JFK disse a um dos membros do Estado-Maior Conjunto que não queria *nenhum* míssil sendo disparado sem sua aprovação expressa, o general pareceu hesitar. Poucos minutos depois, quando o presidente trouxe a questão à tona com Paul Nitze, secretário de defesa adjunto, ele encontrou resistência novamente.

No decorrer do dia, ficou claro que Kennedy e os funcionários de alto escalão do governo não estavam totalmente a par das forças nucleares norte-americanas e de seu possível uso. Dean Rusk, por exemplo, perguntou a Nitze: "Aqueles da Turquia não estão em operação, estão?".

"Sim, estão", respondeu Nitze.

"Ah, estão", comentou Rusk, seco.

"Quinze deles estão em alerta agora mesmo", acrescentou Roswell Gilpatric.

Segundos depois, Nitze enfatizou que a política da OTAN exigia o lançamento automático desses mísseis no caso de um ataque soviético, "de acordo com o PED".

"O que é PED?", questionou o presidente Kennedy.

"O Plano Europeu de Defesa", respondeu Nitze, "que é a guerra nuclear".

Kennedy respondeu friamente que tudo bem caso viesse um ataque soviético de larga escala, mas não em um "ponto". Ele voltou a insistir: *Diga aos comandantes que eu estou no comando*. Dessa vez, Nitze respondeu que o faria.

Em uma reunião para informar a liderança congressista sobre seu próximo discurso, JFK ouviu Richard Russell, o principal democrata no Comitê de Serviços Armados do Senado, defender um ataque norte-americano a Cuba, asseverando que a nação precisava "aceitar a aposta", mesmo que houvesse risco de uma guerra nuclear. O senador democrata líder em política estrangeira J. William Fulbright criticou o bloqueio e pediu "uma invasão, e uma invasão total".

Às 19h, o presidente foi ao ar com seu histórico discurso da "quarentena", conforme escrito, principalmente, por Ted Sorensen. Ele se referiu a Berlim com brevidade, mas enfaticamente: "Qualquer movimento hostil [dos soviéticos] em qualquer lugar do mundo contra a segurança e a liberdade das pessoas com quem estivermos comprometidos, inclusive, em especial, com a corajosa população da Berlim Ocidental, será combatido com qualquer ação que seja necessária". E, então, ele e o mundo esperaram.

QUANDO acordou na manhã seguinte em seu quarto iluminado pelo sol, Dean Rusk pensou: *Ah, ainda estou aqui.* Até aquele momento, a nação havia sobrevivido.

A NBC usou a ocasião da crise de Cuba para fazer algo oficial que os executivos já tinham decidido. A emissora anunciou que "em vista da situação internacional crítica que se desenvolveu nas últimas 24 horas", ela havia decidido "que não é um momento adequado para transmitir seu documentário que mostrava a construção de um túnel sob o muro de Berlim e a fuga de refugiados da Alemanha Oriental". *The Tunnel* foi postergado, se não cancelado.

Quando recebeu a notícia diretamente de Robert Kintner, Reuven Frank ficou sentado, em silêncio, por um bom tempo. Talvez alguém argumentasse que aquele era o momento exato para exibir o programa. Com uma troca norte-americana de Cuba por Berlim sobre a mesa provavelmente muito em breve, se já não estivesse acontecendo, o futuro de uma grande cidade (ou ao menos de metade dela) estava em disputa. Indignado, Frank disse a Kintner que ele estava usando a crise cubana como desculpa e que sentia que a NBC planejava matar, não apenas postergar, o programa desde que ele se tornara politicamente controverso. Frank exigiu que ele ao menos fosse alocado para trabalhar no documentário de 90 minutos agora definido para "meu horário", um especial sobre a crise dos mísseis. Kintner concordou, pois era um programa que provavelmente não seria extinto por pressão da Casa Branca ou do Departamento de Estado.

Na Berlim Ocidental, editoriais de jornais e funcionários do governo saudavam o discurso de Kennedy. Berlinenses comuns pareciam sentir o mesmo, muitos deles animados porque os Estados Unidos "tinham finalmente tomado uma ação vigorosa e positiva contra os comunistas", como relatou um artigo. Um funcionário do alto escalão da CIA no Gabinete do Orçamento Nacional enviou um memorando a seu diretor, garantindo que Berlim Ocidental poderia se manter, física e economicamente, por algum tempo, pois havia estocado gêneros alimentícios e remédios suficientes para no mínimo seis meses, bem como combustível para um ano.

Em 27 de outubro, um submarino soviético que partiu de Cuba, impedido de se comunicar com Moscou, quase disparou um torpedo com ogiva nuclear depois de confundir cargas de profundidade lançadas por um navio norte-americano que queria forçar o submarino a emergir com o início de um ataque norte-americano. Dois oficiais haviam aprovado o disparo do torpedo. Um terceiro não aprovou e, depois de uma discussão acalorada, sua decisão prevaleceu, possivelmente impedindo um holocausto nuclear e a Terceira Guerra Mundial.

Mais tarde naquele dia, após quase duas semanas de tensão e desesperança, alertas e ameaças, um acordo para encerrar a crise dos mísseis estava finalmente em vigor. Seus termos eram bastante óbvios desde o início. O presidente Kennedy concordou em remover os mísseis norte-americanos obsoletos da Turquia em troca do desmantelamento de todos os mísseis soviéticos em Cuba, mas apenas se a parte de Washington no acordo não fosse anunciada publicamente; a mídia deveria retratar a vitória dos EUA como completa. A retirada nuclear da Turquia, prometeu JFK aos soviéticos, aconteceria em silêncio poucos meses depois. Os Estados Unidos também prometeram não invadir Cuba, tampouco ajudar exilados em novas tentativas de fuga.

No dia seguinte, por volta das 9h de Washington, Nikita Khrushchev transmitiu uma mensagem na Rádio Moscou. Seu governo, disse ele, havia expedido uma ordem para começar a desmantelar os mísseis. No entanto, o general LeMay disse ao presidente Kennedy que ele "havia sido enganado", chamou o acordo de "a maior derrota de nossa história" e continuou insistindo que os EUA invadissem Cuba.

Aviões de espionagem norte-americanos logo descobriram, para surpresa de muitos, que o desmantelamento soviético estava mesmo acontecendo. A crise terminara. Berlim Ocidental, após todo o medo e a expectativa, não foi negociada, tampouco invadida. Mas o Muro permanecia, e as promessas de Khrushchev de aumentar o conflito ali continuavam em vigor. No entanto, em 30 de outubro, o *New York Times* relatou que funcionários seniores do governo ocidental afirmavam que Khrushchev, na esteira de sua retirada humilhante dos mísseis em Cuba, "procederia com cautela" em Berlim. Isso porque os aliados ocidentais haviam mostrado uma "unidade", e os Estados Unidos, "resolução", ao enfrentarem a ameaça, o que sinalizava que fariam o mesmo em qualquer crise berlinense.

O presidente Kennedy escreveu ao editor-chefe do *New York Times*, Orvil Dryfoos, que ainda estava aborrecido com o caso Hanson Baldwin, para agradecer-lhe por pedir que seus editores segurassem reportagens sobre os mísseis soviéticos em Cuba antes de seu discurso de 22 de outubro. "Eventos ocorridos desde então", declarou Kennedy, "reforçaram minha visão de que um serviço importante ao interesse nacional foi prestado por sua concordância em reter as informações que estavam disponíveis ao senhor".

DIFERENTEMENTE do filme da NBC, *Tunnel 28* da MGM chegou às telonas no momento certo, ao menos em Berlim – mas as primeiras críticas foram brutais.

A revista *Der Spiegel* comparou-o desfavoravelmente ao episódio do cinejornal que antecedia o filme. O jornal *Die Zeit* apontou que, embora tivesse "valor artístico", como documento político "é um escândalo". Tirando a jovem mãe que queria que seu filho tivesse uma vida com oportunidades melhores, "não há realmente ninguém entre os refugiados que tenha um motivo para fugir". O jornal mencionou uma das personagens femininas que sonhava com um corte de cabelo ocidental chique, e mais: "Quero ir aonde eu possa tomar um banho quente" com "toalhas felpudas e grossas para me secar". Então, agora, observou o autor, as mães saberão por que seus filhos fogem e morrem por Berlim: "por um banho quente e um corte de cabelo".

O diretor, Robert Siodmak, defendeu a abordagem histórica e política rasteira do filme, dizendo ao *Die Zeit* que era feito para iletrados que não sabiam o que era o Muro. O jornal comentou com sarcasmo: "Agora eles sabem muito bem!".

A trama era altamente ficcionalizada a partir da saga dos irmãos Becker. Kurt (Don Murray) trabalha como chofer para o major Eckhardt, enquanto tem um caso com a mulher do major. Então, Günther, amigo de Kurt, morre em uma tentativa de atravessar o Muro com um caminhão. A irmã de Günther, Erika (Christine Kaufmann), acredita que ele chegou ao lado ocidental e tenta se juntar a ele. Kurt a salva de ser morta a tiros e a leva para seu apartamento, bem na fronteira. Ele não está interessado em fugir, mas oferece ajuda para cavar um túnel, começando embaixo de seu edifício, para que outros possam ir embora. Kurt apaixona-se por Erika e finalmente lhe diz que Günther está morto. Naturalmente, agora ele quer se unir a ela na fuga. O pai de Erika, um comunista, descobre seus planos e conta ao major Eckhardt sobre o túnel. Kurt implora para que o crescente número de refugiados fuja imediatamente! A polícia e os VoPos chegam um pouco tarde, mas atiram em Kurt, o último no túnel. Ele consegue se arrastar para a liberdade, onde seu prêmio talvez seja um futuro feliz com Erika.

O filme foi lançado nos Estados Unidos em 31 de outubro com um título diferente: *Fuga de Berlim Oriental*. Em Hollywood, a MGM enviou *releases* publicitários relacionando o filme não à fuga de Becker (que ele desmoralizava), mas ao túnel mais recente da Bernauer Strasse.

"Não muito depois de *Fuga de Berlim Oriental* ser concluído", um dos *releases* se vangloriava, "os jornais em todo o mundo anunciavam outra fuga bem-sucedida por um túnel sob o Muro de Berlim, dessa vez realizada por um grupo de 29 berlinenses do lado oriental." A MGM atualizou seus pôsteres vermelhos brilhantes do filme com o novo título e manchetes verdadeiras da cobertura da fuga da Bernauer, como "Divulgadas 29 fugas de comunistas em túnel". Em letras grandes: *Está acontecendo enquanto você lê este texto*. A campanha dava sentido autêntico à familiar afirmação de que um filme era "retirado das manchetes".

Entretanto, na sequência da crise cubana, a MGM decidiu estrear o filme apenas em Michigan (primeiramente). Talvez o estúdio, observando o que havia acontecido com os documentários da CBS e da NBC, tenha temido a pressão do Departamento de Estado. O produtor Walter Wood, por sua vez, disse a um jornal que não acreditava em "filmes de exploração". Se quisesse ter feito isso com seu filme, ele disse, teria mostrado 28 mortes, "e não 28 fugas".

17
Sabotagem

Havia se passado mais de um ano desde que Harry Seidel anunciara aos amigos e familiares que resgataria sua mãe do lado oriental – ou que morreria tentando. Até o momento, com a mãe estando atrás das grades a maior parte do tempo, todos os seus esforços tinham sido em vão. Agora ele sabia que ela havia finalmente saído da prisão. Fritz Wagner vinha encontrando problemas para dar prosseguimento a outra operação, por isso, quando Harry soube do túnel já em andamento, no bairro de Kleinmachnow, bem a oeste no setor americano, ele se voluntariou para concluí-lo.

Separados ou juntos, os organizadores dessa nova escavação, os irmãos Franzke – Boris e Eduard – cavavam túneis na fronteira havia mais de um ano. Eles queriam resgatar do lado oriental a mãe e a irmã, a noiva de Boris, além da esposa de Eduard e seus dois filhos. No outono de 1961, Eduard tinha tentado e logo abandonado (depois de chamar a atenção da Stasi) o que talvez fosse o primeiro projeto de túnel em Berlim desde que o muro fora erguido. Boris, então, o ajudou a fugir para o lado ocidental pela janela de uma estação do S-Bahn. Nenhum dos vários túneis que tinham começado chegou a ser usado. Isso, no entanto, não os desmotivou.

Em outubro de 1962, eles ouviram falar de uma família chamada Schaller, que morava bem na fronteira e desejava fugir. Eles estavam prontos para oferecer a sua casa, nas cercanias arborizadas de Berlim, como ponto de chegada do túnel. Os irmãos aproveitaram a oportunidade, como de costume. O homem que os avisou sobre a família, Bodo Posorski, tinha uma locadora de carros perto da casa dos Franzke e se ofereceu para ajudar com o novo túnel, assim como tinha feito em outras operações de fuga.

Na área de Kleinmachnow, não havia um muro propriamente dito. Eram apenas cercas e arame farpado, com relativamente pouca patrulha e vigilância simples. Os Schaller (pai, mãe e duas filhas) moravam em Wolfswerder, o primeiro quarteirão da fronteira. Do outro lado da cerca, do lado ocidental, uma obra residencial prosseguia a pleno vapor. Isso talvez confundisse ou distraísse os guardas do lado oriental. Sem encontrar uma estrutura com porão no lado ocidental que pudesse ser tomada emprestada, os Franzke tiveram uma ideia brilhante: alugaram dois barracões de tamanho considerável e os levaram de caminhão até a obra, apenas alguns metros da fronteira. Um podia ser usado como depósito e o outro como dormitório. Depois, colocaram uma placa que anunciava ser aquela a base para um novo empreendimento paisagístico: *Jardinagem Sempre-viva.*

Essa manobra encobertaria o ir e vir de pessoas (escavadores) e a entrega de equipamentos como pás, carrinhos de mão e picaretas. Mesmo assim, os Franzke pediram aos colegas, Bibi Zobel e Klaus Gehrman, para se juntar a eles, dormindo em um dos depósitos, em colchões infláveis, durante as três semanas necessárias para abrir o túnel até a casa dos Schaller. Bodo Posorski entregava água e comida periodicamente. Não foi fácil se comunicar aos sussurros, usar apenas lanternas para iluminação e tolerar o cheiro dos corpos sem banho, mas o trabalho ia bem. Até conectaram uma linha de telefone no túnel, cortesia de um modesto adiantamento do *Bild Zeitung* dos direitos sobre sua história (e o que mais seria?). O depósito de equipamentos também guardava a terra retirada do subsolo.

Pelo fim de outubro, porém, os níveis cada vez mais reduzidos de oxigênio na câmara desaceleraram seu progresso. Os escavadores reclamavam de dor de cabeça e trabalhavam por curtos períodos, que ficavam mais curtos a cada dia. O túnel devia ser concluído em breve. Já tinha gente demais que sabia sobre ele: os Schaller tinham convidado amigos para a fuga e os mensageiros coordenados por Posorski tinham divulgado para outros 30 (alguns ofereceram até pagamento). Os Franzke decidiram que precisavam de um escavador experiente para acelerar o projeto.

Uma sugestão de Posorski os levara ao destemido e incomparável Harry Seidel.

Os Franzke eram considerados uma equipe de escavadores rival pelo chefe de Seidel, Fritz Wagner, mas Harry não ligava para isso. Além do mais, sua mãe agora estava pronta para fugir. Ao chegar ao local onde se encontrava o túnel, na tarde do dia 5 de novembro, e dar uma volta de reconhecimento, Harry disse pouco além de expressar seu prazer ao ver o quanto já tinham avançado. Ele começou a trabalhar imediatamente, mostrando sua destreza costumeira em ambientes com pouco oxigênio. Os Franzke disseram que ele poderia ir para casa quando terminasse seus turnos, mas Harry, imaginando que aquele seria um projeto para uma semana, decidiu ficar no quartel improvisado com os demais. Quando Harry disse a Wagner o que estava fazendo, *Dicke* respondeu que aquilo não era novidade para ele – e que muita gente já sabia também. Ele avisou que Harry deveria desistir antes que fosse tarde demais. Harry respondeu: "Vou pensar a respeito", o que na língua de Seidel significava *não*. Ele prometera ao filho que o menino veria a "vovó" antes do Natal.

Os Franzke estimaram que o túnel precisaria ter 75 metros para chegar à casa de Schaller, por isso, ao atingirem a marca de 70 metros, eles imaginaram que tinham chegado à parede externa da casa. Então, abriram um buraco para o exterior a fim de espiar os arredores. "Droga, ainda estamos no meio do jardim." Tinham que continuar cavando. Infelizmente, Bodo Posorski já tinha contado aos mensageiros que a fuga aconteceria no dia 11 de novembro, com os outros grupos que chegariam nos próximos dias. Os Franzke decidiram cavar mais alguns metros e, em um ou dois dias, sair do lado de fora da casa, quando escurecesse. Um deles sairia pelo buraco, procuraria pelo sinal de que estava tudo bem combinado previamente, na janela da frente da casa, bateria na porta e chamaria os refugiados que ali aguardavam para segui-lo a caminho de sua liberdade. Era arriscado, mas talvez fosse suficientemente seguro, naquela área tranquila e remota.

O que eles não sabiam era que a Stasi tinha sido informada do túnel e dos planos de fuga. Os agentes já tinham prendido os Schaller e as filhas, além de nove refugiados que chegaram mais cedo, no dia 11 de novembro. Agora eles monitoravam a passagem do túnel com dispositivos de escuta e tinham planos de implodi-lo no momento oportuno. Um especialista em explosivos da Stasi estava no local. Depois de meses de frustração, eles finalmente poriam as mãos no famigerado Harry Seidel e nos irritantes Franzke.

ESPERANDO realizar mais prisões, a Stasi tinha montado um campo armado virtual na casa dos Schaller em Wolfswerder. Pressionados, os Schaller tinham informado à Stasi quais eram os sinais de "tudo bem" que estavam mandando para os Franzke – limpar as janelas com um pano, todos os dias às 10 da manhã, e cortar madeira do lado de fora, às 4 horas da tarde. A Stasi manteve a farsa. Um agente até se vestiu de mulher para passar o pano na janela.

O tenente Richard Schmeing, 53 anos, chefe da divisão de explosivos da Stasi, se encarregou dos preparativos mais letais. Explodir o túnel em Wolfswerder, principalmente com Harry Seidel dentro dele, era uma prioridade tão premente que o diretor da Stasi, Erich Mielke, aprovara o plano pessoalmente. Mesmo que a Stasi não exterminasse Seidel e os Franzke, poderia destruir a câmara e alegar que os escavadores "terroristas" tinham sido responsáveis pela explosão, em uma tentativa brutal de destruir vidas e propriedades no lado oriental.

No dia seguinte às primeiras prisões, a equipe de Schmeing, fora do campo de visão do lado ocidental, cavou um buraco entre as duas casas do outro lado da rua na fronteira, bem em cima do que eles suspeitavam ser o caminho do túnel. Inseriram dois volumes de explosivos – 2,5 kg de TNT, e a mesma quantidade de RDX – cobrindo-os com folhas secas. A quantidade de explosivos era suficiente para destruir vários metros da propriedade, por isso a localização não precisava ser exata. Como não houve ação de fuga no dia 12 de novembro, Schmeing removeu os explosivos. E essa ação se repetiu no dia seguinte. Uma das mensageiras, cada vez mais nervosa com a operação, e preocupada que Bodo Posorski pudesse não estar no local, pediu que sua mãe visitasse a casa dos Schaller. Ao chegar, o estranho que atendeu a porta disse que os Schaller não estavam (ele não disse que "não estavam" porque tinham sido presos). A mulher saiu e rapidamente contou à mensageira que a Stasi talvez já tivesse invadido a casa. A mensagem foi supostamente encaminhada para Posorski, que ou achou que se tratava de uma invenção – se fosse verdade, por que a Stasi não tinha prendido a mulher? – ou tinha decidido ignorá-la por algum outro motivo.

No dia 14 de novembro, Schmeing determinou, com auxílio dos aparelhos de escuta, que os escavadores estavam trazendo os equipamentos para a frente do túnel, indicando uma saída iminente. Ele ajustou o posicionamento dos explosivos e passou o fio de cobre 60 metros adentro do porão da casa dos Schaller, conectando uma bateria de 12 volts atrelada ao detonador, cujo botão ele finalmente apertaria naquela noite, destruindo o túnel e todos aqueles que estivessem lá dentro.

Às 8h da noite, estava tudo escuro. A temperatura mal passava de 0 °C. Alguns outros refugiados incautos tinham sido capturados e levados para outro lugar, ou mantidos em cativeiro na casa dos Schaller. (A mãe de Harry e a noiva de Boris Franzke, felizmente, ainda não tinham chegado.) Os agentes da Stasi estavam posicionados ao redor da propriedade. O tenente Schmeing estava no porão, de frente para o lado oriental, observando e esperando, conforme um dos agentes da Stasi fazia os sinais de que tudo estava bem para os escavadores do túnel.

Dentro do túnel, a apenas alguns metros de distância, os escavadores discutiam quem deveria passar pelo buraco que dava para o jardim. Os Franzke discutiam, e para Seidel parecia que nenhum dos dois estava muito interessado em executar a tarefa. Como de costume, Harry tomou a frente.

Ele tinha prometido à esposa e aos amigos que nunca mais seria o primeiro a sair de um túnel outra vez, mas agora ele afirmou: "Eu vou". Harry embalou sua pistola em um plástico a fim de protegê-la da areia, subiu nos ombros do forte e alto Bibi Zobel e passou pelo buraco.

Depois que Harry saiu, Boris Franzke também subiu nos ombros de Bibi e botou só a cabeça para fora, de guarda, com sua velha arma da Wehrmacht, caso abrissem fogo contra Harry. Ele viu Seidel se aproximar da casa e desaparecer atrás dela. Fora do campo de visão, Harry subiu alguns degraus para o terraço e bateu na porta com sua arma. Quando a porta se abriu, Harry não viu um fugitivo ansioso e sim uma tropa da Stasi, fortemente armada, de uniforme e à paisana. Ao ver as metralhadoras, Harry soltou a pistola, enquanto era jogado no chão e recebia socos e chutes. Os agentes da Stasi o empurraram porta afora, com armas apontadas para o buraco no chão.

Os Franzke, dentro do túnel, ouviram uma voz familiar dizendo: "Venham, precisamos ajudar um doente!". Boris estava prestes a sair pelo buraco, mas seu irmão o impediu. A equipe do túnel tinha passado a noite inteira sussurrando. Agora Harry estava falando alto, o que era bastante suspeito, já que os guardas da Alemanha Oriental estavam nos arredores. Eles o ouviram repetir a solicitação, naquele tom estranho. Estaria Harry tentando alertá-los?

Seidel, ouvindo uma movimentação estranha dentro do túnel, de repente gritou: "Vão embora! O túnel foi descoberto e os soldados vão atirar na cabeça de vocês!". Os Franzke entenderam a dica e bateram em retirada, de volta para o lado oriental. Harry levou uma coronhada na cabeça e foi arrastado para dentro da casa dos Schaller, onde foi espancado de novo.

Dentro da lavanderia, no porão, era hora de detonar o túnel. O comandante da Stasi no local, o tenente-coronel Siegfried Leibholz, deu a ordem para o tenente Schmeing, "*Sprengen!*" ("Detona!"). Só tinha um problema: dois adolescentes da vizinhança estavam conversando e talvez até se beijando no escuro, não mais do que a 10 metros do local onde os explosivos foram plantados. Eles tinham voltado do cinema e estavam alheios à atividade ruidosa do outro lado da rua. Não pareciam ter pressa alguma em ir para casa.

"Olha! Um casal de jovens!". Schmeing reclamou.

Leibholz insistia: "Detona!"

Schmeing, de costas para Leibholz, hesitava. O especialista em explosivos sobrevivera a dois campos de concentração nazistas e tinha sido designado a participar de um experimento mortal de tifo no campo de Buchenwald, quando a guerra acabasse. Ele pode ter tido mais dilemas morais do que muitos imaginam. Ele, enfim, pressionou o detonador.

Nada aconteceu. Tentou outra vez. Mesmo resultado.

Próximo da saída do túnel, Bibi ouviu o grito frenético de "Detona!" e no instante seguinte, vindo da mesma direção: "Esses imundos estão escapando". E, assim, ele se apressou em se juntar à retirada desesperada para o lado ocidental.

Minutos mais tarde, junto aos barracões na Berlim Ocidental, os Franzke, agitados, contavam aos colegas o que tinha acontecido, enquanto acendiam as tochas. Ainda não tinham nem sinal de Harry Seidel. Bodo Posorski chegou e pediu aos Franzke uma das armas para atirar nos VoPos no lado oriental. Os moradores perceberam a movimentação incomum e chamaram a polícia da Berlim Ocidental. Como de costume, os agentes investigaram, mas não prenderam ninguém, nem os indiciaram por porte de arma. Confiscaram apenas os sacos de areia que os escavadores amontoaram no depósito – para usar como alvo na prática de tiro.

Harry Seidel, preso do outro lado, se perguntava se Bodo Posorski, que tinha organizado o túnel e insistido que ele se juntasse à equipe de Franzke, estaria sob influência da Stasi. Na verdade, um jovem chamado Werner Kiontke, que de vez em quando administrava a empresa de Posorski quando ele não estava, era um informante recém-adquirido da Stasi. No começo de setembro, Kiontke, que tinha um passaporte da Alemanha Ocidental, fora preso por uma infração de trânsito no lado oriental. A Stasi o tinha induzido a revelar tudo o que sabia sobre as atividades "criminosas" centradas no escritório da locadora de carros e monitorá-las, como informante secreto de codinome "Roge." Ele tinha condições claras de entregar o túnel de Franzke, tanto espionando quanto manipulando Posorski.

DE VOLTA ao lado oriental, Schmeing, desafiando a ordem de Leibholz de permanecer na casa, saiu para investigar por que sua bomba tinha falhado. Ele tirou o fio de cobre do chão e seguiu sua trilha por todo o terreno até chegar onde, ele posteriormente contou, o fio tinha sido cortado toscamente com uma faca ou caco de vidro. Parece que alguém da Stasi tinha cometido uma sabotagem humanitária, talvez um feito inédito na Stasi. Isso teria um preço. Principalmente porque o temido diretor Mielke tinha interesse naquela detonação.

Ao voltar para a casa, um dos colegas de Schmeing disse que ele não deveria se sentir tão mal. Sim, talvez ele sofresse por causa desse imbróglio. Por outro lado, talvez isso o tivesse livrado de cumprir uma longa pena na prisão. Alguns no lado oriental podiam não ficar tão contentes quanto Mielke em marcar dois adolescentes inocentes como dano colateral.

Seidel, enquanto isso, era levado para a prisão da Stasi em Hohenschönhausen, onde seria interrogado a noite toda. A Stasi esboçou rapidamente em um memorando de cinco páginas todos os projetos conhecidos de túnel que ele tinha feito no último ano. (Alegaram, falsamente, 13 no total.) Na manhã seguinte, um dos escavadores correu até a casa de Harry para contar o ocorrido à sua mulher. Mais tarde, a polícia da Berlim Ocidental deixou uma trouxa com roupas de Harry encontradas no depósito. Dois dias depois disso, Werner Kiontke deu a um agente da Stasi a chave da locadora de Posorski para que ele fizesse uma cópia, possibilitando assim que voltasse mais tarde para instalar um grampo.

O PRESIDENTE Kennedy estava se sentindo seguro politicamente, como havia muito tempo não se sentia. Tinha conseguido amplo reconhecimento pela forma como administrara os mísseis soviéticos em Cuba, o que aparentemente ajudara alguns candidatos democratas nas eleições de meio de mandato. Como costuma acontecer nessas corridas eleitorais, a Casa Branca perdeu alguns assentos na Câmara, mas os democratas mantiveram sua maioria e ampliaram a margem no Senado. O irmão do presidente, Ted, tinha sido eleito para uma cadeira no antigo Senado de JFK em Massachusetts.

Ao solidificar esse triunfo em Cuba, contudo, o presidente tinha despertado grande ressentimento na mídia. Muitos sentiram que a Casa Branca tinha manipulado, ou mesmo mentido, para a imprensa enquanto a crise se desenrolava. (E eles ainda não sabiam sobre o acordo secreto para retornar os mísseis da Turquia para os Estados Unidos.) Outros se ressentiam com as repetidas solicitações de Pierre Salinger para autocensura durante a crise, junto com a lista de "diretrizes" com 12 itens para conter as notícias. Certamente que, com o fim da crise, a administração admitiria ter ido longe demais, ou pelo menos ter guardado em segredo as demandas advindas da crise.

Em vez disso, o porta-voz do Pentágono Arthur Sylvester deu início a uma tempestade quando, ao ser pressionado por um repórter, admitiu que o controle de informação pelo governo era ainda mais intenso do que durante a Segunda Guerra Mundial – e ainda defendeu essa prática, em razão do "tipo de mundo em que vivemos". Era importante para a nação falar em "uma só voz com seu adversário". Ele usou um novo termo ao falar favoravelmente da "gestão" das notícias pelo governo. Jornalistas de todas as vertentes políticas se alvoroçaram, declarando que eles agora esperavam agir como mais que meros propagandistas do governo.

O *New York Times* declarou em um editorial que a "gestão" ou "controle" das notícias "é censura com açúcar". O lendário Arthur Krock, do *Times*, embora admitisse que todos os presidentes tentam gerenciar as notícias, disse que "uma ação direta e deliberada fora implementada da forma mais cínica e ousada" por esta Casa Branca "do que qualquer outra administração anterior quando os Estados Unidos não estavam em guerra". O *Washington Star* declarou que Sylvester tinha "mostrado a cara do monstro", classificando seus comentários de "verdadeira ameaça". George Sokolsky, um colunista conservador de jornal, comparou o controle de imprensa atual dos EUA com o de Hitler, Stalin e Castro. A *Newsweek* foi mais generosa, decidindo que se a Casa Branca tinha, de fato, "desinformado o público, ela tinha conseguido seu objetivo tático – permitir que os estrategistas americanos trabalhassem em segredo... Era tudo parte de uma grande estratégia em que os Estados Unidos correram o risco de uma guerra nuclear – e venceu sem que ela acontecesse".

Os pontos de vista de Sylvester eram amplamente compartilhados pela Casa Branca. O próprio Kennedy tinha usado a frase "gestão de notícias", e Salinger acreditava que a desinformação e mesmo as mentiras eram medidas justificáveis em um conflito cujo inimigo tinha a vantagem de agir em segredo. Em uma declaração para esclarecimentos, Sylvester disse que respeitava a preocupação dos jornalistas, mas reforçava que a segurança nacional e dos funcionários dos EUA exigia uma avaliação cautelosa da mídia. Infelizmente para Sylvester, o *New York Times* decidiu caracterizar suas observações com a manchete: "Assessor dos EUA defende mentir para a nação".

Em particular, JFK admitiu ao amigo Ben Bradlee, que agora editava a *Newsweek*, que os EUA tinham, de fato, "mentido" para a imprensa durante a crise dos mísseis de Cuba. E as políticas que o presidente tinha criado no começo do episódio com Hanson Baldwin, a fim de monitorar tanto os repórteres quanto as fontes de governo, tinham sido instituídas, pelo menos em parte, no Pentágono e no Departamento de Estado. McGeorge Bundy escreveu ao colunista Joseph Alsop: "Estamos mirando em reportagens perigosas auxiliadas por agentes descuidados ou irresponsáveis... Este tipo de reportagem existe, assim como esse tipo de agente".

NENHUMA palavra foi dada sobre o destino final de *The Tunnel*, além de uma breve menção na *Variety* de que o programa "provavelmente" iria ao ar algum dia. A mesma história creditava ao repórter da NBC Lester Bernstein a contribuição na melhora dos ânimos de agentes alemães em relação ao filme, durante sua visita recente. Porém, não mostrava nada sobre a visão atual dos americanos. Batendo a NBC com um programa sobre um túnel e alcançando um certo nível de vingança, o *Armstrong Circle Theater*, da CBS, televisionou um docudrama de uma hora chamado *Tunnel to Freedom*. O programa transformou em ficção o famoso caso dos idosos de Berlim que cavaram um túnel espaçoso, o que era pouco comum, em que eles pudessem andar eretos, carregando suas malas para o lado ocidental. A *Variety* achou a recriação histórica bastante precisa, se não propriamente "estimulante". Conrad Nagel fazia o papel principal.

Reuven Frank tinha esperado demais. Depois de muito pensar e pedir a opinião de sua mulher, ele decidiu escrever sua carta de demissão. Acreditava que a NBC tinha enfrentado a administração Kennedy por mais tempo do que os concorrentes, mas ainda se ressentia do adiamento de *The Tunnel* – o que ele no fundo sentia que seria permanente. Ele se perguntava se podia permanecer em uma área em que a pressão "política" (como chamava) acabaria com um esforço tão nobre. Bill McAndrew pediu-lhe que pelo menos adiasse sua partida até o fim do ano, para que ele então pudesse completar os dois programas em andamento.

Piers Anderton, igualmente irritado com a derrocada do especial, foi enfim embora com sua esposa para uma lua de mel de um mês na Grécia e na Itália, adiada desde junho.

No dia 20 de novembro, Robert Kintner, o presidente da NBC, enviou ao secretário de Estado Rusk (com cópia para Pierre Salinger) uma carta de cinco páginas, sem precedentes, com espaço simples, junto com um memorando de oito páginas, para "apresentar os fatos em detalhe" referentes ao filme, que tinha "sido objeto de tamanha desinformação e incompreensão". Kintner defendeu o programa, em parte, incluindo informações falsas, como "a conclusão do túnel não dependia dos pagamentos que fazíamos". Não havia nenhuma menção ao papel crucial do apartamento da NBC na sinalização feita para mensageiros e refugiados na noite da fuga. Ele destacou que o Departamento de Estado nunca pediu explicitamente que a NBC descontinuasse o projeto, o que era verdade, mas somente porque o Estado desconhecia a sua existência.

Kintner avisou que a NBC ainda esperava colocar o programa na grade: "Na nossa visão, ao superar positivamente qualquer risco que nossa atividade envolvesse, seria de fato um desatino desprover a causa da liberdade – como desejariam os comunistas – das claras vantagens que se obteria ao se televisionar o filme." *The Tunnel* daria a "milhões de norte-americanos uma consciência mais apurada de seus riscos em Berlim e uma noção mais profunda da luta entre o comunismo e liberdade". Ele mencionou as palavras do discurso do secretário Rusk durante a visita a Berlim, ao mencionar o Muro: "É uma afronta à dignidade humana".

Sem conseguir evitar a exposição de um rival, o memorando também informava a Rusk que, ao contrário de suas declarações públicas, a CBS não tinha parado as filmagens em Kiefholz Strasse por conta do pedido do Departamento de Estado. A NBC tinha "informações confiáveis" de que o cinegrafista da CBS estava "posicionado na boca do túnel do lado ocidental de Berlim" no dia da fuga.

Bernstein e Elie Abel, da NBC, entregaram a carta e o memorando de Kintner a Rusk pessoalmente. Depois de receber a sua cópia na Casa Branca, Pierre Salinger respondeu a Kintner por escrito: "Sei que receberá notícias diretamente do secretário, mas queria que soubesse que sou grato por ter compartilhado seu ponto de vista". Havia, porém, uma importante alteração: Kintner disse a Robert Manning, do Departamento de Estado, que esperava usar uma resposta favorável de Rusk para "acalmar os ânimos de alguns membros do Conselho de Diretores" da NBC, o que sugeria uma forte oposição ao programa na própria emissora, no alto escalão.

A carta de Rusk, rascunhada por Manning, mal passava de uma página. Ele alegava estar "particularmente agradecido pela confirmação de que não houve nenhum risco de segurança" aos indivíduos "no filme, agora já editado", e estava certo de que este "era um relato humano comovente". Como o Estado já tinha declarado havia tempos (do seu jeito passivo-agressivo), ainda continuava a critério da NBC decidir se apresentaria o programa ou não, mas Rusk queria garantir que a emissora mantivesse o seguinte em mente:

> Tenho certeza de que estão cientes de que a principal preocupação do Departamento de Estado e a minha própria era, desde o começo, a questão dos riscos, pessoais e políticos, que cercam o envolvimento velado da emissora americana ou qualquer outro funcionário não oficial em assuntos tão delicados e inflamáveis quanto o problema das fugas do Muro de Berlim.

> Tenho certeza de que o senhor compreende a origem de tal preocupação e o motivo pelo qual ela deveria ser tratada adequadamente por aqueles que estão, ou deveriam estar, comprometidos com tais responsabilidades em Berlim, ou em qualquer outra situação internacional séria, onde o material para o jornalismo de aventura possa estar profundamente imiscuído com outras intenções que afetem vidas humanas e interesses nacionais. Seria motivo de preocupação, também, se outras empresas objetivassem, por conta do sucesso da operação da NBC, ações semelhantes – se não em Berlim, em outras áreas em que complicações semelhantes prevalecem.

Rusk amenizara um pouco seus protestos, mas alertou a emissora veementemente (outra vez) sobre os empreendimentos de fuga atuais e futuros. O mais revelador foi o uso da palavra "problema" em referência ao "problema das fugas do Muro de Berlim". Talvez a reação ambivalente do governo Kennedy a *isso*, e não ao especial da NBC, fosse o verdadeiro "problema".

Do nada, a correspondente da NBC Sander Vanocur chamou Reuven Frank para dizer que encontrara o procurador Kennedy, que tinha trazido à baila a controvérsia do túnel com bastante veemência. "O que vocês fizeram foi uma coisa horrível", disse Bobby Kennedy, "comprar aquele túnel".

TALVEZ surpreendendo até a si mesmo, Siegfried Uhse não teve participação alguma no desmonte do túnel que resultou na prisão de Harry Seidel. Uhse ainda estava bem relacionado nos círculos de fuga, porém, ele continuava a coordenar mensageiros para o Grupo Girrmann, enquanto mantinha seu encarregado, Herr Lehmann, ciente dos vagos planos para "cruzamentos de fronteira", como os relatórios da Stasi inevitavelmente os descreveria. O pagamento da Stasi a Uhse tinha aumentado bastante desde seu último e premiado ato de subversão. Até agosto, seu pagamento médio mensal era de cerca de 250 marcos alemães. Naquele mês, ele ganhou 530 marcos alemães, graças à prisão de Kiefholz. Em outubro, com a prisão do túnel Heidelberger, ele recebeu 1.800 marcos (ou 450 dólares), uma quantia impressionante – suficiente para comprar um carro, se desejasse. Uhse era instruído pelos chefes da Stasi a "aprofundar a relação de confiança" com Joan Glenn "para saber mais sobre as atividades terroristas do Grupo Girrmann". Ele também tinha conseguido colocar um colega informante dentro da comunidade de Girrmann.

Tudo isso coloca Uhse em uma posição privilegiada para saber a respeito, e provavelmente expor, o novo túnel que Hasso Herschel estava cavando sob a Bernauer Strasse. Embora este não fosse um projeto do Girrmann, muitos desses escavadores estudantes de projetos distintos agora estavam conectados.

A escavação de Herschel mais uma vez se iniciou sob a fábrica de mexedores de coquetel, mas desta vez em outra área do porão, com um destino diferente no lado oriental, em Brunnen Strasse.

Hasso tinha convocado uma reunião de veteranos do túnel de Bernauer e disse: "Bem, rapazes, comecei mais um túnel. Querem participar?". Quando algum incrédulo perguntou se a NBC estaria financiando, Hasso respondeu: "Não, não fazemos mais isso. Consegui dinheiro por aquele túnel e agora posso financiar um novo. Temos o local e dessa vez faremos o túnel muito mais perfeito do que da outra!". Ele levou os que concordaram até a fábrica imediatamente. Alguns dos que fugiram pelo túnel original da Bernauer, incluindo o cunhado de Hasso, Hans-Georg Moeller, também se ofereceram, sentindo-se na obrigação de resgatar os demais. Hasso tentou recrutar Claus Stürmer, mas Inge Stürmer vetou a empreitada, lembrando ao marido que ele precisava estabilizar a renda da família e passar mais tempo com os dois filhos.

A equipe do novo túnel de Hasso tinha que se desfazer da terra amontoada no porão, oriunda da escavação anterior, a fim de abrir espaço para a próxima leva. Ainda assim, seu segundo túnel deveria terminar mais rápido que o primeiro. Os equipamentos poderiam ser reutilizados e, já que Hasso agora sabia que a terra na área era composta por argila dura até o lado oriental, ele decidira dispensar os suportes de madeira.

Enquanto isso, Wolf Schroedter, que ainda se sentia culpado por ter aceito o dinheiro da NBC, assumiu outro túnel, iniciado pelo Grupo Girrmann. Ele começou os trabalhos com sua própria equipe, em uma construção no número 87 da Bernauer Strasse, a apenas algumas portas de distância da fábrica de mexedores de coquetel. Como Hasso, ele usaria os recursos recebidos da NBC – o presente que continuava rendendo frutos em Berlim.

NA última semana de novembro, surgiu a primeira matéria de revista a destacar o túnel da Bernauer e os eventos a ele relacionados, no *Saturday Evening Post*. Foi escrita pelo experiente jornalista Don Cook. O *Post* promoveu o artigo com uma série de pequenos pôsteres para bancas de revista dizendo: *História real: Túneis para a liberdade em Berlim.* Uma manchete semelhante estava na capa da edição. Apesar das alegações constantes de que 59 pessoas fugiram pelo túnel da Bernauer, o artigo relatava que aquele túnel era conhecido como "Túnel 29" no "crescente rol de histórias de fuga de Berlim".

O longo artigo de Cook foi intitulado "Cavando um caminho para a liberdade" e tinha o seguinte subtítulo: "Uma rede americana filmou o projeto – para o horror do Departamento de Estado –, mas adiou a exibição do filme". O artigo misturava alguns dos fatos sobre o túnel da Bernauer – intencionalmente ou não – e Cook usou pseudônimos para todos os personagens principais. Peter e Eveline Schmidt, que eram mostrados com o filho na rua de paralelepípedo no lado ocidental, eram chamados de "os Lohmann". O local do porão não era a casa de número 7 da Schönholzer, e sim a de 63 da Werner Strasse. Outros que aparecem no filme são a mensageira "Krista" (que parece ser Ellen Schau, mas a cor do cabelo e a cidade em que vivera eram diferentes). Vários dos que ajudaram na fuga foram citados, sempre sem o nome real, se é que tinham algum nome. Um dizia: "Os jovens de Berlim estão enojados com os Aliados... Damos a essas pessoas a esperança de salvar suas vidas".

Gunter Lohmann (isto é, Peter Schmidt) relembra ter socado uma parede chorando de frustração antes da fuga de sua família. A passagem deles pelo túnel em setembro foi descrita assim: "A água entrava, o bebê choramingava, e então caíram na gargalhada ao perceberem que corriam em direção à segurança". Cook também mencionou a "controvérsia" quanto ao financiamento do túnel. As autoridades da Berlim Ocidental agora estavam mais cuidadosas com programas financiados "e ninguém mais sairá ileso por muito tempo com qualquer forma de exploração financeira de vidas humanas na cidade".

Também surgiu na América do Norte o filme da MGM: *Fuga de Berlim Oriental*. Com uma sessão para críticos em outubro e depois com exibição apenas em Michigan e no Canadá, ele finalmente estreou nos Estados Unidos, recebendo críticas mistas. A direção de Robert Siodmak foi bem cotada, já o roteiro, nem tanto. Ainda como eco das avaliações na Berlim Ocidental, a *Los Angeles Examiner* reclamou que no filme "muitas das fugas da Berlim Oriental são motivadas por futilidades, em vez de por princípios e pela verdadeira liberdade". Outro crítico não resistiu e classificou o drama do túnel de "raso". Pelo menos ninguém disse que era "decepcionante".

Havia, no entanto, a diversão proporcionada por Angelika Ligma, a estudante da Berlim Oriental que fugiu para a Berlim Ocidental debaixo do banco de um carro e alegou ter atravessado o túnel da Bernauer. Ao chegar aos Estados Unidos, para participações especiais, ela estava aprimorando sua história falsa com detalhes ficcionais interessantes para causar mais impacto. O *BoxOffice* usou isso como manchete: "Garota alemã em turnê para promover filme alemão". O jornal mostrou que "a garota", que tinha fugido recentemente pelo túnel sob o Muro de Berlim, não falava inglês e a entrevista usava um intérprete. Ela era conhecida apenas como "Fraulein Angelika" para proteger sua família ainda "na Alemanha Vermelha".

NO dia 30 de novembro, Lester Bernstein, da NBC, encaminhou para Robert Manning no Departamento de Estado uma cópia da nota de imprensa que a emissora tinha preparado dizendo que a exibição de *The Tunnel* seria reagendada. "Espero poder vê-lo em breve em Washington sem que haja uma missão ou algum prazo final", acrescentou Bernstein.

O filme agora estava marcado para ir ao ar entre 20h30 e 22h, na segunda-feira, 10 de dezembro, seis semanas após a data original. Ainda era patrocinado pela Gulf Oil, que permanecera com o programa, apesar da controvérsia. Depois de observar o primeiro adiamento, o comunicado à imprensa declarou, de forma defensiva, que, "com base no nosso próprio julgamento, a NBC acredita que o momento é apropriado para marcar uma nova data para o programa, que oferece não apenas uma ideia bem definida de um dos maiores problemas atuais do mundo, mas também uma prova extraordinária da coragem e do desejo humano de liberdade". Ele citava agentes da Berlim Ocidental apoiando o programa, ainda que tal apoio tenha vindo com certo atraso.

Do outro lado do Atlântico, Reuven Frank estava visitando Berlim em uma viagem não relacionada à polêmica do túnel. Ao dar entrada no Kempinski Hotel, ele descobriu três itens a sua espera. Dos irmãos Dehmel ele recebera uma picareta e uma pá em tamanho real para marcar tudo o que tinham passado juntos. E da empresa: um telegrama informando que *The Tunnel* finalmente veria a luz do dia.

Será que Frank, surpreso como estava com o filme finalmente em vias de ser exibido, mudaria de ideia quanto à saída da emissora? E quantos assistiriam a seu programa? *The Tunnel* tinha entrado na grade concorrendo com três dos programas de TV mais populares, todos posicionados entre as oito melhores pontuações no Nielsen Ratings: As comédias da CBS estrelando Lucille Ball, Danny Thomas e Andy Griffith. *The Rifleman* e *Stoney Burke* competiriam pela audiência da ABC. Em todo caso, Robert Kintner enviou um memorando a Lester Bernstein, que estava prestes a deixar a emissora para um alto cargo na *Newsweek*, agradecendo-o por defender *The Tunnel* na Alemanha. "Você se comportou com a esperteza de um Reston, a pompa de um Alsop e a capacidade de negociação de um primeiro-ministro britânico", escreveu Kintner. "Se formos criticados ou não – e tenho certeza de que seremos em algum grau –, seu trabalho contribuiu imensamente para a simplificação do problema." Ele também escreveu para Dean Rusk, agradecendo-o pela "compreensão da nossa posição" e oferecendo fazer uma sessão particular do *The Tunnel* para ele, caso a data e a hora escolhidas para transmissão fossem "inconvenientes".

18
Subindo para respirar

DEZEMBRO DE 1962

Três meses depois do início de sua pena de seis anos, Hartmut Stachowitz recebeu, para ele, que era um veterinário, a pior incumbência: trabalhar no chiqueiro da prisão – não para manter os animais saudáveis, mas para prepará-los para o abate. Sua esposa, Gerda, que estava em uma instituição diferente, pôde receber uma visita da mãe, durante a qual ela finalmente soube que seu bebê estava são e salvo, morando com os pais dela. Para Manfred Meier, que recebeu uma pena de sete anos depois de julgado, a verdade – ou pelo menos uma mentira a menos – também era consolo. Ele negou no interrogatório final que os ajudantes de fuga tivessem planejado um ataque com armas na Kiefholz Strasse. Isso forçou a Stasi a admitir a derrota em um bilhete ao advogado e ao juiz. "Recomendamos", estava escrito, "que essa contradição seja ignorada".

Harry Seidel também permaneceu na prisão, esperando um julgamento-espetáculo marcado para alguns dias depois do Natal. Ele ainda não sabia quem tinha traído seu túnel. (Fritz Wagner ouviu dizerem que tinha sido um comerciante da Berlim Ocidental, mas não sabia quem nem por quê.) Harry conseguiu entregar uma carta breve a sua mãe, pedindo para que ela não fosse a seu julgamento. "Não quero que você sofra à toa." O Estado planejava gerar ampla publicidade, convidando diversos correspondentes estrangeiros para divulgar o ocorrido na Suprema Corte da RDA. A imprensa da Alemanha Oriental já estava em modo de ataque; um relatório afirmava que Harry havia instruído um colega de túnel a matar VoPos atirando em formato de cruz com uma submetralhadora.

Seidel enfrentou acusações sérias não só por ter planejado Wolfswerder, mas por todas as suas atividades de fuga conhecidas, dentro e fora de túneis, armado ou não, no ano anterior. A acusação contou sete projetos de túneis sob sua liderança, quatro dos quais tinham sido completados, levando à fuga de pelo menos 60 alemães orientais. Como "criminoso violento" que havia "destruído postos de fronteira" (como cortar arame farpado) e "colocado vidas em risco", Seidel enfrentava pelo menos a prisão perpétua. Ele teve que responder até por ter ido à estreia de *Tunnel 28*. O infame ministro da justiça da RDA, "Red Hilde" Benjamin, havia pedido a pena de morte.

Um interrogador da Stasi disse a Harry de um jeito sarcástico: *"Es geht um Kopf und Kragen"* (mais ou menos algo como "Agora você está em apuros"). Harry respondeu: "Sei quantos anos você deu a Gengelbach. Quinze anos para mim não serão suficientes. Então, só existem duas outras possibilidades: a vida na prisão ou a execução. Se eu puder escolher, vou querer a segunda. Porque nos dias de hoje, o povo precisa de um mártir".

Diferentemente das prisões anteriores de figurões, o MfS não estava distribuindo medalhas pela batida policial de Wolfswerder. Apesar da prisão de mais de duas dúzias, incluindo Seidel, o episódio não tinha sido amplamente comemorado devido ao ato espetacular de sabotagem em seu ápice. A Stasi havia investigado, mas ainda não tinha solucionado o mistério dos explosivos violados. Os investigadores tinham interrogado ou exigido relatórios por escrito de todos os agentes da Stasi presentes na cena da batida. Ninguém confessou a sabotagem, ninguém apontou um dedo a um suspeito nem ofereceu novas evidências. Especialistas haviam determinado que o fio dos explosivos tinha sido cortado por uma faca cega ou por um caco de vidro e então violentamente arrebentado e deixado com as pontas bem afastadas uma da outra sobre o solo do jardim. Certamente tinha sido um esforço deliberado, mas eles não conseguiam determinar quem poderia ter visitado aquela região entre o momento da colocação do fio e a detonação frustrada, horas depois. Richard Schmeing, o sobrevivente do campo de extermínio nazista que havia posicionado o fio e depois inspecionado (sozinho) a falha, num canto escuro da propriedade, era um suspeito, mas investigadores não encontraram nada que o implicasse.

Enquanto isso, o MfS havia lançado uma investigação bem diferente para o roubo dos pertences na casa dos Sendler, que estavam ameaçando levar suas reclamações a uma corte na RDA. A pilhagem tinha sido tão contundente que o MfS, normalmente frio – e ainda suspeitoso de que o casal havia conspirado com os escavadores – sentiu que devia investigar.

NA noite de segunda, 10 de dezembro, entre 20h30 e 22 horas, na CBS, o delegado Andy Taylor ajudava seu substituto Barney Fife a escapar de uma cabana na qual estava sendo mantido como refém por três detentas. As duas malucas Lucy e Viv ficaram presas numa parede enquanto utilizavam uma supercola. Uma festa para o filho de Danny William, Rusty, foi arruinada pelo Tio Tonoose. E depois de zapear por alguns outros canais, um programa muito diferente, transmitindo aventuras longe de serem cômicas, finalmente estava sendo apresentado.

Mais de seis meses tinham se passado desde a primeira visita de Piers Anderton à fábrica de mexedores de coquetel, três meses desde a fuga bem-sucedida, 41 dias desde que o programa tinha sido agendado na grade. Agora, *The Tunnel* tinha chegado, do modo como Reuven Frank queria (à exceção das faixas pretas que escondiam o rosto dos escavadores e dos fugitivos que não tinham autorizado sua aparição), e ainda patrocinado pela Gulf Oil. Sem contar os comerciais, a edição final totalizava 78 minutos. *The Tunnel* começava com uma longa filmagem acima do Muro, feita da janela do apartamento da NBC, na qual um lençol branco (não mencionado) já tinha servido de sinal para os fugitivos do outro lado da fronteira. A câmera se aproximou devagar e focalizou a entrada da casa no n. 7 da Schönholzer Strasse, com música de fundo tocando baixinho. Estava claro. Os berlinenses orientais passavam pela entrada. Piers Anderton, no apartamento, mostrava o local, descrevendo como mais de duas dúzias de fugitivos chegaram naquela rua quase dois meses antes.

> Alguns tinham percorrido mais de 300 quilômetros. Todos eram estranhos ali... Eles desciam depressa a escada do porão por um fosso e ficavam 4,5 m abaixo da superfície da Schönholzer Strasse. Havia um túnel ali, de menos de 1,5 m de largura e 1,5 m de altura. Através dele, eles passaram engatinhando... 140 metros até Berlim Ocidental e para um futuro livre. Algumas das crianças tiveram que ser carregadas. Sou Piers Anderton, NBC News, Berlim. E esta é a história daquelas pessoas e daquele túnel.

O documentário que veio em seguida era uma aberração para o horário nobre: nenhuma entrevista com os participantes nem com especialistas, praticamente nenhum áudio além da narração, editado num ritmo lento. Começava com os três jovens organizadores reencenando a busca por um local onde abrir um túnel. Eles planejaram a "operação de resgate mais ousada" da história de Berlim, disse Anderton. E então, mostraram algumas imagens: o Muro, a faixa da morte, as torres dos guardas, os VoPos "que atiravam para matar". Os berlinenses ocidentais vivem com essa ameaça constante, mas ainda assim alguns "decidem agir". Isso levou muitos à prisão, outros à morte.

Então, vamos conhecer nossos heróis. Há os dois italianos – o "alto, moreno e bonito" Spina e seu "Sancho Panza", Sesta – e o loiro de cabelos curtos, Schroedter. Eles inspecionam locais em uma Kombi, fazem círculos em mapas, resolvem equações de engenharia. É abril, e logo eles encontram uma fábrica de mexedores de coquetel. Começam a cavar no chão do porão. Então, já estão 4,5 m sob o solo. Essa era a filmagem feita pelos organizadores antes de a NBC chegar à cena.

Agora, os Dehmel assumem, quando Anderton anuncia que desse ponto em diante tudo é mostrado "como aconteceu". Oito jovens trabalham "sem parar naquele porão úmido". A gravação em preto e branco, com pouca iluminação, é ruim, mas clara o suficiente para a tela pequena. A sensação de sujeira e de claustrofobia é palpável. De repente, somos levados à luz do sol da Bernauer Strasse. Vemos um close da fábrica de mexedores de coquetel, disfarçada o suficiente para não ser identificada (algo bom, uma vez que Hasso e os amigos estão cavando o próximo túnel a partir dali). Berlinenses ocidentais sorridentes tomam as calçadas enquanto seus compatriotas, desanimados, fazem fila no lado oriental com pouco para comprar nos estabelecimentos – "a vida sem graça... a vida apenas sobrevivida".

E então voltamos para dentro da terra, enquanto cinco toneladas de trilhos de aço são dispostas e tábuas são posicionadas no chão. Conhecemos Joachim Rudolph, identificado apenas como *Der Kleiner* – ele é "musculoso", mas tem "cara de bebê" – e vemos de relance a barba de Hasso Herschel. Anderton explica como foi difícil filmar e iluminar a passagem e o porquê de não haver áudio, exceto por alguns segundos, de passos ou um carro ou ônibus passando em cima.

Em seguida, vemos Peter e Eveline Schmidt em sua modesta casa suburbana, brincando no quintal dos fundos com a filha. *The Tunnel*, claramente, tinha sido editado de modo que os telespectadores, diferentemente dos escavadores, não ficassem presos embaixo da terra por mais de alguns minutos sem intervalo. De volta a Berlim: o ar está ficando escasso no fim do túnel, e por isso uma tubulação deve ser comprada e instalada. Então, vivemos a saga da goteira que se tornou um vazamento, que se tornou uma inundação. Agora, tem "lama para todos os lados, como na guerra", diz Anderton. Roupas sujas são penduradas para secar. Uma equipe de operários da cidade conserta a tubulação, e "a inundação parou".

Sesta sai para visitar os Schmidt de novo no lado oriental. Vemos recortes de jornais mostrando Peter Fechter sem vida, colocados no túnel por escavadores enfurecidos. Por fim, a filmagem avança para 13 de setembro e para a última inspeção antes da fuga. Aconteceu de acordo com o planejado – o filme ignora o vazamento final e a decisão crucial de emergir uma rua antes do alvo.

No dia da fuga, Ellen Schau, a única mensageira mencionada, entra na estação do S-Bahn e no trem, que desaparece rumo ao lado oriental, com uma música portentosa. Então, voltamos para a cena da entrada da casa 7 da Schönholzer. Dois VoPos passam olhando depressa para a porta. Eles sabem de alguma coisa? O céu escurece um pouco. São seis da tarde e os fugitivos estão a caminho.

E então, não é necessário que haja narração: Eveline Schmidt lentamente sobe os degraus da escada e entra no lado ocidental, parecendo chocada ao ver as luzes fortes quando Klaus Dehmel (não identificado, por motivos óbvios) corre para ajudá-la. O bebê dela chega quando ela quase desmaia. A mãe de Peter aparece. Anderton finalmente diz: "Apenas os rostos das pessoas que deram permissão aparecem neste filme. Os outros foram editados ou, onde não é possível, são escurecidos". A irmã de Hasso e sua filha chegam. As crianças são limpas por mães jovens e atraentes com meias-calças rasgadas e pernas cheias de lama. Depois de três minutos assim, ainda sem narração, outros chegam, e Anderton fala de novo, finalmente:

> Fugir por um túnel é tão arriscado quanto construí-lo. O que acontecerá em seguida, ninguém sabe. Os mensageiros são desconhecidos. A empreitada poderia ter sido uma armadilha. A morte não era o maior perigo. Campos de prisão podem ser piores. Nem todos vieram. *Essas* pessoas vieram. São pessoas comuns, não têm treinamento nem estão acostumadas a correr risco.

E então, a frase-chave dita pelo companheiro de Reuven Frank: "Do que eles devem estar fugindo para se arriscarem assim?". A sequência de fuga termina com uma imagem congelada: Claus Stürmer segurando seu filho no colo pela primeira vez.

E então um corte rápido (talvez rápido demais) para a festa ao grupo de escavadores e fugitivos oferecida pela NBC. Anderton admite que houve dissensão nos grupos de escavadores, apesar de sua emissora (claro) não ser citada como motivo – só é dito que algumas pessoas queriam que o túnel fosse drenado de novo para que mais gente pudesse escapar. Conforme a câmera se afasta do grupo, ela mostra Anderton, com seu sobretudo, de pé do lado de fora do restaurante, no escuro. Ele diz aos telespectadores: "Se a Berlim Oriental mantivesse seu sistema de abastecimento de água em melhores condições, se o túnel não tivesse se inundado, mais dezenas, talvez centenas de pessoas poderiam ter sido resgatadas. Era isso o que os jovens esperavam que acontecesse.

"Vinte e um deles dedicaram meio ano de suas vidas para cavar esse túnel. Mas haverá outros jovens e outros túneis".

REUVEN Frank, que decidiu ficar na NBC quando a emissora finalmente escalou *The Tunnel*, sabia que era um filme forte, até único, mas também sabia que tinha feito várias escolhas perigosas para o horário nobre. Quando as críticas chegaram, parecia que os riscos tinham compensado.

O *Los Angeles Times* declarou: "O jornalismo televisivo alcançou um novo e melhor patamar" com "um dos registros humanos mais profundos e inspiradores na história da imprensa". O *Boston Globe* disse que "provavelmente não havia nada igual na breve história da televisão". A United Press International disse: "Um registro humano devastador... um documentário de primeira linha". A Associated Press disse: "O melhor da televisão". O *San Francisco Chronicle* disse que ele era "o programa de TV mais verdadeiramente envolvente dos últimos tempos". O *Detroit News*: "Raramente em sua história, a televisão apresentou um programa com mais impacto dramático". A *Pittsburgh Press*: "Não há registro que mostre de forma mais clara a diferença entre a vida no mundo livre e a vida sob o comunismo". O filme ainda não tinha sido transmitido na Alemanha, mas analisando a transmissão norte-americana, um repórter de um grande jornal alemão, o *Frankfurter Allgemeine Zeitung*, disse que "o assustador bloqueio do setor oriental foi mostrado na tela da TV de forma extremamente impressionante e muito mais interessante do que qualquer descrição em palavras ou imagens que os Estados Unidos já viram... resultando em um registro emocionante contra a desumanidade do Muro".

Nos Estados Unidos, a Casa Branca e o Departamento de Estado permaneceram em silêncio. Mas ao assistir a *The Tunnel*, Bill Moyers, o jovem diretor do Corpo da Paz, sentiu-se extremamente emocionado, certamente mais do que já tinha se sentido com qualquer outro filme sobre qualquer outro assunto. Moyers achou que o filme era como um grande romance, cheio de conflito, suspense, drama, perigo, luta e esperança. Mas aquela história era verdadeira, e estava se desdobrando em preto e branco na pequena tela de sua sala de estar. Quando o filme terminou, ele percebeu que cerrava as mãos em punhos devido à tensão enquanto assistia. Alguns escavadores e fugitivos ouviram boatos de que o próprio presidente Kennedy havia chorado ao assistir ao programa.

Expressando uma visão inegavelmente minoritária, o experiente roteirista do *New York Times*, Jack Gould, continuou a expressar sua desaprovação em relação ao projeto em outubro. Admitia que o filme tinha, sim, certo "interesse", mas ridicularizava sua "narrativa extremamente pobre" – devia ter durado meia hora, no máximo uma hora! Sim, a noite da fuga foi interessante, mas "infelizmente, a maior parte da apresentação de 90 minutos se preocupava com os mecanismos de construção do túnel", o que "tendeu a deixar o programa menos impactante, de modo geral". E ele não resistiu e acabou concluindo com: "Depois de assistir ao programa, a decisão da NBC de bancar os escavadores financeiramente ainda me parece questionável".

Outra jornalista bem conhecida, Harriet Van Horne, zombou do programa por sua teatralidade, encontrando provas nos créditos, que listavam: "Maquiagem por Birgitta". Reuven Frank e sua equipe riram muito disso. Ao filmarem a cena final do programa no local da festa, Birgitta Anderton, temendo que as partes brancas da barba do marido se destacassem demais no vídeo, havia amenizado essa ameaça com um lápis de olho. Para fazer uma piada interna, Frank havia acrescentado "Maquiagem por Birgitta" nos créditos.

Ainda assim, Frank ficou contente com a reação extremamente positiva. Mas quantos telespectadores tinham assistido? Depois de vários dias, mais suspiros de alívio: telespectadores em cerca de 18 milhões de residências tinham assistido, ultrapassando todas as expectativas e se igualando à marca alcançada pelos *sitcoms* muito populares da CBS, algo inédito para a emissora naquele ano. Então, a CBS não só teve um especial sobre túneis em Berlim derrotado, mas também foi abalada pelo filme original de sua concorrente, quando ele finalmente foi transmitido – apesar dos vários esforços da CBS em contrário. *The Tunnel* foi um verdadeiro sucesso.

Reuven Frank comemorou, mas também reconheceu o papel da sorte: encontrar o túnel, sobreviver à inundação, evitar um vazamento fatal e completar a filmagem sem que ninguém em sua equipe, nem os escavadores nem os fugitivos fossem presos, ou acabassem feridos ou mortos. Ele também achava que, no fim, os protestos da Casa Branca e do Departamento de Estado ajudaram a aumentar a audiência para seu programa – mas ainda assim, ele não entendia por que exatamente a administração de Kennedy havia discordado com tanta veemência. Frank percebeu, não pela primeira vez, mas agora mais profundamente, como a imprensa americana continuava dolorosamente vulnerável à pressão no que dizia respeito à divulgação de assuntos delicados. Como ele já tinha dito: "Qualquer pessoa com metade de um cérebro pode tornar isso impossível", ou quase isso.

O FILME da NBC agora era passado, mas alguns de seus astros continuavam ocupados. O novo projeto de túnel de Wolf Schroedter, no fim da rua da fábrica de mexedores de coquetel, avançou bastante por baixo da faixa da morte até que os escavadores detectaram estranhos barulhos de pá perto deles. Só podia significar, eles concluíram relutantemente, que a Stasi estava construindo seu túnel paralelo à Bernauer Strasse e ao Muro, para impedir qualquer passagem que levasse ao lado oriental naquela região. Para Schroedter não haveria continuação do sucesso de setembro.

O contratempo não deteve Hasso Herschel e sua equipe, que estavam direcionando suas pás para um porão diferente a algumas dezenas de metros além da fronteira. Ainda estava tudo indo bem, sem que ninguém ouvisse escavações da Stasi ao longe. Evitando um sistema elétrico dessa vez, eles arrastaram a terra para a boca do túnel em grandes bacias de açougueiro. Para evitar vazamentos, aquela passagem foi cavada muito mais fundo do que o primeiro túnel de Hasso, 7,5 m abaixo do solo. Ainda mais do que no túnel da NBC, o trabalho não parava. Hasso havia pedido aos escavadores para morarem na fábrica algumas semanas seguidas. Joachim Rudolph, que estava perigosamente atrasado em seus estudos, podia ir e vir, cavando apenas à noite e aos finais de semana, mas ele sempre chegava para trabalhar com jornais e revistas para distribuir a seus colegas afastados da realidade.

Herschel, que também continuava a viver na superfície, pegava bebida, comida e outros suprimentos e os entregava no local da escavação. Em seguida, ele ajudava a cavar por algumas horas. Começando no início de dezembro e deixando os dois Joachim (Rudolph e Neumann) como responsáveis, ele fez breves visitas com Mimmo Sesta e Gigi Spina para vender fotos ou gravações da NBC para a imprensa em Paris, Zurique e Viena – todos os lugares onde eles tinham retido os direitos.

O Muro voltou a ser atingido por uma série de explosões de bombas. Ainda assim, a polícia da Berlim Ocidental aumentou os esforços para estabelecer contatos amigáveis com seus conterrâneos do outro lado do Muro, para incentivar deserções ou a revelação de segredos. Por cima ou através das barreiras, eles passavam pequenos presentes, comida, cigarros e chocolate. Os guardas da RDA, normalmente muito reservados (e não era de surpreender), aceitavam os presentes de bom grado. Um policial da Berlim Ocidental entregou uma embalagem de frango frito e observou os quatro guardas devorarem tudo na hora. Ao agradecer a seus amigos alemães, os guardas da RDA explicavam que eles só podiam conversar quando tivessem certeza de que nenhum de seus colegas os deduraria. Pelas conversas que ocorriam, era claro que o moral no lado oriental estava ruim: a maioria dos guardas estava desiludida com o governo, cansados das privações, "carentes de tudo"; como um reclamou. Alguns deles diziam desejar desertar, mas sabiam que sua família seria castigada posteriormente.

O ânimo dentro da fábrica de mexedores de coquetel também estava piorando, apesar de o rompimento da barreira estar se aproximando. Alguns dos escavadores tinham passado mais de seis semanas sem ver a luz do sol e seus entes queridos, sem roupas limpas e sem uma cama confortável. Pareciam e recendiam ao que eram: ratos de túneis. Para conseguirem ver o lado de fora, eles iam ao andar de cima da fábrica, abriam uma cortina e olhavam para o céu da noite, ou viam a chuva, e ficavam tristes e preocupados, tentando imaginar o que amigos e entes queridos estariam fazendo naquele momento, ou o que estavam sacrificando na escola ou em seus empregos. Mas não paravam de se dedicar.

Um escavador soube que sua esposa estava namorando um homem e queria se divorciar. Ele saiu do local para investigar, descobriu que era verdade – e voltou ao túnel. Outro escavador sofreu com uma terrível dor de dente, saiu do local para se tratar e voltou dois dias depois, pronto para pegar na pá.

Conforme o Natal foi se aproximando, os escavadores foram solicitados a não sair da fábrica nem no feriado, para manter a segurança. Para facilitar a situação, Herschel decidiu dar uma festa de Natal no porão. Joachim Rudolph resolveu passar a noite de Natal com a mãe e a irmã e a ir à "festa do escritório" de Hasso. Herschel levou alguns galhos de pinheiro e os colocou em um vaso para fingir que era uma árvore, e também levou muita cerveja, vinho tinto, carne e *stollen*, um pão com frutas da época. E um rádio para tocar músicas de Natal.

Começando às seis, Hasso e seu grupo prepararam o jantar de Natal. Como não havia cadeiras suficientes para todos, os escavadores arrastaram colchões e sacos de dormir dos quartos improvisados para formar um círculo ao redor da "árvore" e das provisões. A música tocava ao fundo. Apesar de isso oferecer um alívio muito necessário, o clima, mesmo com todo o vinho e a cerveja, estava longe de ser festivo. Alguns dos jovens exaustos conversavam baixinho com seus colegas; outros, sabendo o que estavam perdendo do lado de fora, falavam pouco. Algumas horas se passaram. O relógio marcava 11 horas. Ainda Véspera de Natal. Os convivas sabiam o que tinham que fazer – o que queriam fazer. A comida e as garrafas foram guardadas, os colchões foram devolvidos aos quartos, o rádio foi desligado. E então, Joachim Rudolph e os outros do turno da noite voltaram ao túnel, pegaram as pás e as bacias e retomaram a rotina diária: *cavar, despejar e repetir,* cada vez mais fundo rumo ao lado oriental.

Epílogo

Dois dias depois do Natal, Harry Seidel foi julgado na Berlim Oriental, quando as tensões no Muro aumentaram de novo. A terceira explosão de bomba naquele mês abriu um buraco de seis metros na barreira e estourou pelo menos 600 janelas no setor americano. Outro guarda da Alemanha Oriental escapou passando pelo arame farpado. Um ônibus blindado levando duas famílias da Berlim Oriental passou pelo Muro sob uma saraivada de tiros, e oito adultos e crianças chegaram em segurança ao lado ocidental.

Setenta e duas horas depois do início do julgamento, Seidel foi condenado por vários crimes e teve estabelecida a prisão perpétua, evitando por pouco a pena de morte que o oficial de justiça da RDA desejava. "A abrangência extraordinária e a periculosidade de seus crimes", disseram os juízes, "exigem prisão permanente". Eles compararam os crimes àqueles cometidos pelos nazistas em Nuremberg. O prefeito da Berlim Ocidental, Willy Brandt, por outro lado, disse que não havia palavras fortes o bastante para condenar essa "inquisição moderna" contra Seidel.

Três semanas depois, pressionado pela Stasi em um interrogatório para entregar os nomes dos jovens que completaram o túnel de Kiefholz (dois deles seus ex-colegas de classe), Seidel afirmou que só os conhecia pelo primeiro nome e mesmo assim "eu me esqueci como se chamam". Ele acrescentou, sem ajudar: "Eu só me lembro que todos eles têm cabelos curtos". Da prisão, Seidel escreveu para a esposa que ela não deveria esperar que ele voltasse, e que deveria começar uma vida nova, se quisesse. Acrescentou: "A falta de liberdade e as restrições estão começando a me cansar". Longe de abandoná-lo, ela ajudou a liderar protestos em Berlim que reuniram grandes multidões e chamou atenção internacional.

A Stasi nunca descobriu quem sabotou a detonação do túnel de Wolfswerder na noite em que Seidel foi preso. Em seu livro *Wege durch die Mauer* [Caminhos através do Muro], o ex-*fluchthelfer* Burkhart Veigel aponta o especialista em explosivos Richard Schmeing. A análise que Veigel faz da investigação oficial da Stasi conclui que Schmeing burlou o detonador para impedir a explosão, e então saiu e cortou o cabo para desorientar qualquer investigação.

Dois meses depois de o grupo de escavadores de Hasso Herschel passar o Natal na fábrica de mexedores de coquetel, eles completaram o túnel para a Brunnen Strasse. No dia da fuga, a operação foi frustrada, depois de um encontro por acaso entre um amigo da irmã de Hasso, Anita, e um informante da Stasi. Muitos foram presos, incluindo a namorada de Joachim Neumann, Christa. Hasso escapou por pouco (de novo).

Wolf Schroedter, após o fracasso de seu túnel no outono anterior, continuou a trabalhar com o Grupo Girrmann. Quando ele perguntou aos líderes onde cortavam os cabelos, eles o mandaram a Siegfried Uhse, em um salão no distrito de Kreuzberg. Uhse tinha sido um "bom mensageiro", segundo eles. Até lá, Schroedter, ainda desconfortável com os aspectos comerciais da construção do túnel, tinha decidido abrir mão de todos os seus direitos de renda futura com as vendas das filmagens da NBC.

Uhse espionou o escritório do Girrmann e outras operações de fuga por mais um ano, mais ou menos. Quando Wolf-Dieter Sternheimer conseguiu mandar da prisão um recado para os líderes do Girrmann de que acreditava que Uhse era um agente da Stasi, eles responderam que ele parecia "inofensivo". O Grupo Girrmann logo se desfez, em grande parte porque era muito infiltrado por informantes. Uhse continuou sua carreira na Stasi por muitos anos em outro lugar.

Angelika Ligma, a mulher que havia começado sua carreira no subterfúgio passando-se por atravessadora do túnel – uma história que ela manteve ao longo da turnê norte-americana de divulgação de *Escape from East Berlin* –, uniu-se a Uhse como informante. Em 1963, depois de um ano no lado ocidental, ela abandonou a vida nova e voltou à Alemanha Oriental. A Stasi disse que ela seria presa, a menos que concordasse em trabalhar como informante. Eles achavam que uma jovem que sabia "ficar bonita" poderia arrancar importantes confidências de "homens interessados". Ligma concordou e recebeu o codinome de "Gerda". Trabalharia para a Stasi até 1971.

PIERS Anderton, ainda irritado com as tentativas da administração Kennedy de anular *The Tunnel*, chegou ao seu limite em janeiro de 1963. O cenário foi o simpósio anual da NBC na National Press Club. Ele e outros oito correspondentes estrangeiros tinham sido levados a Washington D.C., para avaliar as regiões que cobriam. Foi menos de um mês depois da transmissão de *The Tunnel*. No evento, Anderton sentou-se ao lado de Robert Manning, o diretor de assuntos públicos do Departamento de Estado. Isso fez com que ele se lembrasse de conflitos com o Estado no último ano.

Quando Anderton se levantou para falar, ele acusou o Departamento de Estado e os oficiais do Exército de sempre esconderem a cobertura das notícias e intimidar os jornalistas, o que impedia o povo americano de saber o que estava acontecendo na Alemanha de fato. Ele disse que os mesmos oficiais não identificados quase o fizeram ser despedido ao vazarem para a *Variety* um relato falso de seu discurso àquele grupo de mulheres. O Estado tinha até espalhado um telegrama acusando-o de ser "pró-comunista". Isso lembrava a tática macarthista para atrair comunistas na década anterior.

Apesar disso tudo, ele prometeu voltar a Berlim e "combater essa coisa até o fim. Realocar-me agora seria desistir".

Edward R. Murrow, o ex-jornalista da CBS, abordou Anderton depois e disse: "Você é dos meus". Mas os executivos da NBC que estavam presentes demonstraram irritação por ele ter falado no evento. Manning confirmou a existência de um telegrama que criticava Anderton, mas disse que não o taxava de "pró-comunista". Uma longa matéria na revista *Broadcasting* intitulada "Censura norte-americana no exterior?" sugeria que os comentários de Anderton poderiam provocar sua transferência involuntária.

Depois de um segundo simpósio da NBC em outra cidade, Anderton escreveu para a esposa que estava "cansado de fazer campanha" a respeito da supressão de notícias praticada pelo Departamento de Estado. Seus comentários sobre D.C. tinham causado "um alvoroço", disse ele. "Eu fui chamado ao Departamento de Estado e repreendido, mas dessa vez eu estava tão irritado que rebati e deixei tudo pior", disse ele. "Bill McAndrew me apoiou (por enquanto)... Mas eu detesto me meter em brigas, só que odeio ainda mais mentiras numa situação que eu sei que está errada".

Alguns dias depois, Anderton soube que estava sendo transferido para a Índia. Devido à distância dos Estados Unidos e da ausência frequente de cinegrafistas, os correspondentes ali tinham dificuldades para transmitir o que quer que fosse.

Apenas algumas semanas depois de o Departamento de Estado e a Casa Branca terem tentado acabar com *The Tunnel*, a USIA, sob o comando de Edward R. Murrow, solicitou mais de cem cópias do filme para transmiti-lo mundo afora. Em maio de 1963, *The Tunnel* levou para casa três prêmios Emmy: de Melhor Documentário, de Reportagem Internacional (de Piers Anderton) e de Programa do Ano – o primeiro documentário a ganhar esse prêmio. Reuven Frank havia preparado com cuidado seu discurso de agradecimento pelo prêmio de documentário, sabendo que poderia falar para uma plateia grande. Nele, criticava o Departamento de Estado, dizendo que depois de toda a sua "interferência" no mês de outubro passado, a USIA estava agora "mostrando o filme mundo afora". Anderton, que tinha voado da Índia para Nova York, disse à esposa que, como Frank tinha "acabado com o Departamento de Estado" ao aceitar seu Emmy, ele apenas agradeceu aos Dehmel por "terem-no ganhado por mim". E então, surpreso com o prêmio de Programa do Ano, Frank somente exaltou os escavadores – eles tinham feito todo o trabalho sujo, e a NBC só mostrou.

Jack Gould, do *New York Times*, aproveitou a oportunidade para criticar a NBC e *The Tunnel* de novo. Escreveu que os prêmios Emmy foram totalmente imerecidos. O "subsídio" do túnel por parte da emissora "não era conduta responsável... O fato de nenhum problema ter ocorrido não entrava no mérito". Divulgar as notícias era uma coisa, mas "fabricar notícias" para criar um "drama" era outra totalmente diferente. A Guerra Fria "não deveria ser um brinquedo do show business". Gould encerrou reclamando que honrar "a narração enfadonha de *The Tunnel* por Piers Anderton antes do trabalho de reportagem embasada de Daniel Schorr na Alemanha era absurdo" – como se Anderton tivesse apenas lido um roteiro para *The Tunnel*.

Outro colunista criticou Frank por seus comentários "amargos" ao aceitar seu Emmy. Quando a NBC levou ao ar uma reprise do especial em agosto de 1963, para marcar o segundo aniversário do Muro, a *Variety* disse que o programa era "lotado" de comerciais. *The Tunnel* nunca foi transmitido na Alemanha Ocidental integralmente, no entanto. Os quatro escavadores cobertos pelo contrato da NBC venderam os direitos a um produtor alemão por 5 mil marcos. Ele criou uma versão que tinha menos da metade da duração do original. Quando foi ao ar em junho de 1963, alguns dos escavadores se reuniram para assistir. Sem querer, convidaram também outro informante da Stasi.

A ORDEM do presidente Kennedy para que a CIA começasse a reunir informações sobre os jornalistas norte-americanos logo foi formalizada como Operação Mockingbird. Na primavera de 1963, resultou no grampo de dois colunistas, Robert S. Allen e Paul Scott, depois de eles supostamente terem revelado segredos confidenciais. A fonte do vazamento nunca foi identificada. Outros jornalistas também foram monitorados nesse programa até sua conclusão em 1965. Quando documentos não confidenciais revelaram a existência do Mockingbird em 2007, o jornalista do *New York Times*, Tim Weiner, observou: "Então, agora, a história está clara: Muito antes de o presidente Nixon criar sua unidade de 'encanadores' formada por veteranos da CIA para acabar com o vazamento de notícias, o presidente Kennedy tentou usar a agência para o mesmo objetivo". A *Times* observou separadamente: "Ao pedir para o diretor de inteligência conduzir um programa de vigilância doméstica, Kennedy abriu precedente que os presidentes Johnson, Nixon e George W. Bush seguiriam".

JFK visitou Berlim em junho de 1963 e, com Konrad Adenauer e Willy Brandt, montaram uma plataforma de observação perto do Checkpoint Charlie para que ele visse o Muro e a faixa da morte depois dele. Ele estava visivelmente emocionado. Na Prefeitura, ele deu seu famoso discurso com o *"Ich bin ein Berliner"* diante de uma plateia atenta. Foi assassinado cinco meses depois. Lyndon Johnson, que havia resistido a ir a Berlim depois da construção do Muro, tornou-se presidente. Seus oficiais de gabinete, Dean Rusk e Robert McNamara, juntamente com McGeorge Bundy, promoveram e defenderam a grande presença do Exército dos Estados Unidos no Vietnã. Hanson Baldwin advogava uma escalada ainda maior, nas matérias do *New York Times*, antes de se aposentar do jornal em 1968. A investigação do FBI do homem por trás do vazamento a Baldwin, de julho de 1962, que causou tanto rebuliço na Casa Branca, acabou sem qualquer penalidade ao responsável pelo vazamento: Roswell Gilpatric. Mais tarde, ele foi presidente do Federal Reserve Bank de Nova York e, segundo boatos, teve um caso com a viúva Jacqueline Kennedy.

A era de ouro dos documentários de TV começou a desaparecer em 1964. A urgência de assumir grandes assuntos nos anos da administração Kennedy havia acabado; assim como o orçamento generoso para especiais de não ficção. "Parecia que as emissoras tinham esgotado suas reservas de coragem moral", observou o repórter Robert MacNeil. Recursos tiveram que ser desviados para a cobertura da guerra do Vietnã, que com o tempo produziu sua própria cobertura moralmente corajosa. De qualquer modo, repórteres destemidos e âncoras bem pagos eram agora os astros, não produtores de documentários, como Reuven Frank.

LOGO DEPOIS DO SUCESSO do túnel da Bernauer, a mensageira Ellen Schau se casou com Mimmo Sesta. Nem Sesta nem Gigi Spina trabalharam em outro túnel depois do sucesso que tiveram em 1962. Eveline Schmidt se divorciaria de Peter Schmidt em 1967, deixando-o arrasado, e se casaria com Joachim Rudolph, com quem ela havia dançado na festa da NBC durante suas primeiras semanas no lado ocidental. (Rudolph, por sua vez, fez viagens pela NBC, trabalhando como técnico de som de Peter Dehmel.) O casal ainda tem os sapatinhos que a filha Annett perdeu no túnel na noite da fuga, recuperados por Rudolph dois dias depois.

Friedrich e Edith Sendler processaram a RDA pelos itens roubados de sua casa após a batida no túnel da Kiefholz e ganharam uma rara indenização em dinheiro de cerca de 4 mil dólares. Eles deixaram (ou foram forçados a deixar) aquele endereço, onde Herr Sendler também mantinha sua oficina de carpintaria, menos de um ano após a operação de fuga, e passaram a morar em um apartamento perto dali.

Joan Glenn, ainda trabalhando para o Grupo Girrmann, disse a Siegfried Uhse que estava conseguindo uma identidade falsa para poder agir como mensageira, e estava até aprendendo russo. Uma matéria em um jornal de Berlim Oriental a relacionava à inteligência norte-americana e dizia, de modo falso, que ela havia participado de "atos terroristas", incluindo um ataque a bomba. Seu arquivo na Stasi continha a seguinte ordem: "Se entrar na Berlim Oriental, deve ser presa imediatamente". A Missão norte-americana em maio de 1963 a levou a Clay Allee para alertá-la de que corria risco devido a seus esforços de "exfiltrar" cidadãos da RDA. Ela disse que sim, "estava muito ciente" disso.

Em 1964, Joachim Neumann ajudou a cavar outro túnel embaixo da Bernauer Strasse, dessa vez a partir de uma antiga padaria, em uma operação liderada por Wolfgang Fuchs, o novo *tunnelmeister* de Berlim. Um canal importante da imprensa alemã patrocinou o túnel – o mais longo já cavado, com 152 m – em troca dos direitos de cobertura fotográfica e de filmagem. Por engano, o túnel dava em um quintal aberto e não em um porão, mas não importou: durante duas noites no começo de outubro, 57 pessoas escaparam, incluindo (finalmente), a namorada de Neumann, Christa, que tinha acabado de sair da prisão.

E então, os guardas da Berlim Oriental chegaram e um deles, Egon Schultz, levou um tiro e morreu. A RDA alegou assassinato. Escavadores disseram que Schultz tinha sido morto por companheiros; a Stasi se recusou a liberar os resultados da autópsia. O escavador Reinhard Furrer (que mais tarde se tornou famoso como astronauta da Alemanha Ocidental na espaçonave *Challenger*) era suspeito no incidente, mas na verdade foi Christian Zobel, o jovem irado identificado apenas como "Horst P" por Flora Lewis em sua matéria de outubro de 1962, para o *New York Times*, quem efetuou o disparo.

Um telegrama não confidencial do Departamento de Estado, apenas dias depois de Schultz ser morto, observava "crescente dissensão" dentro da organização de fuga Fuchs, "que é praticamente o único grupo de túnel em operação dentre algumas dezenas que antes existiam. Sua dissolução e as circunstâncias dessa fuga só podiam pôr fim a essa forma de êxodo da Berlim Oriental". De fato, a reação depois da morte de Schultz fez com que a polícia da Alemanha Ocidental, as agências do governo e a imprensa retirassem seu apoio direto aos fugitivos dos túneis. Isso pôs fim à era dos túneis de fuga. Apenas três túneis importantes tiveram tentativas de escavação nos cinco anos seguintes, e nenhum levaria à travessia de um refugiado ao lado ocidental.

Nessa época, Hasso Herschel e outros atravessadores já tinham se envolvido profundamente com a travessia por meio de veículos. Talvez mil ou mais alemães orientais tenham ido para o lado ocidental escondidos no grande Cadillac de Hasso (normalmente embaixo do painel), em outros carros e caminhonetes, e em um caso, em um helicóptero que Herschel conseguiu. Precisando de dinheiro, Anita Moeller se ofereceu para dirigir um carro de fuga, mas seu irmão se recusou.

Os oficiais da Alemanha Ocidental e empresários expandiram o programa secreto de compra de liberdade de prisioneiros da Alemanha Oriental, inclusive a dos ajudantes de fuga Wolf-Dieter Sternheimer, em 1964, Manfred Meier, em 1965, e Harry Seidel, em 1966. Milhares foram libertados dessa maneira, e a quantia de cada um normalmente estava atrelada a níveis de educação ou habilidades no trabalho. A noiva de Manfred Meier, Britta Bayer, por exemplo, foi "comprada" por 30 mil marcos (7.500 dólares). Ainda assim, anos depois em Berlim Ocidental, ela sofreria de insônia e de acessos de paranoia. Um dia, ao ouvir tiros disparados na região do Muro, ela se jogou no chão do apartamento, apavorada. Meier perdeu o emprego na IBM quando a empresa americana soube que ele já tinha sido preso no lado oriental – segundo eles, temendo que ele pudesse ser um informante da Stasi agora. Era esse o alcance que a Stasi tinha.

A Stasi armou a mais cruel armadilha para o ex-mensageiro Hartmut Stachowitz, dois anos depois de sua prisão (sua esposa, Gerda, já tinha sido solta). Disseram que ele poderia ter sua liberdade se assinasse um acordo abrindo mão de sua cidadania de alemão ocidental. Desesperado, ele concordou, mas depois descobriu que sua liberdade já tinha sido comprada pelo lado ocidental. Mas como ele havia assinado aquele documento, ele e a família, diferentemente dos outros libertados, não puderam se mudar para Berlim Ocidental. Eles só receberam permissão de sair da RDA uma década depois.

Depois de todo o esforço para levá-la ao lado ocidental, a mãe de Harry Seidel acabou arquitetando sua própria fuga. Sua mãe (avó de Harry), doente e com 91 anos, convenceu os oficiais da RDA a permitirem uma visita a outra filha que vivia no lado ocidental. Devido a sua fragilidade, o Estado deixou a mãe de Harry acompanhá-la. Quando seu visto expirou, a mãe de Harry ficou no lado ocidental. Não precisou engatinhar através de um túnel apertado.

WILLY Brandt, liderando os Social-democratas, tornou-se chanceler alemão em 1969. Seu aliado Egon Bahr promoveu uma nova política (*Ostpolitik*) para buscar a reconciliação com a RDA. Isso levou a um certo relaxamento das restrições de viagem, com até 40 mil alemães orientais por ano podendo visitar o lado ocidental brevemente para casamentos, velórios e outros eventos importantes (mas a maioria dos pedidos era recusada). O Muro, que havia ficado mais alto e mais espesso na maior parte das regiões, continuava praticamente intransponível. As tentativas de fuga diminuíram; mortes no Muro caíram para cerca de cinco por ano. Mas o número de agentes da Stasi e de informantes só crescia. Lento para aceitar os mínimos esforços para uma trégua, Walter Ulbricht foi forçado a deixar a liderança da Alemanha Oriental, substituído pelo homem que ele havia deixado como responsável para construir o Muro 12 anos antes: Eric Honecker.

Reuven Frank foi presidente da NBC por duas oportunidades. Entre outras inovações, ele produziu a série *Weekend*, que se alternou com o *Saturday Night Live* nas primeiras temporadas, e *Overnight*, com Linda Ellerbee. Depois que ele se aposentou, Robert Mulholland, que o sucedeu como presidente da NBC, comentou: "Reuven escreveu o livro sobre como o processo político é coberto nos Estados Unidos". Em seu livro de memórias *Out of Thin Air*, Frank revelou que ainda se incomodava por "nenhuma explicação fazer sentido" quanto à severidade da reação do Departamento de Estado e da Casa Branca ao seu programa. Frank entrou com um pedido no Freedom of Information Act e, em 1988, chegou a contatar Dean Rusk, há muito aposentado, para perguntar por que ele era tão "vigorosamente" contra o filme.

Rusk respondeu: "Porque você estava... colocando os interesses americanos em risco". Thomas Schoenbaum, autor de uma biografia de Rusk, disse sobre ele, posteriormente: "Sim, ele certamente estava envolvido na supressão da imprensa. Ele me disse que fez isso em relação ao Vietnã e sem dúvida fez a mesma coisa em relação a Berlim. Rusk não dava o menor valor à imprensa".

Um pouco antes de sua morte, pediram a Frank, para um projeto de vídeo, que ele defendesse seu filme mais uma vez. Não era jornalismo de talão de cheque?[4] "O que posso dizer é: o resultado foi o melhor possível", disse ele. "No campo político, ético, em todos os aspectos. O mundo se tornou um lugar melhor por causa dele. Além disso, nós não enriquecemos ninguém. Tivemos o cuidado de não pagar nada a ninguém – comprávamos coisas". (Isso não era bem verdade, claro.) Ele se sentia incomodado com o fato de possivelmente ter ultrapassado um limite ético e de a NBC em si ter se tornado o foco da história? "Não", disse ele, "Talvez eu devesse ter um problema com isso. Mas aí [o programa] não teria acontecido".

Piers Anderton, irritado com o tratamento que recebeu da NBC depois de *The Tunnel*, relegou seu Emmy ao banheiro extra de sua casa. Ele realizou sua própria fuga em 1964, para a ABC e então foi para a KNBC em Los Angeles, onde cobriu o assassinato, em 1968, de Robert F. Kennedy, chegando à cena minutos depois de Kennedy ter sido atingido no saguão de um hotel. Frustrado pela mudança em sua carreira, ele se aposentou do jornalismo em 1971, aos 52 anos. Enquanto se preparava para se mudar para a Inglaterra com sua esposa, ele jogou o Emmy no lixo.

No mesmo período, seu ex-rival Daniel Schorr foi colocado na "lista de inimigos" do presidente Nixon. Em 1976, Schorr foi forçado a sair da emissora por Richard Salant, o presidente da CBS News (que havia ajudado a afundar o filme sobre o túnel de Schorr, em 1962), depois de vazar o conteúdo de um relatório secreto do congresso a respeito dos abusos da CIA. Schorr se tornou um importante comentarista da National Public Radio.

Schorr continuou amargurado com a supressão de seu programa até o fim da vida. Em uma entrevista para o Newseum, descreveu a situação como "um caso de um chefe meu, que era amigo do presidente Kennedy, e foi possível para eles [o Departamento de Estado] ir até ele e dizer 'o presidente pede que você faça isso'". Ele fez uma pausa. "E essa é a história do The CBS Tunnel That Wasn't."

Depois de ministrar uma palestra em Harvard, um homem da plateia perguntou a Schorr – e esse homem era seu antigo chefe, Blair Clark –

---

[4] Termo utilizado por jornalistas para se referirem ao jornalismo feito com pagamento alto a fontes interessantes que tenham boas notícias. (N.T.)

sobre ter sido sacado de uma certa história décadas antes. Como Schorr, Clark estava aposentado; depois de sair da CBS, ele gerenciou a campanha quixótica do senador Eugene McCarthy para a presidência, em 1968, e editou o *The Nation*. Schorr, sem pestanejar, soube exatamente a que Clark se referia timidamente. Schorr se lembrou de um furo "maravilhoso" a respeito de um túnel sob o Muro de Berlim, e de como ele pensou se tratar de "bobagem" quando Clark mandou que ele parasse tudo naquele telefonema à meia-noite, feito do escritório de Dean Rusk. Schorr acrescentou que não entendia por que Clark queria falar sobre isso em Harvard, principalmente porque "A NBC foi lá e fez o programa – e ganhou prêmios por isso". Clark respondeu, falando do outro lado do salão, que ele não teve escolha, precisou vetar o filme.

Enquanto isso, em 1979, James P. O'Donnell, o mediador de Berlim que havia contado a respeito do túnel da Kiefholz, escreveu um texto improvável para a edição alemã do *Reader's Digest* prevendo a queda do Muro uma década a partir dali e a venda de pedaços da antiga barreira como *souvenir*. David Bowie, que morou em Berlim por muitos anos durante esse período, escreveu uma de suas músicas mais famosas, "Heroes", depois de testemunhar o encontro de dois namorados no Muro.

Em 1981, pela primeira vez desde 1962, os americanos puderam ver uma exploração de um túnel em Berlim. Nesse caso, o veículo era um drama feito para a TV, *Berlin Tunnel 21* – sim, na CBS. Era sobre um oficial do Exército norte-americano (Richard Thomas, o ex-astro da série *Os Waltons*) cuja namorada alemã estava presa do outro lado do Muro. "Nenhum outro homem arriscou mais pela mulher amada!", estava escrito nos cartazes do filme. "Um muro os separa, mas ele vai salvá-la das tropas comunistas!".

Lester Bernstein, da NBC, tornou-se editor da *Newsweek* duas vezes. James Greenfield, como editor do *New York Times*, teve um papel essencial na publicação do Pentagon Papers. Seu antigo chefe no Departamento de Estado, Robert Manning, foi, durante muitos anos, o respeitado editor do *The Atlantic*.

Franz Baake, que ajudou a ligar as pessoas do túnel da Bernauer à NBC, foi indicado ao Oscar em 1973 por seu documentário a respeito dos últimos dias da Segunda Guerra Mundial, *Battle of Berlin*.

HARRY Seidel voltou a praticar ciclismo após sair da prisão e, em 1973, ganhou um título nacional com três colegas de equipe. Ele também trabalhou no governo da Alemanha Ocidental como responsável pelos programas que ajudavam os perseguidos do nazismo. Seu antigo chefe, Fritz Wagner, gerenciava um hostel, depois comprou uma pousada na Bavária, com a qual dizem que fez uma pequena fortuna.

O amigo de Seidel, Raiber Hildebrandt, expandiu muito sua coleção de artigos relacionados ao Muro e abriu um museu de vários andares, que continua sendo a maior atração turística do Checkpoint Charlie.

Joachim Neumann trabalhou como engenheiro civil em várias dezenas de grandes túneis pelo mundo, incluindo a passagem por baixo do Canal Inglês ligando a França à Grã-Bretanha. Depois do fracasso de seu último túnel em 1971, Hasso Herschel se afastou da cada vez menor comunidade *fluchthelfer* e foi sócio de casas noturnas, discotecas e restaurantes. Quando fecharam, ele se aposentou e foi para uma fazenda de cabras uma hora ao norte de Berlim. Foi consultor de um grande drama da televisão alemã a respeito do Túnel 29 e recebeu pagamentos pela venda de fotos e de vídeos da NBC. A irmã de Hasso, Anitta, depois de quase abandonar o marido, Hans-Georg, em sua fuga para o lado ocidental, continuou com ele e deu à luz outro filho antes de eles se divorciarem.

Joan Glenn, que tinha ajudado Hasso em seus esquemas de evasão com automóvel, deixou a comunidade de fuga, mas parece que não retornou aos Estados Unidos. A única coisa que se descobriu sobre suas últimas atividades foi que ela fez a tradução para o inglês de um guia de referência/história chamado *In Brief Berlin*, publicado em 1982 por uma agência federal da Alemanha Ocidental.

Pela maioria dos relatos – e desafiando os cálculos da Stasi –, apenas cerca de 75 túneis perto do Muro foram finalizados, com menos de 20 considerados bem-sucedidos em levar os refugiados para o lado ocidental. Apesar de ter havido menos fugas de todos os tipos depois dos anos 1960, as que ocorreram foram cada vez mais criativas. Um homem usou uma catapulta para pular o Muro; outro passou com a família em um balão. (A aventura se tornou um filme da Disney.) Em 1983, dois homens do lado oriental atiraram uma flecha com um arco, e na flecha havia uma linha fina de náilon que ficou por cima do muro. A flecha acertou um telhado no lado ocidental, onde um ajudante a envolveu com fio de aço, permitindo que os dois homens deslizassem com polias. Uma moça na Berlim Oriental fez uniformes do Exército soviético para três amigos. Eles receberam cumprimentos quando passaram pelo posto de fronteira, com a moça no porta-malas.

NOS anos 1980, o novo líder soviético Mikhail Gorbachev criou reformas e políticas conhecidas como *glasnost*, apresentando liberdades pessoais e econômicas em sua nação e inspirando a maioria dos países por trás da Cortina de Ferro a fazer a mesma coisa. A RDA, ainda liderada por Erich Honecker, ficou para trás. A frustração e a raiva entre os jovens da Alemanha Oriental ameaçavam sair do controle. O Estado começou a permitir grandes shows de rock com astros do lado ocidental na Berlim Oriental como uma válvula de escape segura.

Quando Bob Dylan foi convidado por um braço jovem do Partido Comunista a tocar no Treptower Park em 1987, a Stasi cobriu o evento em um documento de seis páginas chamado "Robert Zimmerman", o nome real do cantor. Tratava, principalmente, de logística e segurança (não houve grampo secreto nas comunicações de Bob, aparentemente). A Stasi não temia que Dylan causasse emoções "indevidas" na plateia; ele era um "velho mestre do rock", sem "grande influência" na juventude da época. Dylan, durante o show, satisfez as expectativas deles, de certo modo.

Quando Bruce Springsteen tocou no mês de julho seguinte, no entanto, a história foi bem outra. O show de quatro horas foi o de maior público da história, talvez 400 mil pessoas, e foi transmitido a milhões de outras pela televisão. Springsteen fez um discurso intenso num alemão sofrível: "Não estou aqui por nenhum governo. Vim tocar rock'n'roll para vocês na esperança de que um dia todas as barreiras sejam derrubadas". Ele havia decidido, no último minuto, mudar a palavra original, "muros", para "barreiras", mas a plateia foi à loucura mesmo assim, e a canção de autoria de Dylan que veio em seguida, "Chimes for Freedom", deixou tudo claro. Gerd Dietrich, um historiador alemão, posteriormente comentou que o show e o discurso de Springsteen "certamente contribuíam muito para os acontecimentos", desafiando a existência do Muro. Deixou as pessoas "mais dispostas a cada vez mais mudanças".

Vinte e oito anos depois de o Muro ser erguido, os berlinenses orientais ainda estavam morrendo em tentativas de atravessá-lo. Chris Gueffroy, 20 anos, morreu com um tiro no peito numa noite de fevereiro de 1989. Como vinha fazendo desde o começo, a Stasi escondeu o motivo verdadeiro da morte e tentou impedir o velório. Quando a verdade vazou, a revolta dos dois lados do Muro foi tamanha que forçou a RDA a finalmente proibir que os guardas atirassem nos fugitivos, a menos que a vida dos próprios guardas estivesse em risco. Seis meses depois, um engenheiro elétrico chamado Winfried Freudenberg caiu e morreu – na Berlim Ocidental – depois de perder o controle do balão com o qual passara por cima do Muro.

Essas foram as duas últimas mortes no Muro.

A onda histórica não pôde ser contida por muito mais tempo. Países vizinhos tinham aberto suas fronteiras, e dezenas de milhares de alemães orientais entravam na Hungria e na Tchecoslováquia. Protestos em massa tomaram a RDA, primeiro em Leipzig e depois em Berlim. Honecker foi tirado de sua posição de líder. Depois de a ideia do show de rock fracassar, os oficiais da RDA decidiram abrir outra válvula de escape segura facilitando a retirada de vistos. Na noite de 9 de novembro de 1989, um porta-voz do governo, chamado Schabowski, foi à TV para falar sobre a nova política, mas se atrapalhou na mensagem, acidentalmente dando a entender que todo mundo podia passar pelos postos de fronteira sem qualquer aprovação – e que podiam fazer isso "imediatamente". Sem acreditar no que ouviam, milhares de alemães orientais logo começaram a encher os postos de fronteira. Na Bornholmer Strasse, mais de 20 mil correram para os portões. Entre eles, estava uma jovem química chamada Angela Merkel, uma ativista do Juventude Alemã Livre (*Free German Youth*), pró-governo por muitos anos, mas que ultimamente havia se colocado contra o Estado. Perto da meia-noite, os guardas não conseguiram mais conter as multidões. As formalidades foram abandonadas em outros pontos da divisão para a Berlim Ocidental. Os moradores dos dois lados do Muro ficaram malucos, lotando os postos de fronteira pela cidade toda. Alguns subiam no Muro e dançavam, outros golpeavam-no com marretas.

Naquela noite, Hasso Herschel estava preparando uma refeição na cozinha de sua casa, com a televisão ligada na sala de estar, quando ouviu as primeiras notícias. No começo, não conseguiu acreditar – teve a sensação de que um filme de Hollywood se desenrolava. Ligou para alguns amigos. "E 20, 30, até mesmos escavadores idosos, fomos a todos os postos de fronteira, bebemos champanhe e gastamos dinheiro até as 11 da manhã", ele relembrou. "Eu não acreditava que o Muro ficaria aberto. Pensei que eles fossem fechá-lo em um ou dois dias e que permaneceria fechado. Mas isso não aconteceu e achamos que talvez fosse o fim da Guerra Fria, e de todas as outras guerras, era nossa esperança, nosso sonho."

Naquela mesma noite, Burkhart Veigel, na época um ortopedista que vivia em Stuttgart, chorou por horas na frente de sua televisão, muito emocionado. Aquilo era exatamente o que tinha sonhado por décadas: "Eu queria a liberdade para o povo. De repente, o povo estava livre. Foi a experiência mais importante da minha vida". No dia seguinte, quando seus filhos perguntaram por que ele ainda estava chorando, ele contou à família, pela primeira vez, "o que eu tinha feito no passado".

Um amigo de Joachim Rudolph no lado oriental tinha um irmão que morava na Berlim Ocidental. Um dia depois de o Muro ser aberto, Rudolph se ofereceu para levar ele e a esposa ao lado ocidental para ver seu irmão. Na barreira, dos dois lados, milhares de pessoas continuavam a se reunir, por isso era muito difícil passar de carro. Rudolph disse ao casal que eles deveriam pressionar o passaporte alemão oriental contra o vidro para as pessoas do lado de fora o verem. Quando as pessoas que comemoravam nas ruas viram isso, eles começaram a gritar e a bater no teto do carro em aprovação – "uma situação incrível", disse Rudolph posteriormente.

Nos dias e semanas seguintes, a polícia dos dois lados começou a retirar partes do Muro para construir mais postos de fronteira, no Portão de Brandemburgo, na Potsdamer Platz e em outros lugares. "Com frequência, eu estava presente", disse Rudolph. "Havia muitos carros com antena parabólica e repórteres ali, e muitos berlinenses foram ver. Eu me lembro daquela época de um clima péssimo, mas fiquei ali, à noite, por muitas horas com um guarda-chuva – e na manhã seguinte, tive que trabalhar. Nunca na vida toda vou me esquecer daquele momento emocionante.

Multidões de berlinenses orientais saquearam a sede da Stasi, e então salas protegidas com arquivos de centenas de milhões de páginas. Inúmeros outros documentos tinham sido destruídos por membros da Stasi em seus últimos dias ali, até as máquinas de picotar papel queimarem por excesso de uso. Mais de 170 mil informantes da Stasi estavam identificados por nome nos arquivos – cerca de 10 mil deles com menos de 18 anos –, mas a estimativa do número real passava de meio milhão, e ainda mais se colaboradores eventuais fossem incluídos.

Mas relatórios especiais nos dias após a queda do Muro alcançaram pouca audiência na televisão nos Estados Unidos. "Simplesmente não pegou", disse um porta-voz de uma emissora. "Todo mundo que encostou nessa história viu a audiência cair", disse um produtor da ABC. Na opinião de Reuven Frank: "Talvez se quatro pessoas se reunissem e conversassem a respeito na Oprah Winfrey, as pessoas ouviriam".

Depois de Erich Mielke, o homem despótico do MfS desde os anos 1950, finalmente ser forçado a deixar o cargo, logo foi mandado à prisão. Seria condenado por ter cometido dois crimes nos anos 1930, mas um processo à parte, acusando-o de mandar atirar em refugiados no Muro foi arquivado quando ficou claro que ele não estava mentalmente saudável (o que, pode-se dizer, sempre foi o caso).

Grande parte da barreira que dividia a cidade ao meio foi derrubada em meses, como se a cicatriz e o simbolismo não pudessem esperar para serem arrancados. A reunificação total da Alemanha ocorreu no dia 3 de outubro de 1990, menos de um ano depois da abertura do Muro. Berlim voltou a ser uma cidade. O historiador Fritz Stern chamou a era de reunificação de "segunda chance da Alemanha".

Dois anos depois, uma revista alemã conseguiu uma conversa entre Harry Seidel e Dr. Heinrich Toeplitz, o juiz da RDA que havia conduzido o julgamento dele, ajudando a condená-lo à prisão perpétua quase 30 anos antes. Toeplitz se recusou a pedir desculpas. Seidel disse: "Mesmo assim, eu te desejo o bem".

SIEGFRIED UHSE, por motivos desconhecidos, tornou-se menos disposto a trabalhar para a Stasi no fim dos anos 1960, deixando de cumprir tarefas para espionar o Exército francês em Baden-Baden e a CIA em Berlim. Talvez por sentir uma certa culpa, ele tenha se oferecido à Anistia Internacional em um esforço de tirar seu ex-colega da Stasi, "Günter H" e vários outros presos políticos da RDA. O MfS rompeu o relacionamento deles em 1977.

Depois que o Muro caiu, Hartmut e Gerda Stachowitz conseguiram localizar o endereço de Uhse em Berlim e tentaram convencer as autoridades a levá-lo a julgamento. Os oficiais responderam que os crimes dele estavam muito distantes. Um ex-associado da RDA disse ter caminhado pela Kiefholz Strasse com Uhse em 2004. Uhse, segundo ele, disse que havia entregado a existência do túnel ali somente para contribuir com a "paz mundial", mas ainda assim o ex-agente "Hardy" não podia deixar de pensar nas dezenas de alemães que ele havia mandado para a prisão. Uhse supostamente morreu na Tailândia alguns anos depois.

Diferentemente de Uhse, muitos soldados da RDA que atiraram em fugitivos foram presos depois da reunificação. Em quase todo caso – incluindo os dois acusados de atirar em Peter Fechter –, eles foram condenados, mas soltos e colocados em liberdade condicional. Em seu julgamento em 1997, dois guardas que atiraram em Fechter disseram sentir muito, mas afirmavam que não pretendiam matá-lo. Fechter continuou sendo o mais famoso mártir da Guerra Fria em Berlim. Vários livros, peças de teatro e canções foram escritas a respeito dele. "Dá para relacionar diretamente o momento de Peter Fechter ao momento no qual a parte menor, a parte oprimida da Alemanha cai", Egon Bahr observou. No lado ocidental, uma cruz e um jardim em sua homenagem, bem do outro lado do Muro onde ele caiu, atraiu milhares de visitantes por muitos anos até serem retirados numa renovação urbana. Um monumento de pedra pequeno, mas chamativo, normalmente com flores na base deixadas por visitantes, está hoje em uma calçada perto do mesmo ponto, mas a maioria das pessoas passa sem olhar.

Christian Zobel, acusado por muitos, tanto no lado oriental quanto no lado ocidental, de efetuar os disparos que mataram, em 1964, o guarda da RDA, Egon Schultz, teve uma vida tortuosa, bebendo muito, e morreu antes dos 50 anos. Por fim, em 1992, um inquérito oficial reforçou a afirmação original, de ajudantes de fuga, de que a bala que matou o guarda saiu da arma de um dos colegas de Schultz.

Alemães que tinham sido presos – ou que acreditavam terem sido espiados – pelo MfS tiveram acesso exclusivo aos arquivos da Stasi. Normalmente, eles descobriam que amigos, vizinhos ou mesmo membros da família os haviam monitorado ou divulgado informações que levaram a sua prisão.

Um ex-guarda de fronteira da RDA, Ulrich Mühe, havia se tornado ator de teatro e de cinema e liderou alguns dos protestos em 1989 que levaram à queda do Muro. Quando ele teve acesso a seu arquivo na Stasi, soube que sua própria esposa tinha sido informante da Stasi. Eles se divorciaram. Ele interpretou um agente em conflito da Stasi (que por fim faz uma boa ação) no filme A Vida dos Outros, que receberia um Oscar de Melhor Filme em Língua Estrangeira em 2006.

Na virada do século, o que era chamado de ostalgie, ou nostalgia pela RDA passou a crescer em seu antigo território. Uma pesquisa de 2009 com alemães orientais para o Der Spiegel descobriu que cerca de metade deles acreditava que a crítica ao antigo Estado era exagerada e concordava com a frase de que havia "mais coisas boas do que ruins – havia problemas, mas a vida era boa". Um historiador chamado Stefan Wolle disse que essas respostas "com filtro colorido" mostravam que muitos acreditavam que "o valor de sua própria história está em risco". O cientista político Klaus Schroeder explicou: "Muitos alemães orientais veem toda a crítica ao sistema como um ataque pessoal".

Do Muro em si, Anna Funder disse em seu aclamado livro Stasiland que a maioria das pessoas na antiga Alemanha Oriental "quer esquecer aquilo. Na verdade, agora parece que a maioria das pessoas dos dois lados quer fingir que ele nunca existiu. O Muro foi apagado tão depressa que quase não há vestígio dele nas ruas". Quando Berlim marcou o vigésimo quinto aniversário da queda do Muro, em novembro de 2014, milhares de luzes tiveram que ser temporariamente instaladas para traçar sua antiga rota. O aniversário chamou atenção da imprensa mundo afora. A NBC escolheu esse momento para colocar *The Tunnel* no site, na íntegra. Uma matéria que acompanhava o filme dizia que o pagamento total da emissora feito aos escavadores da Bernauer em 1962 foi de cerca de 150 mil dólares na moeda atual.

Sob o comando da chanceler Angela Merkel, a Alemanha continua sendo um dos mais próximos aliados dos Estados Unidos, mas seus cidadãos, de acordo com pesquisas de opinião, nutrem profunda ambivalência em relação ao país norte-americano. Até certo ponto, o país ainda está dividido politicamente, com um nível surpreendente de sensação antidemocrática (e oposição aos novos imigrantes) no antigo Oriente e grande sentimento de esquerda no antigo Ocidente. Peter Schneider, um famoso jornalista e autor alemão (um de seus livros é *The Wall Jumper*) disse a um repórter da *New Yorker* que os americanos na era da Guerra Fria "criaram um modelo de um salvador, e agora descobrimos, olhando para vocês, que vocês não são nada perfeitos – muito menos do que isso, vocês na verdade são corruptos, são péssimos negociantes, não têm mais ideais".

EM UMA CERIMÔNIA em outubro de 2012, Harry Seidel e 13 outros ex-escavadores e mensageiros finalmente receberam um dos mais importantes prêmios da Alemanha, a Cruz Federal de Mérito. Dois deles, Joachim Rudolph e Hasso Herschel, agora realizam passeios aos locais dos túneis para a Berliner Unterwelten. Essa organização popular publicou vários livros importantes sobre a época das fugas. Também construiu, embaixo da terra, uma réplica do Túnel 29, com trilhos de aço, baldes e carrinhos, a poucos quarteirões de onde ele de fato foi iniciado na Bernauer Strasse.

Vários quarteirões nas proximidades foram transformados em um dos locais de homenagem mais informativos e emocionantes do mundo, com museu, uma torre de guarda, partes do Muro e vários metros da faixa da morte, que podem ser percorridos. Fotografias de todos os que morreram tentando fugir, incluindo as de Heinz Jercha, Siegfried Noffke e Peter Fechter, estão expostas do lado de fora na Janela da Memória, colocadas lado a lado num muro de aço enferrujado a poucos metros dos restos do muro original de concreto.

Enquanto o Muro permanece no passado, um debate aquecido continua ocorrendo a respeito das barreiras controversas em outros lugares, desde a cerca e o muro construídos no sudeste dos Estados Unidos (que alguns políticos, especialistas e cidadãos desejam estender para cobrir toda a extensão de mais de 3.200 quilômetros de fronteira com o México) até a chamada linha de paz que divide enclaves católicos e protestantes no norte da Irlanda. A enorme barreira de concreto que Israel construiu ao longo, e então por dentro, do Muro da Cisjordânia, começando em 2002, está agora quase três vezes mais comprido, e em muitos pontos, com o dobro da altura de seu ancestral em Berlim. Com sua série de postos de fronteira, cercas elétricas torres de vigilância, estradas de controle e faixas de morte, lembra muito o Muro de Berlim em seu ápice. A Corte Internacional, a Anistia Internacional, os Direitos Humanos e o Conselho Mundial de Igrejas condenaram a existência do muro, ou sua rota destruindo terras palestinas, ou ambos. "O muro é um símbolo com o qual não podemos viver", um israelita disse a seu amigo David Hare durante uma das visitas do dramaturgo a Tel Aviv. "É um reconhecimento do fracasso".

Em Berlim, hoje, guindastes marcam o horizonte em quase todos os lugares, a leste ou a oeste. Este é ainda outro legado do Muro, já que sua remoção "deixou grandes espaços que acabaram se tornando dádivas civis de um modo que os políticos e projetistas não imaginavam há 25 anos", disse um jornalista do *New York Times*. Berlim continua sendo uma das mais modernas e vanguardistas cidades do novo século.

A fábrica de mexedores de coquetel na Bernauer Strasse, a antiga casa dos Sendler na Kiefholz Strasse e a maioria dos outros pontos de entrada e saída dos antigos túneis de Berlim foram demolidos há muito tempo. A velha construção de número 7 na Schönholzer Strasse ainda está de pé, e agora oferece hospedagem de luxo depois de uma reforma recente. O anúncio de um apartamento no prédio elegante do outro lado da rua menciona uma grande mudança no ambiente desde meio século atrás, dizendo ser um lugar "em um dos bairros mais vanguardistas de Berlim: o recentemente batizado New Art District", com "galerias de arte modernas, fiéis à moda em Berlim".

O único vestígio de história no quarteirão é uma placa grande na entrada do número 7 da Schönholzer, posicionada à esquerda da porta em 2009. "O túnel", ela explica, "foi cavado por homens corajosos que escolheram o caminho perigoso para poderem abraçar de novo suas esposas, seus filhos, parentes e amigos", que estavam presos "do outro lado da barreira desumana".

Quando Joachim Rudolph visitou a Schönholzer Strasse e viu que a construção estava sendo submetida a uma grande reforma, temeu que a placa branca esmaltada e antiga na porta, com o número "7" preto, logo seria trocada e descartada. Aquele "7" não representava nada aos operários, mas tinha um sentido especial para ele, principalmente por ter sido o escavador que saiu do porão e foi até a rua no dia 14 de setembro de 1962, para ver se sua equipe tinha saído no endereço certo – e viu aquele número preto, na placa, para seu enorme alívio. Ele temia que o número pudesse desaparecer para sempre.

Voltando tarde da noite com algumas ferramentas, Rudolph (perto dos 70 anos), cuidadosamente subiu no cadafalso e retirou seu prêmio. Mais tarde, longe dali, no distrito de Charlottenburg, ele colocou a placa em uma das portas dentro de seu confortável apartamento, onde o cidadão alemão que já cavou um túnel de 122 metros sob o Muro de Berlim e a mulher que foi a primeira a atravessá-lo agora admiram seu 7 da sorte todos os dias e sabem o que ele significa para eles e o que representa para o resto do mundo.

AGRADECIMENTOS

Quando comecei este livro, não fazia ideia de quantos escavadores, mensageiros e fugitivos dos túneis ainda estavam vivos, nem se conseguiria alcançá-los; e se conseguisse, não sabia se estariam dispostos a falar comigo. Fiz uma lista e, surpreendentemente, consegui marcar entrevistas longas com quase todos eles, e mais alguns. Um monte! Então, obrigado, em primeiro lugar, àqueles que dedicaram mais tempo para entrevistas e prosseguimentos: Hasso Herschel, Joachim Neumann, Uli Pfeifer, Wolf Schroedter, Harry Seidel, Claus Stürmer, Boris Franzke, Ellen Sesta, Hartmut e Gerda Stachowitz, Manfred Meier, Eveline (Schmidt) Rudolph, e Anita Moeller.

Na NBC, recebi informações valiosas (e muitas fotos) da viúva de Piers Anderton, Birgitta Anderton; dos filhos de Reuven Frank, Jim e Peter Frank; e do filho de Lester Bernstein, Paul Bernstein, e da filha, Nina Bernstein. Jim Greenfield ofereceu informações essenciais sobre o raciocínio e as atitudes de Dean Rusk no Departamento de Estado e de comunicações com a Casa Branca de Kennedy.

Três dos principais especialistas em fugas no Muro ofereceram ajuda essencial sobre fatos históricos e atitudes públicas. O Dr. Burkhart Veigel fez isso com frequência e compartilhou documentos essenciais. Também gostaria de agradecer a Dietmar Arnold (que ajudou a conseguir fotos) da Berliner Unterwelten, e Maria Nooke.

Vários arquivistas ofereceram material de fonte importante, mas eu gostaria de destacar Stacey Chandler da Biblioteca Presidencial John F. Kennedy, que voltou a pesquisas nas coleções do acervo muitas vezes, e que sempre encontrava telegramas, lembranças e cartas surpreendentes e significativas. Já tinham me alertado para o fato de que, devido a regras rígidas sobre confidencialidade, eu teria sorte se recebesse algo novo ou de valor dos arquivos da Stasi (BStU) em Berlim, principalmente porque precisava de uma resposta rápida. Mas consegui acesso, por meio de Annett Müller, a centenas de páginas de relatórios da Stasi sobre os túneis de 1962, e sobre muitos elementos importantes, muitos dos quais poucas ou nenhuma pessoa já tinha visto. Enquanto isso, o pesquisador Satu Haase-Webb procurou os enormes, e normalmente assustadores, arquivos do Departamento de Estado e da CIA nos arquivos do National Archives em College Park, Maryland.

Meu agente, Gary Morris (da David Black Agency), aceitou a proposta deste livro em um estágio muito inicial, antes de eu conhecê-lo, e me deu não só incentivo e entusiasmo, mas também conselhos essenciais sobre como revisar partes dele. Brian Siberell (da Creative Artists Agency) conseguiu vender a proposta para um possível filme.

Desde o começo, torci para que Rachel Klayman da Crown acabasse editando o livro, com base em minha experiência em dois de seus projetos anteriores. Meu desejo se tornou realidade e, como esperado, ela ofereceu uma orientação brilhante (com um leve toque) nos meses seguintes. Sua assistente, Meghan Houser, ofereceu edição do manuscrito em diversos estágios, o que foi excelente. Eu escreveria mais sobre essas duas, mas elas me fizeram prometer que os agradecimentos seriam curtos!

E agora, cinco pessoas a quem devo agradecimentos especiais.

Este livro foi inspirado pela minha primeira viagem a Berlim logo depois de minha filha, Jeni Mitchell, e seu marido, Stephane Henaut, e o filho de quatro anos deles, Jules, se mudarem para lá. Por obra do destino, eles moram a pouco menos de dois quilômetros da Bernauer Strasse, na antiga Berlim Oriental. Depois que comecei a escrever este livro, Jeni, que havia acabado de terminar seu doutorado, me deu um grande empurrão: repassando ou resumindo artigos de jornais, falando sobre fontes e marcando nossa visita aos arquivos da Stasi e o primeiro pedido por arquivos.

Como mal falo uma palavra de alemão, dá para imaginar as dificuldades que tive com o idioma. Stephane, que é meio alemão, ofereceu, então, uma série de serviços absolutamente essenciais: ajudou a organizar e então me acompanhou em todas as entrevistas em Berlim, e mais tarde, transcrevendo fitas; traduzindo muitos dos documentos da Stasi e trechos de vários livros, e até realizando algumas entrevistas importantes por conta própria na minha ausência. Ele foi excelente em tudo isso e também um parceiro esperto.

Para a minha esposa, Barbara Bedway, ofereço meus mais sinceros agradecimentos por ter não só dividido muitas das minhas experiências em Berlim, mas também por me incentivar a falar sobre esse assunto, e por ler e melhorar três versões distintas do manuscrito. Ela também escreveu as partes incríveis no livro sobre Peter Fechter.

Emely von Oest, uma atriz (e ex-piloto de avião) que vive em Los Angeles, cresceu na Berlim Oriental durante meados até o fim do período de existência do Muro. Passei a conhecê-la como uma das "estrelas" do documentário que coproduzi sobre a Nona Sinfonia de Beethoven. Assim como Stephane, ela traduziu muitos documentos da Stasi e trechos dos livros, e até realizou algumas entrevistas por telefone (enquanto realizava uma pesquisa infrutífera sobre Siegfried Uhse). Durante mais de um ano, ela ofereceu conselhos e ajuda quase diária sobre a pesquisa, com sua perspectiva única e pessoal. Não tenho palavras que bastem para agradecer.

Finalmente, agradeço a Joachim Rudolph. Além de ter aguentado quase 10 horas de entrevistas, também me colocou em contato com a maioria das outras pessoas dos túneis, e com alguns dos mensageiros e dos fugitivos – o valor dessa contribuição não pode ser mensurado. Ele analisou documentos da Stasi e até fez com que o reconhecidamente reticente Harry Seidel respondesse a várias dezenas de perguntas. E, assim como Emely, tornou-se uma fonte quase diária de conselhos e averiguação de fatos, cuidando para que minha "escavação" não vazasse e me ajudando a evitar até mesmo um colapso parcial da narrativa. Joachim, eu não poderia ter finalizado este livro sem você. Seu apelido pode ser *Der Kleiner*, mas ao contribuir com este livro, você está mais para *Der Gigant*.

BIBLIOGRAFIA

ARQUIVOS

Hanson Baldwin Papers: Yale University, New Haven, Connecticut.

Cartas de Lester Bernstein (enviadas por Bernstein a seus familiares e outros): família de Bernstein.

Der Bundesbeauftragte für die Unterlagen des Staatssicherheitsdienstes (arquivos da Stasi): Berlim, Alemanha.

Documentos de Blair Clark: Princeton University, Princeton, New Jersey.

Documentos de Reuven Frank: Tufts University, Medford, Massachusetts. São, em grande parte, cartas que Frank enviou e recebeu em 1988, enquanto escrevia sua memória, e documentos do governo recebidos durante o mesmo período em resposta a um pedido do Freedom of Information Act feito ao Departamento de Estado.

Documentos de John F. Kennedy: Biblioteca Presidencial John F. Kennedy, Boston, Massachusetts.

Telegramas do Departamento de Estado para e a partir de Berlim, Bonn, e Washington, D.C., National Security Files.

Relatório diário da CIA, publicado em 2015; ver http://www.foia.cia/collection.PDBs.

Arquivos do Gabinete da Presidência dos Estados Unidos.

Documentos de Robert J. Manning: Yale University, New Haven, Connecticut.

Motion Picture Academy: Margaret Herrick Library, Los Angeles, California, arquivos de *Fuga de Berlim Oriental/Tunnel 28*.

National Archives e Records Administration, College Park, Maryland.

Berlin Brigade, registros do Exército americano, 1962.

Documentos do Departamento de Estado e da CIA divulgados em janeiro de 2014 pelo National Declassification Center; ver www.archives.gov/research/foreign-policy/cold-war/berlin-wall-1962-1987/dvd/start.swf.

Relatórios semanais e periódicos internos da CIA.

Documentos de Dean Rusk: Biblioteca Presidencial de Lyndon B. Johnson, Austin, Texas.

Documentos de Richard S. Salant: New Canaan Public Library, New Canaan, Connecticut.

Documentos de Daniel Schorr: Biblioteca do Congresso, Washington, D.C.

FILMES

Exibição na Berlin Wall Gallery. Entrevistas em vídeo e transcrições de registros com Reuven Frank, Daniel Schorr, e Hasso Herschel. Newseum, Washington, D.C.

Ein Tag im August: Der Fall Peter Fechter. Filme dirigido por Wolfgang Schoen. 2012.

Test for the West. Filme dirigido por Franz Baake. 1962-1963.

Der Tunnel. Documentário dirigido por Marcus Vetter. 1999.

The Tunnel. Documentário da NBC. Transmitido em 10 de dezembro de 1962.

ENTREVISTAS

As entrevistas com as seguintes pessoas foram realizadas pelo (ou, em alguns casos, em nome do) autor em 2015 ou 2016. Normalmente com duração de duas horas ou mais, quase todas aconteceram em Berlim ou próximo da cidade.

Escavadores: Harry Seidel, Hasso Herschel, Wolf Schroedter, Joachim Rudolph, Uli Pfeifer, Joachim Neumann, Claus Stürmer, Boris Franzke, Klaus M. von Keussler.

Fugitivos: Eveline (Schmidt) Rudolph, Anita Moeller, Gerda Stachowitz, Inge Stürmer, Renate Sternheimer, Britta Bayer, Helga (Schaller) Stoof.

Mensageiros: Ellen (Schau) Sesta, Hartmut Stachowitz, Wolf-Dieter Sternheimer, Manfred Meier.

No Departamento de Estado: James L. Greenfield, Arthur Day.

Funcionários ligados à NBC: Abraham Ashkenasi, Birgitta Anderton, Mary Anderton, Kit Anderton, Peter Frank, Jim Frank, Markus Thoess, Renate Stindt, Paul e Nina Bernstein, Sander Vanocur.

Na MGM: Christine Kaufmann, Franz Baake.

Especialistas e outros: Burkhart Veigel, Maria Nooke, Dietmar Arnold, Fritjof Meyer, Thomas Bahner, Bill Moyers, Erdman Weyrauch.

RELATOS

Na John F. Kennedy Presidential Library: Elie Abel, Dean Acheson, McGeorge Bundy, Abraham Chayes, Lucius Clay, Walter Lippmann, Dean Rusk, Pierre Salinger, Ted Sorensen, Frank Stanton.

PRINCIPAL MATÉRIA EM REVISTA

Frank, Reuven. "Making of 'The Tunnel'", *Television Quarterly*, Fall, 1963.

LIVROS

Ahonen, Pertti. *Death at the Berlin Wall*. Nova York: Oxford University Press, 2011.

Alterman, Eric. *When Presidents Lie*. Nova York: Viking, 2004.

Arnold, Dietmar, e Sven Felix Kellerhoff. *Die Fluchttunnel von Berlin*. Berlin: Propylaen, 2008. Revisado e publicado como *Unterirdisch in die Freiheit*, 2015.

Barnouw, Erik. *Documentary: A History of the Non-Fiction Film*. Nova York: Oxford University Press, 1993.

Bluem, A. William. *Documentary in American Television*. Nova York: Hastings House, 1965.

Bradlee, Benjamin C. *Conversations with Kennedy*. Nova York: W. W. Norton, 1975.

Coleman, David G. *The Fourteenth Day: JFK e the Aftermath of the Cuban Missile Crisis*. New York: W. W. Norton, 2012.

Dallek, Robert. *An Unfinished Life: John F. Kennedy*. Nova York: Little, Brown e Company, 2003.

Davies, Robert B. *Baldwin of the "Times."* Annapolis, Md.: Naval Institute Press, 2011.

Detjen, Marion. *Ein Loch in Der Mauer*. Berlin: Siedler Verlag, 2005.

Frank, Reuven. *Out of Thin Air: The Brief Wonderful Life of Network News*. Nova York: Simon & Schuster, 1991.

Funder, Anna. *Stasiland: Stories from Behind the Berlin Wall*. Nova York: Perennial, 2002.

Galante, Pierre. *The Berlin Wall*. Garden City, N.Y.: Doubleday, 1963.

Halberstam, David. *The Powers That Be*. Nova York: Knopf, 1979.

Hertle, Hans-Herman, e Maria Nooke, eds. *The Victims at the Berlin Wall, 1961–1989*. Berlin: Ch Links, 2011.

Hill, T. H. E. *Berlin in Early Wall Era–CIA, State Department, e Army Booklets*. Autopublicado, 2014.

Hilton, Christopher. *The Wall: The People's Story*. London: Sutton, 2001.

Keil, Lars Broder, e Sven Felix Kellerhoff. *Mord an der Mauer: Der Fall Peter Fechter*. Berlin: Bastei Lubbe, 2012.

Kemp, Anthony. *Escape from Berlin*. Londres: Boxtree Limited, 1987.

Kempe, Frederick. *Berlin 1961*. New York: G. P. Putnam's Sons, 2011.

Kennedy, Robert F. *Thirteen Days*. New York: W. W. Norton, 1969.

Keussler, Klaus-M. von. *Fluchthelfer: Die Gruppe Um Wolfgang Fuchs*. Berlim: Berlin Story Verlag, 2011.

Kirschbaum, Erik. *Bruce Springsteen: Rocking the Wall*. Nova York: Berlinica, 2013.

Koehler, John O. *Stasi: The Untold Story*. Boulder, Colo.: Westview Press, 1999.

Leo, Maxim. *Red Love: The Story of an East German Family*. Londres: Pushkin Press, 2013.

Mann, Ulf. *Tunnelfluchten*. Berlim: Transit Buchverlag, 2005.

Murphy, David, Sergei A. Kondrashev, e George Bailey. *Battleground Berlin: CIA vs. KGB in the Cold War*. New Haven, Conn.: Yale University Press, 1997.

Naftali, Timothy, Philip Zelikow, e Ernest May. *The Presidential Recordings of John F. Kennedy: The Great Crises*. 3 vols. Nova York: W. W. Norton, 2001.

Nooke, Maria. *Der Veratene Tunnel*. Berlin: Edition Temmen, 2002.

Roy, Susan. *Bomboozled*. Nova York: Pointed Leaf Press, 2011.

Rusk, Dean. *As I Saw It*. Nova York: W. W. Norton, 1990.

Salinger, Pierre. *With Kennedy*. Nova York: Doubleday, 1966.

_____. *P.S.* New York: St. Martin's Press, 1995.

Schneider, Peter. *The Wall Jumper*. Nova York: Pantheon, 1983.

Schoenbaum, Thomas J. *Waging Peace e War*. Nova York: Simon & Schuster, 1988.

Schorr, Daniel. *Staying Tuned: A Life in Journalism*. Nova York: Washington Square Press, 2001.

Sesta, Ellen. *Der Tunnel in die Freiheit*. Munich: Ullstein, 2001.

Smyser, W. R. *Kennedy e the Berlin Wall*. Lanham, Md.: Rowman & Littlefield, 2010.

Sorensen, Theodore. *Kennedy*. Nova York: Harper & Row, 1965.

Taylor, Frederick. *The Berlin Wall*. Londres: Bloomsbury, 2006.

Veigel, Burkhart. *Wege durch die Mauer: Fluchthilfe und Stasi zwischen Ost und West*. Berlim: Berliner Unterwelten, 2013.

Watson, Mary Ann. *The Expanding Vista: American Television in the Kennedy Years*. Nova York: Oxford University Press, 1990.

Wyden, Peter. *Wall: The Inside Story of Divided Berlin*. Nova York: Simon & Schuster, 1989.

CRÉDITOS DAS FOTOGRAFIAS

(Sentido horário de cima a partir da esquerda de cada página)

PÁGINA UM

Harry Seidel: Alex Waidmann - ullstein bild / Granger, NYC. -- All Rights Reserved, New York

Siegfried Uhse: Arquivos da Stasi

Heidelberger Strasse: Berliner Unterwelten e.V.

PÁGINA DOIS

Joachim Neumann: Berliner Unterwelten e.V.

Gigi Spina, Mimmo Sesta, e Wolf Schroedter: NBC Universal Archives

Hasso Herschel: Arquivos da NBC Universal

Joachim Rudolph: cortesia de Joachim Rudolph

PÁGINA TRÊS

Gary Stindt, Reuven Frank, e Piers Anderton: cortesia de Birgitta Anderton

Anderton na entrada do túnel: cortesia de Birgitta Anderton

Túnel inundado: Arquivos da NBC Universal

PÁGINA QUATRO

Daniel Schorr: Getty Images

Eveline Schmidt: cortesia de Joachim Rudolph

Dean Rusk e John F. Kennedy: Cecil Stoughton/White House Photographs, Biblioteca Presidencial e Museu John F. Kennedy

PÁGINA CINCO

Rascunho da área do túnel Kiefholz: Arquivos da Stasi

Agentes da Stasi entrando na casa dos Sendler: Arquivos da NBC Universal

PÁGINA SEIS

Guardas da fronteira carregando o corpo de Peter Fechter: Ullstein Bild via Getty Images

PÁGINA SETE

Vista da Schönholzer Strasse: Arquivos da NBC Universal

Eveline Schmidt: Arquivos da NBC Universal

Ellen Schau: Arquivos da NBC Universal

PÁGINA OITO

Anita Moeller: Arquivos da NBC Universal

Caminho do túnel: Berliner Unterwelten e.V., cortesia de Boris Franzke

Uli Pfeiffer, Joachim Rudolph, Joachim Neumann e Hasso Herschel: Berliner Unterwelten e.V., cortesia de Boris Franzke